Das Buch

Seit zehn Jahren schreibt die beliebte englische Autorin Sue Townsend Kolumnen für das *Sainsbury's Magazine*, die nun erstmals in Buchform vorliegen. Townsend eröffnet uns mit viel Witz und Esprit ihre ganz eigene Sicht der Dinge und gibt Antworten auf die wirklich wichtigen Fragen des Lebens: Warum niemand auf den entsetzlichen Gedanken verfallen sollte, Schriftsteller zu werden, wie man nach guter englischer Tradition – also mit viel Bier – erfolgreich einer Schneckenplage beikommt, weshalb sie persönlich überhaupt nichts gegen anonyme Drohbriefe hat (endlich einmal Post, die nicht beantwortet werden muss!) und vieles mehr. Sue Townsends Bekenntnisse sind ein wahres Feuerwerk britischen Humors, und die Autorin stellt wieder einmal unter Beweis, dass sie ihrer eigenen Schöpfung, der tagebuchschreibenden Kultfigur Adrian Mole, an skurrilen Einfällen und bissigen Pointen in nichts nachsteht …

Die Autorin

Sue Townsend lebt als freie Autorin von Romanen, Drehbüchern und Theaterstücken in Leicester. Sie ist die Schöpferin des Helden Adrian Mole, dessen Lebensgeschichte sie zur internationalen Bestsellerautorin machte.

HEYNE ALLGEMEINE REIHE
Band-Nr. 01/13704

Die Originalausgabe
THE PUBLIC CONFESSIONS
OF A MIDDLE-AGED WOMAN
erschien 2001 bei Michael Joseph
an imprint of Penguin Books

Umwelthinweis:
Dieses Buch wurde auf chlor- und
säurefreiem Papier gedruckt.

Deutsche Erstausgabe 03/2003
Copyright © 2001 by Sue Townsend
Copyright © der deutschsprachigen Ausgabe 2003 by
Ullstein Heyne List GmbH & Co. KG, München
Der Wilhelm Heyne Verlag ist ein Verlag der
Ullstein Heyne List GmbH & Co. KG
Printed in Denmark 2003
Umschlagillustration: Getty Images/Alan Thornton
Umschlaggestaltung: Nele Schütz Design, München
Herstellung: Rebekka Dvorak
Gesetzt aus der Times Ten Roman
Satz: Schaber Satz- und Datentechnik, Wels
Druck und Bindung: Nørhaven Paperback A/S, Viborg

ISBN: 3-453-86514-6

http://www.heyne.de

Sue Townsend

Krieg der Schnec

88 öffentliche Bekenntnisse

Aus dem Englischen
von Marlies Ruß

WILHELM HEYNE VERLAG
MÜNCHEN

Inhalt

Inhalt

Vorwort

Diese Sammlung monatlich erschienener Artikel stellt eine Art aufbereiteter Autobiographie dar. Bevor ich mit der ersten Kolumne anfing, stellte ich, nur für mich selbst, ein paar Regeln auf:

- Keine Familienmitglieder als Vorlage benutzen.
- Nicht über Katzen und Hunde schreiben.
- Keine Taxifahrer zitieren.
- Die Personalpronomen *ich*, *mich* und *mir* großräumig umschiffen.

Ich habe gegen die meisten dieser Regeln in so gut wie jeder Kolumne, die ich schrieb, verstoßen. Meinem Gatten kommt auf diesen Seiten eine tragende Rolle als leidgeprüftem aber geduldigem Mann zu. Bill und Max (Hund und Katze) tauchen in den späteren Kolumnen weit häufiger auf als mir lieb ist, und ein Zitat eines Taxifahrers namens Elias brachte sowohl ihm als auch mir Ärger mit seiner Lordschaft, dem berüchtigten Jeffrey Archer ein.

Elias und ich lernten uns ziemlich gut kennen, während wir, auf der Suche nach meinem verschollenen Ehemann zwischen Flughafen und Hafen pendelnd, mehrfach die Insel Skyros durchquerten. Auf einer dieser Fahrten erzählte mir Elias, dass er einmal Jeffrey Archer, dessen Frau Mary und ihre Gäste beförderte und sie auf einem Beutezug durch die Töpferwarenläden der Insel herumkutschiert hatte. Offensichtlich besitzt der große Archer eine eindrucksvolle Keramiksammlung, wobei allerdings die Bemerkung erlaubt sein muss, dass nicht jedermann seinen Geschmack teilt. Elias holte ihn mit dem Taxi von seiner Jacht im Hafen ab, und los ging's. Natürlich war ich fasziniert und fragte, wie der große Archer denn im Urlaub so sei. Elias sagte: »Sue, er redet mit mir wie mit Hund.«

Ich war empört, dass Archer sich Elias gegenüber (der einen Universitätsabschluss in Englisch und gute Manieren besitzt, ganz im Gegensatz zu Archer selbst) so herablassend verhalten hatte.

Ein leichtes Unwohlsein beschlich mich, als ich dies niederschrieb. Bei meinem nächsten Besuch auf Skyros erfuhr ich denn auch zu meiner nicht geringen Verwunderung von Elias, dass Archer ihn von England aus angerufen und sich beschwert hatte.

»Ist mir egal, Sue«, sagte Elias lachend. »Er ist Schwein.«

Meine Einwilligung, für Sainsbury's *The Magazine* zu schreiben, gab ich nach einem reizenden Abendessen mit Fernsehköchin Delia Smith und dem Chefredakteur Michael Wynn-Jones im Clubhaus des Royal Automobile Club in London. Ich hatte keinen von beiden vorher kennen gelernt und wusste nur, dass sie eine neue Zeitschrift herausgeben und darüber mit mir sprechen wollten. Bei den Worten ›neue Zeitschrift‹ sank meine Stimmung gewaltig.

Diese harmlos klingende Wendung ist im Allgemeinen ein Codewort. Es bedeutet: Gib mir dein hart verdientes Geld, ich werde es in eine Neuerscheinung »investieren«, die niemand lesen will, und nach allerlei Kummer und Qualen und viel harter Arbeit zünde ich dein Geld an und zerstreue die brennenden Scheine in alle Winde. Damit du es auch mit Sicherheit nie wieder siehst.

Beim Abendessen gab es jede Menge Gelächter und kaum

weniger Alkohol. Während ich bei der Suppe noch betonte, dass ich unmöglich noch mehr Arbeit annehmen könne, redete ich mir beim Hauptgang ein, dass es ja vielleicht doch gehen könnte. Beim Kaffee hörte ich mich überschwänglich sagen, dass es mir ein Vergnügen wäre, ihnen 800 Wörter im Monat zu liefern. 800 Wörter in Englisch, das sind nicht einmal drei Seiten. *Läppisch!* Die würde ich im Zug von Leicester nach London schreiben können, oder in der Küche, während ich darauf wartete, dass meine Tea-Biscuits im Ofen schön knusprig wurden. Ich sah mich schon mit einem eleganten Notizblock und Füllfederhalter in einem Straßencafé sitzen und genüsslich an 800 weisen und witzigen Worten feilen.

Entschuldigen Sie, wenn ich gleich einen Lachanfall bekomme, aber diese 800 Wörter kamen zum allergrößten Teil nur mit Blut, Schweiß und Tränen zustande. (Wobei mir eben einfällt: Eine meiner Regeln lautete, Gemeinplätze zu meiden. Wie die Pest.)

Ich glaube nicht, dass ich die 800 Wörter auch nur ein einziges Mal rechtzeitig abgeliefert habe. Dies ist das entwürdigendste Bekenntnis von allen. Genaugenommen habe ich gar kein Recht, mich Berufsschriftsteller zu schimpfen. Die Profis stehen früh auf und begeben sich in ihr Arbeitszimmer. Nach einem Augenblick des Nachdenkens bringen sie 800 geistvolle Wörter, in doppeltem Zeilenabstand getippt, zu Papier. Nach einem kurzen, leichten Überarbeitungsgang schicken sie dieses Dokument mit besten Empfehlungen und einem heiteren Kommentar auf einer vorgedruckten Grußkarte an ihren Redakteur. Ich bin fest überzeugt, dass andere Kolumnisten es nicht so machen wie ich – angstschlotternd im Bett liegen, mit den Zähnen knirschen, jedem, der es hören mag (nicht mehr viele in letzter Zeit) erklären, »Ich kann das nicht. Es gibt nichts, worüber ich schreiben könnte.« Zu meiner eigenen Entschuldigung und auf den Rat meines Haustherapeuten, Dr. Eagleburger, hin möchte ich aber noch hinzufügen, dass ich unter ge-

wissen Beschränkungen arbeite. Zeitschriften mit hohem her-
stellerischem Ethos wie Sainsbury's *The Magazine* bastelt man
nicht über Nacht zusammen. Vom Rundbrief des Schildkrö-
tenliebhabervereins und seinesgleichen sind wir ziemlich weit
entfernt. Meine Wörter müssen mit drei Monaten Vorlaufszeit
verfasst werden, so dass aktuelle Themen nicht in Frage kommen und ich also auch nicht die täglichen Nachrichten aus-
schlachten kann.

Ich hoffe sehr, Sie haben Spaß an diesen Kolumnen. Was
mich ganz persönlich angeht: Ich war leider außerstande, sie
noch ein weiteres Mal zu lesen.

Sue Townsend
Leicester
Juli 2001

Aga-Saga

Vor zwei Jahren sah ich meinen ersten Aga-Gusseisen-Herd. Er stand in der Wohnung eines verrückten Journalisten und war mit einem öligen Film aus dem gesammelten Fett und Staub der letzten zwanzig Jahre überzogen, doch es war Liebe auf den ersten Blick. Seine Wärme, seine Kraft, sein klassischer Schnitt und Retro-Look sowie die Tatsache, dass Agas immer heiß und startbereit sind, gefielen mir einfach. Der Aga hat viele der Qualitäten, die man sich bei einem Liebhaber wünscht und dort meist vergeblich sucht.

Ich ließ mir einen Prospekt schicken und schmachtete tagelang darüber. Ich machte mich mit der Aga-Terminologie vertraut, sprach schon bald fließend vom »Aga mit zwei Öfen«, »Aga mit vier Öfen« und »integrierter Warmhalteplatte«. Dann traf ich eine Entscheidung. Ich rief den Händler an und wollte den »Aga mit zwei Öfen in Creme« bestellen. Eine Stimme am anderen Ende der Leitung teilte mir mit, dass zuerst ein Gespräch erforderlich wäre, um festzustellen, ob ich dafür »geeignet« wäre. Man hätte meinen können, ich wollte ein Baby adoptieren oder meinen Sohn in Eton unterbringen.

Je näher der Tag des Gesprächs kam, um so mulmiger war mir zumute. Würde der Händler mich und meinen Mann als geeignete Besitzer einstufen? Wir tranken und rauchten und diskutierten bis in die Nachtstunden. Würden wir womöglich *abgelehnt werden*?

Wir hätten uns keine Sorgen zu machen brauchen: Der Händler war nicht an unseren Moralvorstellungen oder unserem Standpunkt zur Apartheid interessiert. Er fuhrwerkte nur mit einem Zollstock herum, stellte ein paar angemessene Fragen über den Rauchabzug, steckte die Anzahlung ein und verschwand.

Klugerweise hatte ich es so eingefädelt, dass ich während der Vorarbeiten zur Installation auf Reisen war: Der Rauchabzug musste neu ausgekleidet, Geräte samt Anschlüssen aus der Wand gerissen, der Küchenboden verstärkt und die Gasleitung umgelegt werden. Als ich nach Hause zurückkam, stand ich Arm in Arm mit meinem Mann in der Küche und blickte auf die Lücke, in der bald der Aga stehen würde. Wie werdende Eltern beim ersten Kind malten wir uns aus, wie sich unser Leben verändern würde.

Als er angeschlossen wurde, war ich ebenfalls außer Haus, doch ich rief ständig an, ängstlich gespannt, ob es schon Fortschritte zu vermelden gab. Um 18.00 Uhr ging meine Tochter ans Telefon und sagte in düsterem Ton: »Er ist da, er sieht fürchterlich aus, und er macht mir Angst.« Man hätte denken können, sie beschriebe ein schauriges Monstrum. Mein Mann kam ans Telefon: »Er ist toll«, rief er überschäumend. »Ich kann die Finger gar nicht von ihm lassen, so schön ist er.« Ein Anfall von Eifersucht überkam mich, und ich eilte nach Hause, um meiner Rivalin gegenüber zu treten, Miss Aga. Und da stand sie, mit cremefarbenem Körper und glänzenden Chromteilen: die Marilyn Monroe der Kochherde. Mein Mann lag ihr bereits zu Füßen und förderte Käse-Scones und Schokobiskuit aus ihren hitzigen Höhlen zutage. Ein Mann im Rausch, ein Sklave ihrer Schönheit.

Ein paar Tage später erhielten wir eine Einladung zu einem »Abend für neue Aga-Besitzer«. Es sollte eine Kochvorführung geben und die »Gelegenheit« zum Kauf von Aga-Kochgeschirr. Mein Mann war sofort am Telefon, um unsere Teilnahme zu bestätigen.

Der Abend kam, und wir warfen uns in Schale, um ja nicht wie Aga-Prolls auszusehen. Wir nahmen unsere Plätze in der hintersten Reihe ein. Vor uns stand in einer Modellküche ein Aga mit vier Öfen. Die Reihen um uns her begannen sich zu füllen. Es war ein außerordentlich gutgekleidetes Publikum, das nicht einmal in der Oper fehl am Platze gewesen wäre. Die Spannung stieg, und dann, um Punkt 20.00 Uhr, verdunkelten sich die Lichter, und die Vorführerin hieß uns willkommen.

Schon nach Sekunden brachen mein Mann und ich in hysterisches Kichern aus – die Frau hatte eine außergewöhnliche Stimme. Sie begann ihre Sätze in einem Tonfall wie die Queen und beendete sie mit etwas, was wie Pauline Fowler in *EastEnders* klang. Nach fünf Minuten schafften wir es endlich, uns ein wenig zusammenzureißen, doch es war klar, dass die Vorführerin diese Kochdemonstration als eine Art kostenlose Therapiestunde missbrauchte.

Während sie ofenfrische Würstchen in Blätterteig herumreichte, erzählte sie uns traurige Geschichten aus ihren wilden Jugendjahren und gestand uns, dass ihr Mann sich weigerte, den Aga zu benutzen, sich nicht einmal ein weiches Ei kochen konnte und den Großteil seiner Zeit im Pub verbrachte. Doch ihr Lächeln verrutschte nicht ein einziges Mal, und das Essen, das sie produzierte, war exquisit.

Die Romanze meines Mannes mit Miss Aga hält immer noch an, obwohl die Dame inzwischen auch nicht mehr die Jüngste ist. Sie hat Flecken und Kratzer abbekommen, doch sie steht immer bereit, wenn er sie braucht. Und wenn er zur Haustür hereinkommt und ruft »Liebling, ich bin's«, dann bin ich mir nie ganz sicher, wen er damit meint.

Krieg der Schnecken

Eine schlechte Woche. Zuerst bekam ich einen Brief von einem bankrotten Bulgaren, einem Ex-Privatdetektiv, der mir damit drohte, sich zu erschießen, falls ich ihm nicht 28000 Dollar schicke (das ist nicht erfunden!), und nun haben auch noch die Schnecken ihren Sommerfeldzug gestartet. Falls Sie aus meinem Hinweis auf Schnecken eine leichte Paranoia herauszuhören vermeinen, dann will ich zu meiner Verteidigung nur sagen, dass ich im letzten Sommer Schneckenspuren nicht nur in meinem Garten, sondern sogar in meinem Wohnzimmer entdeckte.

Sie waren am Sofa vorbeipromeniert, hatten den Couchtisch umrundet und dann den Fernseher und das Videogerät angesteuert. Ich kam mir vor wie der letzte Mohikaner, als ich ihrer glitzerigen Fährte folgte, doch im Gegensatz zu unseren indianischen Brüdern und Schwestern (die ja bekanntlich alle lebendigen Geschöpfe lieben), empfand ich nur Hass im Herzen für die schleimigen Weichtiere. Ich stocherte mit einem Bratspieß unter dem Fernsehschränkchen herum (das ich in einem momentanen Anfall von Wahnsinn erstanden hatte – auf einem Kärtchen hatte in stilvoller Schönschrift gestanden: ›Antiquitäten-Fernseh-und-Video-Ständer‹). Nach einigem fruchtlosem Stochern und Suchen gab ich schließlich auf und kam zu dem Schluss, dass die Schnecken sich nach einer ausgiebigen Besichtigungstour wohl wieder in den Garten verdrückt hatten, um sich dort meinen zarten, jungen Pflänzchen zuzuwenden – vermutlich als Strafe für meinen schlechten Möbelgeschmack.

Ich war immer für meine Unbedarftheit bekannt gewesen, für meine hartnäckige Weigerung, von irgendjemandem etwas Schlechtes zu denken, für meine Passivität, doch die Schnecken haben meinen Charakter verändert.

Nach dem Vorfall im Wohnzimmer riss ich mich zusammen. Ich verwandelte mich in einen Serienkiller. Ich las mir alles nötige Wissen über Schnecken an und beschaffte mir die Instrumente zu ihrer Vernichtung: Bierdosen, leere Diet-Coke- Flaschen, Schneckenkorn, eine Taschenlampe, ein neues Paar Gummihandschuhe und einen Spielzeugeimer mit Schaufel.

Zuerst stellte ich die Bierfalle auf: Eine quer mitten durch geschnittene Colaflasche wurde (umgekehrt und mit fest verschraubtem Verschluss) in die Erde gesteckt. Da hinein schüttete man einen Viertelliter Bier und versteckte den Rand geschickt unter weichem Erdreich. Dann trank man das restliche Bier.

Als die Dunkelheit hereinbrach, ging ich ins Haus, schrieb und wartete. Es fiel mir schwer, mich auf die Arbeit zu konzentrieren. Ich war nervös. Schließlich war es das erste Mal, dass ich einen Massenmord plante.

Gegen Mitternacht war es dann so weit: Ausgestattet mit Gummihandschuhen und Taschenlampe wagte ich mich auf Zehenspitzen in den Garten. Wir sind richtige Nachtschwärmer, die Schnecken und ich. Zu später Stunde kommen wir erst so richtig in Fahrt. Ich hörte sie zuerst, ein fürchterliches Geräusch ungezügelter Gier. Sie schmausten an meinen Pflanzen, mampften mit ihren Tausenden und Abertausenden von Zähnen daran herum. Ich knipste die Taschenlampe an und stellte die Übeltäter im Lichtkegel. Wenn es Menschen gewesen wären, hätten sie die Hände erhoben und gerufen: »Okay,

okay, wir geben's ja zu, Chef«, aber da sie Schnecken waren,
ignorierten sie mich einfach und widmeten sich weiter unge-
stört der Vernichtung meiner selbst gezogenen Tabak-Pflänz-
chen. Wutschnaubend eilte ich los, um meinen kleinen Spaten
zu holen, der eigentlich für das Bauen von Sandburgen gedacht
war, nun jedoch eine weit weniger unschuldige Verwendung
finden sollte – nämlich Schnecken zu Tode zu befördern. Auf
dem Weg kam ich an meiner Bierfalle vorbei. Schnecken kleb-
ten am Rand wie Säufer an einer Bar, andere waren hineinge-
fallen und betrunken oder schon tot. Ich bin mir nicht mehr
ganz sicher, aber ich glaube, ich habe dreckig gelacht.

Meinen nächsten Rundgang machte ich um drei Uhr
nachts, als die Zahl der Opfer noch gestiegen war. Es war eine
Nacht der Rache und Vergeltung. Der Morgen graute schon,
als ich schließlich, müde aber triumphierend, ins Bett kroch.
Doch ich fand keinen Schlaf. Ununterbrochen quälte mich der
Gedanke, dass, obwohl ich Dutzende niedergestreckt hatte,
Hunderte, wenn nicht Tausende von ihnen immer noch da
draußen ihr Unwesen trieben. Das war der Augenblick, in dem
mein Schneckenhass zur Obsession mutierte.

Am nächsten Tag kamen meine Kinder vorbei und trafen
mich beim Zählen der Leichen an. Sie waren entsetzt. »Wie
grausam!« und »Die armen Dinger!« und »Wie konntest du
nur?« tönte es allerseits. Damals hatte keines meiner Kinder
einen eigenen Garten, und so wäre es völlig sinnlos gewesen,
ihnen erklären zu wollen, dass Blumen und Sträucher höhere
Lebensformen sind. Ich hüllte mich in Schweigen, und irgendwann verschwanden sie nach drinnen. (Wie die meisten jungen
Leute hegen sie ein tiefes Misstrauen gegen frische Luft.) Als
ich mich zu ihnen gesellte, fiel mir auf, dass sie mich mit einem
neuen Respekt betrachteten. Ihre dusselige, gutmütige Mutter
gehörte ein für allemal der Vergangenheit an. An ihre Stelle
war eine Schneckenkillerin getreten. Eine Frau, die in der Lage
war, Handzettel skrupellos abzulehnen, eine Großmutter, die

nie wieder für Babysitter-Dienste in letzter Minute zur Verfügung stehen würde.

Wie alle Besessenen bin ich irgendwann zum Langweiler geworden. Eben habe ich zu meinem Gatten gesagt: »Wusstest du eigentlich, dass Schnecken sich fortpflanzen, indem sie aphrodisierende Pfeile aufeinander abschießen?« Ich glaube er murmelte etwas von »nicht zu fassen« , aber vielleicht hieß es auch »scheiden lassen.«

Faule Ferien

Letztes Jahr verbrachten mein Mann und ich unseren Urlaub in Reno. Unsere Kinder waren beunruhigt. »Ist das nicht da, wo man hinfährt, wenn man eine Express-Scheidung will?«, fragte mein Zweitältester.

»Ja«, entgegnete ich und versuchte, mich geheimnisvoll und interessant zu geben. »Ihr lasst euch doch nicht scheiden, oder?«, fragte er rundheraus. »Nein«, erwiderte ich, »wir gehen auf eine Outdoor-Freizeit-Messe.« Die Kinder murmelten etwas von »langweilig« und schlappten davon.

Ich habe meine Kinder zu Höflichkeit erzogen, doch ich fürchte, dass sie ganz und gar unhöflich sind – hinter vorgehaltener Hand. Ich nenne sie immer noch »die Kinder«, dabei sind sie alle erwachsen. Bei meinem Ältesten zeigen sich schon feine Linien um die Augen – erste Spuren von Krähenfüssen. Ein fürchterlicher Affront für jede Mutter.

Es gibt kein eigenes Wort für erwachsene Kinder, obwohl das eigentlich angebracht wäre. Oder gibt es Eltern, die tatsächlich glauben, sie hätten ihre Sprösslinge vom Hals, sobald die achtzehn sind? Also, Entschuldigung, aber da kann ich nur lachen, ein zynisches, trockenes, ganz und gar freudloses Lachen. Ich habe das nämlich auch mal gedacht. Achtzehn war die magische Zahl, die ich im Kopf hatte, wenn ich versuchte im Supermarkt meine Einkäufe einzupacken, während eines oder mehrere meiner Kinder gerade ein Höllenspektakel unter dem Einkaufswagen veranstalteten.

Aber sei's drum, mein Thema ist ja nicht der verdammte Nachwuchs, sondern der Urlaub. Dazu fällt mir als erstes ein, dass jeder, der sich einen Urlaub leisten kann, dafür dankbar sein sollte. Und als zweites, dass die Urlaubsplanung selbst durchaus harte Arbeit sein kann. In meiner Familie beginnt es damit, dass jemand brummt: »Schätze, wir sollten uns mal über den Urlaub Gedanken machen.« Diese Bemerkung fällt meist irgendwann im Juli und wird mit finsteren Blicken aufgenommen, so als ob man gesagt hätte: »Ich schätze, wir sollten uns mal über das Problem der bolivianischen Zahlungsbilanz Gedanken machen.«

Dann passiert eine Woche lang gar nichts, und dann werden die potentiellen Urlauber um einen Tisch versammelt und angehalten, ihre Terminkalender zu konsultieren. Krankenhausaufenthalte werden ebenso berücksichtigt wie wichtige Arbeitsprojekte. Doch andere Höhepunkte des häuslichen Kalenders, wie etwa der Geburtstag der Katze, werden gnadenlos beiseite gefegt, und so finden sich schließlich zwei geeignete Wochen. Die nun folgende Entscheidung ist die qualvollste: Wohin?

Wir reisen im Rahmen unserer Arbeit ziemlich viel ins Ausland, kommen jedoch müde und ausgelaugt zurück, so dass unser Urlaub am Ende immer ein Faulenzerurlaub wird: sich auf eine Liege plumpsen lassen, ein Buch lesen, bis die Sonne untergeht, ins Hotelzimmer zurück wanken, duschen, sich in Schale werfen, gut essen, gut trinken, den Teenagern nachwinken, auf der Hotelterrasse einen letzten Drink einnehmen, zu Bett gehen und dann wach liegen, bis das Hotelpersonal die Teenager von der Disco heimbringt.

Ich will nie mehr, solange ich lebe, in irgendeinem Baudenkmal herumgeführt werden. Ich will nicht wissen, wie viele Steine zum Bau dieses Scheißdings nötig waren. Ich habe eine kurze Aufmerksamkeitsspanne für derlei Details.

Außerdem will ich gefährlich leben und braun werden. Ich will zusehen, wie meine teigige britische Haut sich von weißbrotin weizenkeimfarben verwandelt. Ich mag mich an einfachen Dingen erfreuen, wie zum Beispiel meine Armbanduhr abzunehmen und den Streifen jungfräulicher weißer Haut darunter zu betrachten.

Ich will nie, nie wieder einen »Folklore-Abend« besuchen. So etwas, wo Männer in Hosen, die unten in die Socken gestopft sind, und Frauen in Puffärmelblusen, langen Röcken und Kopftüchern sich gegenseitig mit weißen Taschentüchlein zuwinken.

Ich will im Urlaub keine neuen Bekanntschaften knüpfen. Mir sind schon die von zu Hause zu viel. Ich will mich nicht mit den Einheimischen anfreunden und hege nicht das geringste Bedürfnis, sie bei sich zu Hause zu besuchen. Ich empfange ja auch keine Touristen in meinem Haus in Leicester. Warum also sollte man so etwas von den armen Einheimischen in Urlaubshausen erwarten? Ist es nicht schon schlimm genug, dass wir ihre Strände übervölkern, ihre Bürgersteige verstopfen und eine Stunde in einem Laden stehen, um einen Sonnenhut auszusuchen, der den ungefähren Gegenwert von 75 Pence besitzt?

Also, ein Faulenzerurlaub setzt ein paar grundlegende Dinge voraus: ein Hotel mit eigenem Sandstrand, einen Balkon, gutes Essen, warmes Meerwasser, ein lebendiges Nachtleben für die Teenager, Menschenmassen, in denen man untertauchen kann, und die Abwesenheit von Stechmücken. Es ist so anstrengend, sich immer mit diesem Insektenmittel einzureiben. Mir wäre es außerdem recht, in einem islamischen Land zu sein, wo alle schönen Frauen von Kopf bis Fuß in schwarze Kutten gehüllt sind. In diesem Punkt sind mein Mann und ich allerdings unterschiedlicher Ansicht.

Während ich hier schreibe, sind wir noch im Planungsstadium. Wir haben sämtliche Ferienprospekte durchgeblättert, doch sie sind alle randvoll mit Hinweisen auf »gastfreundliche Einheimische«, »Folklore-Abende«, »menschenleere Strände« und »interessante historische Sehenswürdigkeiten«.

Nicht gerade unser Bier, oder unser Glas Sangria, sozusagen. Wir Faulpelze der Welt müssen zusammenhalten (falls wir die Energie dazu finden). Wir haben nichts zu verlieren, außer unserer Trägheit.

Meine Vivienne-Westwood-Tasche ist weg

Als Kind wurde mir immer eingeschärft, mich ja von den Zigeunern fernzuhalten, die jeden Sommer am Ufer eines Flüsschens in unserer Nachbarschaft ihr Lager aufschlugen.

Da ich ein braves Kind war, bin ich auch wirklich nie in einen der alten Wohnwagen *hinein* gegangen, um etwa mit den Zigeunern Tee zu trinken, doch ich bin so nahe heran gegangen, wie ich nur konnte, und war schließlich ganz fasziniert von ihrem Lebensstil. Es schien so idyllisch: Die Kinder rannten frei herum, sie mussten nicht zur Schule gehen, sie durften ohne Sattel auf ihren Pferden reiten, und allem Anschein nach mussten sie sich noch nicht einmal morgens waschen oder die Haare kämmen.

Die erwachsenen Zigeuner schienen das Leben zu genießen. Die Frauen wuschen ihre Kleider im Fluss und hängten sie zum Trocknen über die Hecke. Die Vorstellung, am Lagerfeuer zu kochen, gefiel mir ungemein. Und ich mochte die knallig-bunten Kleider, die sie trugen.

Am Tag der Krönungsfeierlichkeiten für Queen Elizabeth gab es einen Kostümwettbewerb. Ich ging als Zigeunerin verkleidet. Ich trug ein Stirnband, auf das meine Mutter ein Dutzend Vorhangringe genäht hatte. Der Rest des Kostüms war eine eigenartige Mischung aus Zigeunerin und Faschingsprinzessin.

Ich trug einen Korb mit Wäscheklammern und trommelte wie verrückt auf einem Tamburin herum, bis mir irgendein reizbarer Erwachsener sagte, ich solle damit aufhören. Gewonnen habe ich nicht. Es gab so viele Zigeunerinnen bei dem Wettbewerb, dass wir gut und gerne unser eigenes Lager hätten aufschlagen können.

Die Siegerin war meine Schwester Barbara als äußerst originelle und überzeugende Puppe. Als die Jury vorbeiging, hat sie nicht ein einziges Mal mit ihren langen Wimpern geklimpert. Obwohl sie das seither mehr als einmal gemacht hat.

Jedenfalls, die Zigeuner hatten es mir einfach angetan. Ich habe sie immer verteidigt, wenn Leute sie beschuldigten, stehlend durch die Lande zu ziehen.

Aber das betraf ja auch unsere anständigen britischen Zigeuner. Letzte Woche, in Barcelona, habe ich eine ganz andere Sorte kennen gelernt.

Ich saß in einem Straßencafé, war gerade Geld wechseln gewesen und hatte mucho pesetas. Meine schöne Vivienne-Westwood-Tasche lag zwischen meinen Füßen (schließlich wusste ich, dass Barcelona der Himmel auf Erden für Handtaschendiebe ist). Es hatte drei Wochen gedauert, bis ich endlich die Courage aufgebracht hatte, mir diese Tasche zu kaufen. Sie war aus schwarzem Leder, rechteckig und mit langen Schulterriemen, und innen wunderschön golden gefüttert.

Innen drin waren (man beachte die Vergangenheit): ein dunkelblauer Reisepass, ein Flugticket, ein großer DinA4-Notizblock, drei Kreditkarten, Stifte, mucho pesetas, ein Schweizer Taschenmesser, ein Kosmetiktäschchen, eine Flasche Insulin und Spritzen, eine Tube Ambre Solaire, eine Literflasche Wasser (es war eine große Tasche), Fotos, sowie der übliche Müll, den sämtliche Frauen, die ich kenne, auf dem Grund ihrer Handtasche mit sich führen – Knöpfe, Sicherheitsnadeln, Taschentücher, Augenbrauen-Pinzette, verbrauchte Streichhölzer, Kassenbons, einen Papierschnipsel mit dem Datum des Elternabends, zwei Aspirin und eine aufgebogene Büroklammer für die Notfallmaniküre. Wie Sie inzwischen bestimmt schon erraten haben, haben mich die Zigeuner aus Barcelona um die Tasche samt Inhalt erleichtert.

Und so haben sie es angestellt: Sie stürzten sich plötzlich auf mich. Drei dicke Frauen und zwei dürre Kinder. Eine Frau schob mir eine mitgenommen aussehende Nelke in meinen nicht minder mitgenommen aussehenden Ausschnitt. Die anderen Frauen lenkten meine Begleiter ab. Ich zog die Nelke vorne aus meinem T-Shirt und reichte sie der Frau zurück. Sie schob wiederum meine Hand zurück. So wanderte die Nelke zwischen uns hin und her wie Elizabeth Taylors Scheidungsanwalt.

Irgendwann akzeptierte die Frau schließlich die Tatsache, dass ich ihre welke Nelke nicht kaufen würde, und ging davon, jedoch nicht ohne mich vorher noch lautstark zu verfluchen und mit der Hand auf den Tisch zu hauen.

Meine Begleiter und ich lachten, bis ich mich nach meiner Tasche bückte und an ihrer Stelle gähnende Leere zwischen meinen Füßen vorfand.

Die Zigeunerinnen waren schon seit mindestens fünf Minuten weg. Es folgte eine betretene Stille, und dann sagte jemand: »Nun, die werden heute Abend was zu feiern haben am Lagerfeuer.« Vielleicht war das sogar ich.

Die ausgesuchte Freundlichkeit, mit der mich die Barcelonaer Polizisten behandelten, ließ mich fast vergessen, dass sie das letzte Mal, als ich ihnen begegnet war, einen jungen Mann mit ihren Knüppeln halb tot geschlagen hatten.

Für den unwahrscheinlichen Fall, dass diese diebischen, verlumpten, verlotterten Zigeuner dies hier lesen, würdet ihr mich bitte daran erinnern, wann der nächste Elternabend stattfindet?

Und für den etwas wahrscheinlicheren Fall, dass Vivienne Westwood dies liest – ich schlage vor, dass sie ihre nächste Kollektion dem Zigeuner-Look widmet. Die Handtasche haben sie ja schon.

Vermeidungstaktik

Ich bin in Birmingham und sitze in einem Café gegenüber einem Friseursalon. Ich versuche, mich endlich dazu durchzuringen, dort hinein zu gehen und einen Termin auszumachen. Ich sitze hier jetzt schon seit einer Dreiviertelstunde und bin bei meinem zweiten großen Cappuccino. Der Tisch, an dem ich sitze, wackelt wie der Adamsapfel eines Chorjungen. Folglich habe ich etwas von meiner ersten Tasse Kaffee und den Großteil der zweiten über meine weiße Hose gekleckert, in der ich heute morgen noch so stolz vor dem Spiegel in meinem Hotelzimmer auf und ab paradierte.

Ich kann die Friseure, oder Stylisten, wie sie sich inzwischen lieber genannt wissen, von hier aus bei ihrer Arbeit beobachten. Da ist ein Mann mit einem Pferdeschwanz, der im Salon umherstolziert, hie und da stehen bleibt und stirnrunzelnd eine Haarsträhne eines Kunden hochhebt und wieder fallen lässt. Dann gibt es da zwei Stylistinnen: Eine hat ihr weiß-blondes Haar abrasiert und lässt es nun wie Hunderte von Igelstacheln aus ihrer Kopfhaut sprießen. Die andere hat Haare, für die jede Frau mit einem Mindestmaß an Selbstachtung *skalpieren* würde – dicht und glänzend. Alle drei sind in strenges Schwarz gekleidet. Selbst Totengräber erlauben sich ein kleines Bisschen weiß am Kragen oder den Manschetten, aber Totengräber nehmen ihre Arbeit ja auch nicht annähernd so ernst wie Friseure, und genau da liegt das Problem. Ich habe Angst vor Friseuren.

Wenn ich vor dem großen Spiegel im Friseursalon sitze und unter Stammeln und Erröten zu verstehen gebe, dass ich mir nicht ganz sicher bin, was ich eigentlich will, dann weiß ich selbst, dass ich ein Alptraum von Kundin bin. Mit mir als Modell gewinnt jedenfalls keiner die »Stylist des Jahres«-Trophäe.

»Das Haar von Madame ist sehr d…«; sie haben schon ein »dünn« auf den Lippen, überlegen es sich dann doch noch einmal anders und ändern es in »fein« – so dass am Ende immer ein zwittriges »dfein« herauskommt. Mir wurde schon x-mal gesagt, dass ich »dfeines« Haar habe. Lernen die das in der Berufschule? Zusammen mit anderen zwanglosen Eröffnungssentenzen, je nach Jahreszeit:

1.) Die Weihnachtseinkäufe schon erledigt?
2.) Sie fahren wohl weg über Ostern?
3.) Na, ist der Sommerurlaub schon gebucht?
4.) Sie sind ja so braun, wohl frisch aus dem Urlaub zurück?
5.) Es wird jetzt schon ziemlich früh dunkel, nicht wahr?
6.) Verreisen Sie über Weihnachten?

Ich bin ein hoffnungsloser Fall, wenn es um leichte Konversation geht (und bei »schwerer« nicht minder). Außerdem hege ich eine Abneigung dagegen, eineinhalb Stunden lang mein Gesicht im Spiegel sehen zu müssen. Mit dem Resultat, dass ich ausweichend klinge und verstohlen dreinschaue. Ich verhalte mich wie ein Sträfling auf der Flucht: James Cagney mit Lippenstift und großen runden Ohrringen.

Ich habe mir in Geschäften schon Perücken angesehen, mich jedoch geniert, sie aufzusetzen, und noch immer plagt mich die entsetzliche Erinnerung an den Anblick des Mannes, der mit Perücke in einen Swimmingpool sprang und gleich darauf etwas, das wie die Leiche eines mittelgroßen Nagetiers aussah, dreist neben sich auf der Wasseroberfläche dahin treiben sah. Der Mann griff hastig nach seiner Perücke, klatschte sie sich irgendwie wieder auf den Kopf und floh vom Schauplatz. Ich habe ihn während des ganzen restlichen Urlaubs nicht mehr gesehen. Vielleicht saß er schmollend auf seinem Hotelzimmer und durchlebte in Gedanken wieder und wieder den traumatischen Augenblick, als er vergessen hatte, dass das Haar auf seinem Kopf nicht sein eigenes, sondern über eine Ladentheke hinweg erstandenes war.

Es gibt ein Verhalten, das sich an vielen Schriftstellern beobachten lässt – es heißt Vermeidungstaktik. Schriftsteller sind bereit, alles nur Erdenkliche zu tun, um nur ja nicht mit dem Schreiben anfangen zu müssen: Sie gießen sich einen Wodka hinter die Binde, säubern einen verstopften Abfluss, rufen ihren senilen Onkel in Peru an, reinigen das Katzenklo. Auch ich bin dafür anfällig. Im Sommer zupfe ich im Garten verwelkte Blüten ab, und das sogar bei den Lobelien. Im Winter passe ich auf, dass das Feuer nicht ausgeht, Zweiglein um Zweiglein. Eben alles, was den Moment hinausschiebt, da ich Zeichen auf jungfräuliches Papier kritzeln muss.

Gerade eben fröne ich wieder mal der Vermeidungstaktik. Ich habe noch einen Cappuccino bestellt. Ich habe versucht, mir richtig streng ins Gewissen zu reden: Herr Gott noch mal, Frau! Du bist siebenundvierzig Jahre alt. Geh einfach über die Straße, schieb die Glastüre zu dem Salon auf und mach einen Termin aus!

Es hat nicht funktioniert. Inzwischen bin ich wieder auf meinem Hotelzimmer und habe mir soeben eine Do-it-yourself-Frisur verpasst, die aus Waschen, Legen und Nachschneiden mit der Schere meines Schweizer Taschenmessers bestand.

Ich kann es kaum erwarten, wieder im Salon von Toni & Guy in Leicester zu sein. Das Personal dort hat mein Haar noch kein einziges Mal als »dfein« bezeichnet, und sie vollbringen wahre Wunder angesichts der Verstümmelungen, die man mit der Schere eines Schweizer Messers anrichten kann.

Dieser Essay ist um neunundvierzig Wörter zu kurz und mein Hirn gähnend leer. Um das Schreiben zu umgehen, habe ich auf meinem Bild von mir im Sainsbury's-Magazin von letzter Woche mit einem Bleistift die Säcke unter meinen Augen zugemalt, die da so unübersehbar prangten. Es würde mein Selbstwertgefühl enorm heben, geneigter Leser, wenn Sie dasselbe täten.

Kontroll-Freak? Moi?

Ich sitze am Flughafen von Edinburgh in einem Flugzeug und sehe den Arbeitern draußen beim Gepäckverladen zu. Einer von ihnen hat es mir besonders angetan. Ein großer Mann mit nur mehr halber Haarpracht auf dem Kopf und dem kummervollen Gesicht eines geborenen Komikers. Während er Gepäckstücke in den Laderaum wirft, hat er mit mehreren kleineren Widrigkeiten zu kämpfen. Ein loser Faden an seiner Kleidung weht ihm wiederholt ins Gesicht. Er versucht, ihn zu packen, doch da er gepolsterte Arbeitshandschuhe trägt, bekommt er ihn nicht zu fassen. Dann landet eine Fliege auf seiner Brust. Er scheucht sie weg, sie setzt sich auf seinen Arm, seine Schulter, seinen Hals. Der Mann flucht, ich kann sehen, wie sich seine Lippen bewegen. Dann muss er auf einmal niesen. Ich kann das Niesen nicht hören, da ich im Flugzeug wie in einem Kokon sitze, doch daran, wie sein Körper ruckartig zusammenklappt, sehe ich, dass es laut und heftig ist. Als die Serie von Niesern einen Augenblick nachlässt, zieht der Mann ein Taschentuch heraus; es fällt zu Boden und wird vom Wind über die Rollbahn geweht. Er stellt das Förderband ab und jagt dem Taschentuch hinterher. Während er dem Band den Rücken kehrt, fällt eine rote Sporttasche herunter und kullert unter das Förderband. Der Mann holt sein Taschentuch ein, schnäuzt sich kräftig und kehrt zu seiner Arbeit zurück.

Ich blicke auf die rote Sporttasche dort unten. Jetzt mache ich mir Sorgen. Wird der Mann die Tasche entdecken? Sollte ich jemandem Bescheid sagen? Ich weiß, dass ein internationaler Fußballschiedsrichter aus Schottland an Bord ist. Gehört die Tasche vielleicht ihm? Enthält sie womöglich die für seine Tätigkeit unerlässlichen Arbeitsutensilien? Der Gepäckmann macht sich wieder an die Arbeit, schlägt gelegentlich nach dem losen Faden, nach der Fliege und nun auch noch nach seinem Haar, da der Wind stärker geworden ist und ihm seine verbleibende Haarpracht in die Augen weht.

Ich versuche, mit der puren Kraft meiner Gedanken den Mann dazu zu bringen, nach unten zu blicken, wo die rote Sporttasche liegt, doch seine Aufmerksamkeit ist anderweitig gefesselt. Ein Kollege hat sich zu ihm gesellt und sie lachen gerade über einen Witz. Mein Kerl krümmt sich vor Lachen und bekommt einen Hustenanfall. Sein Kollege schlendert wieder davon, und der Mann schlägt nach dem unsichtbaren Faden, der Fliege, die wieder da ist, und seinem widerspenstigen Haar.

Der Pilot kündigt an, dass noch ein paar letzte Checks vorgenommen werden und wir in wenigen Minuten starten. Der Mann draußen scheint davon keine Ahnung zu haben. Er trödelt jetzt ziemlich. Er stemmt sich die Hände ins Kreuz und verzieht das Gesicht. Jetzt ist sein Schnürsenkel aufgegangen, er hält das Förderband an, stellt seinen Fuß auf den Rand und bindet den Schuh wieder zu. Er hat keine Eile dabei, und obwohl die Sporttasche genau in seinem Blickfeld liegen müsste, scheint er sie nicht zu bemerken. Der Pilot redet immer noch, inzwischen vom Wetter in London. Er sagt uns seinen Namen, den ich sofort wieder vergesse, doch ich weiß noch, dass es ein beruhigend klingender Name ist, etwas wie Peter Worthington, David Morgan oder Chris Parker. Gute, solide Namen.

Ich gehe jede Wette ein, dass die keinen zur Pilotenausbildung zulassen, der einen auffälligen, wenig vertrauenswürdig klingenden Namen hat. Und ehrlich gesagt, ich persönlich möchte auch nicht gerade einen Spike De Maurier an den Steuerknüppeln haben, wenn wir über den Alpen in Turbulenzen geraten. Ich weiß, das ist unlogisch und unfair, aber wenn das Flugzeug vom Himmel fällt, dann will ich von einem Peter, einem David oder einem Chris gesagt bekommen, dass wir »dieses kleine unruhige Fleckchen gleich hinter uns haben werden«.

Mein Kerl da draußen hat Schmerzen, nicht metaphysischer sondern rein physischer Art. Jedes Mal, wenn er einen Koffer aufhebt, schaut er gequält. Ich habe ein paar starke Schmerzmittel in meiner Tasche und würde am liebsten aus dem Flugzeug steigen und ihm ein paar davon geben (und ihn bei dieser Gelegenheit auf die verdammte rote Sporttasche aufmerksam machen).

Dieser Beitrag sollte eigentlich von unserem Urlaub in Zypern handeln, wo wir – ja, trotz heftiger Versicherung des Gegenteils – doch bei dem erbärmlichen Folklore-Abend landeten *und* durch irgendwelche Ruinen gewandert sind, und das bei Temperaturen, wie sie beim Wiedereintritt eines Raumschiffs in die Erdatmosphäre angesagt sind. Auch das Bad der Aphrodite haben wir uns angesehen, wo die Göttin angeblich ihre heiligen Waschungen vorzunehmen pflegte. Es war nicht gerade atemberaubend schön, von leeren Zigarettenschachteln und ausgebleichten Coladosen umgeben zu sein.

Aber genug davon. Wie geht es inzwischen unserem Mann da draußen mit dem Gepäck? Jetzt sind nur noch drei Taschen zu verladen, und die rote Sporttasche liegt natürlich noch immer unbemerkt unter dem Förderband. Soll ich an mein kleines Fenster klopfen und versuchen, den Mann darauf aufmerksam zu machen? Ich? Ein Kontroll-Freak? Niemals!

Das Hilton-Schürzen-Rätsel

Meine Schwester Kate fuhr mich zum Flughafen Heathrow, während ich auf dem Beifahrersitz letzte Hand an ein Filmdrehbuch legte. Sie parkte vor dem Gebäude für »Abflüge International«, ich schrieb »The End«, reichte ihr die schmuddeligen Seiten und rannte hinein, um einen Flug nach Australien zu nehmen. Ich hatte nur eine kleine Tasche, in der sich hauptsächlich schmutzige, verknitterte Wäsche befand. Als ich in meinem Hotel ankam, dem Perth Hilton, griff ich sogleich nach dem Wäschezettel. Ich gebe ihn nachfolgend wieder. Die Preise sind in australischen Dollars angegeben, doch sie waren es nicht, die mich in schallendes Gelächter ausbrechen ließen.

Kleid	13,50 $
Rock	8,50 $
Jackett	10,50 $
Bluse	8,00 $
Hose	8,50 $
Jeans	8,50 $
Jogginganzug	15,50 $
Schürze	8,50 $
Wollsachen	8,50 $

Haben Sie es entdeckt? *Schürze.* Was ist das für eine Frau, die eine Schürze in ein Fünf-Sterne-Hotel mitnimmt? Man stelle sich das nur mal vor. Da kommt diese Frau an der Rezeption an, checkt ein, bekommt einen Schlüssel. Ein Gepäckträger wird gerufen. Er nimmt ihre Tasche, geleitet sie zum Aufzug, sie plaudern ein wenig. Er führt sie zu ihrem Zimmer, schließt die Türe auf, die Frau stößt einen Laut des Entzückens aus. Das Zimmer ist herrlich, das Badezimmer makellos, die Handtücher sind jungfräulich weiß und der Marmor ist blitzblank. Der Hotelangestellte zeigt ihr die Minibar und schiebt die Balkontüren auf. Die Frau tritt auf die Terrasse hinaus und bewundert den Ausblick. Dann reicht sie ihm ein Trinkgeld und er geht.

Sie räumt ihre Kleider ein, nimmt ein Bad, trocknet sich ab und wickelt sich in den weißen Frotteebademantel, den sie hinter der Badezimmertür entdeckt hat. Sie gießt sich einen Gin Tonic ein und erledigt eine Reihe von Telefonaten in alle Welt. Die Frau spricht mit ihren Angestellten und informiert sich über die jüngsten Bewegungen an den Börsen.

Nachdem sie noch ein Geschäft über sieben Millionen Yen erörtert hat, stellt sie fest, dass ihr bis zu ihrem ersten Geschäftstermin mit einem Grundstücksmakler aus Perth noch ein paar Stunden Zeit bleiben. Sie tritt auf den Balkon hinaus und blickt auf das Stück Land, das sie zu kaufen gedenkt. Es liegt am Ufer des Swan River. Sie will dort einen geschmackvollen Freizeitpark bauen lassen.

Allerdings ist ihr durchaus bewusst, dass sie dabei ist, in männliches Territorium einzudringen, und so sieht sie sich die Schürzen an, die sie mitgebracht hat. Alle sechs sehen verlockend aus, doch sie entscheidet sich für die blaue mit dem flauschigen Kätzchen vorne drauf. Sie bindet sich die Schürze um und kramt einen Kosmetikbeutel hervor. Darin befindet sich Meister Proper, ein Staublappen, eine Scheuerbürste und eine Flasche Sidolin. Die Frau macht sich daran, das sowieso schon makellose Zimmer zu putzen. Danach wirft sie die schmutzige Schürze in den Wäschesack, duscht sich, schlüpft in ihren grauen Hosenanzug, nimmt ihr Aktenköfferchen zur

Hand und zieht los, um ein Gelände in einem Sanierungsgebiet von Perth zu kaufen.

Als sie an der Rezeption vorbeikommt, reicht der Portier ihr einen Stoß Faxe. Sie wirft einen Blick darauf, während sie sich auf dem Rücksitz ihrer Mietlimousine niederlässt. Anscheinend steht eine kleine Schürzenfabrik in Nordengland zum Verkauf. Sie nimmt das Autotelefon ab und ruft Edgar Harbottle an, den Geschäftsführer der Feminine Schürzen GmbH. Nach kurzen Verhandlungen kauft sie das Unternehmen. Mr Harbottle sagt: »Sie werden es bestimmt nicht bereuen, Madam. Frauen werden immer Schürzen brauchen, selbst in diesen postfeministischen Zeiten.«

Die Frau ist ganz überrascht von Mr Harbottles Sinn für Geschlechterpolitik. Er hatte gar nicht wie ein Mann mit solchem Einfühlungsvermögen geklungen. Der Fahrer der Mietlimousine dreht sich zu ihr um und sagt mit anzüglichem Grinsen: »Mir is' meine Alte am liebsten in der Schürze beim Spülen. Macht mich total an, das, wenn Sie wissen was ich meine, Sheila?« Er zwinkert ihr mit einem widerlichen, obszönen Ausdruck zu, und die Frau befiehlt ihm in scharfem Ton, die Augen gefälligst auf die Straße zu richten, und sagt ihm, dass ihr Name Eva und nicht Sheila sei. Der von demokratischem Geist beseelte Fahrer ist nicht im Mindesten eingeschüchtert von dem exklusiven britischen Akzent der Frau. »Nee«, sagt er breit, »in 'ner Schürze und mit 'nem Sack überm Kopf is' sowieso eine wie die andere.«

Nach einem erfolgreichen Geschäftstermin kehrt die Frau auf ihr Zimmer zurück, zieht sich eine andere Schürze an und putzt das Bad und das Waschbecken. Dann wirft sie dieses unentbehrliche Kleidungsstück in den Wäschesack und schreibt eine »2« in das Kästchen neben »Schürze«.

Diese Geschichte ist natürlich reine Phantasie, aber den Wäschezettel im Perth Hilton gibt es wirklich. Erklärungsvorschläge bitte per Postkarte.

Werden Sie bloß nicht Schriftsteller

Kann mir vielleicht irgendjemand erklären, warum ich ausgerechnet in der Filmbranche arbeiten will? Kürzlich habe ich meine elfte überarbeitete Version eines Drehbuchs abgeschlossen, weggeschickt, drei Wochen lang gar nichts gehört, dann einen begeisterten Anruf von Produzent A bekommen – »Sehr gut«. Nur um drei Tage später einen weit weniger begeisterten Anruf von Produzent B zu bekommen – »Muss noch überarbeitet werden.«

Wem glaube ich nun, A oder B? Lügt A womöglich? Kann B mich vielleicht insgeheim nicht leiden? Werde ich dieses Drehbuch noch überarbeiten, wenn meine Zähne in einem Wasserglas neben meinem Bett stehen und mein Gehgestell auf mich wartet? Wird mein Pfleger beim »Betreuten Wohnen« herablassend fragen: »Und wann bitteschön soll dieser Film, an dem Sie da schreiben, auf die Leinwand kommen, Mrs Townsend?«

Die meisten Schriftsteller fallen irgendwann einmal in ein tiefes Loch der Verzweiflung. Ich bin gerade eben drin. Mein Loch ist der Grand Canyon. Ich phantasiere schon davon, wie ich in einer Keksfabrik arbeite, Schokokekse verpacke, morgens einstemple, abends ausstemple, und endlich ein richtiges Leben habe. Liegen Keksverpacker nachts wach und machen sich Sorgen über ihre Arbeit? Quälen Sie sich mit der Vorstellung herum, was passiert, wenn die Käufer die Verpackung aufreißen und die Schokokekse vor sich sehen, die sich in ihre Plastiknestchen schmiegen, gleich neben den Vanillewaffeln und den Kokosmakronen?

Befürchten sie ständig harsche Kritik, etwa: »Diese Schokokekse sind eine bodenlose Zumutung. Wer auch immer die verpackt hat, war ein Volltrottel. Ich schreibe sofort einen Brief an den Hersteller!«?

Vielleicht ein paar, aber bestimmt nicht sehr viele.

Vor vielen Jahren bat mich einmal ein amerikanischer Produzent, sechs Wochen nach Hollywood zu kommen und einem bereits vorliegenden Drehbuch »etwas Humor zu injizieren«. Ich bekam das Manuskript nie zu Gesicht, weil ich nämlich ablehnte. Aber immer noch sehe ich im Geiste dieses Bild vor mir, wie ich am Pool liege, neben mir eine Flasche, auf der »Humor« steht, und mit einer Injektionsspritze Dialogen Humor injiziere. Ich stellte mir noch andere Schriftsteller vor, die dasselbe machen, mit Flaschen, auf denen »Spannung«, »Tragik« und »Handlung« steht.

Wenn ich mich vor den Fernseher setze, um mir einen Film anzusehen, dann leert sich das Zimmer schlagartig. Meine Familie verdrückt sich. Ich bin unerträglich, wenn ich mir einen Film ansehe. Ich mache ständig höhnische Bemerkungen, lache hämisch und schimpfe herum. »Als ob die so was tatsächlich machen würde!«, rufe ich aus, wenn die Heldin die dunkle Kellertreppe hinuntergeht und direkt dem Axtmörder in die Arme läuft.

Doch tief drin in meinem Innersten weiß ich, warum der Autor diese Szene geschrieben hat. Die arme, geschundene Kreatur war wahrscheinlich bei ihrer fünfzehnten Version der Szene und einfach nicht mehr in der Lage, sich noch irgendetwas Originelleres auszudenken. Offen gesagt habe ich selbst gestern erst geschrieben:

Szene 79: Innen. Kellertreppe. Nacht.

Eleanor steigt mit einer Kerze in der Hand die Kellertreppe hinunter. Die Kerze geht aus.

Was schon ziemlich schlimm ist. Noch nicht geschrieben habe ich:

Szene 90: Außen. Dunkle Gasse. Nacht.
Der Wagen des Schurken rast die schmale Gasse entlang. John Hero drückt sich flach gegen die Wand. Der Wagen fährt krachend in einen Stapel Pappkartons, die nagelneu und leer zu sein scheinen.

Oder noch schlimmer …

Szene 100: Innen. Leeres Lagerhaus. Tag.
Der Schurke und John Hero rennen Treppen rauf und runter, kriechen herum und liefern sich zehn langweilige Minuten lang eine Schlägerei.

Aber dazu kommt es womöglich noch. Ehrlich gesagt habe ich schon so ein untrügliches Gefühl, dass da eine Verfolgungsjagd im Kommen ist, die in einem Zusammenstoß und einem Feuerball kulminieren wird. Die Produzenten scheinen das zu mögen. Ich weiß, dass Tausende von Lesern sich ein Bein dafür ausreißen würden, wenn sie ihre unveröffentlichten Artikel, Romane und Drehbücher publiziert und aufgeführt sehen könnten. Darf ich zu ein klein wenig Vorsicht mahnen? Bevor Sie den gepolsterten Umschlag und die Briefmarken kaufen und sich auf dem Postamt anstellen, nehmen Sie sich einen Augenblick Zeit und beantworten Sie die folgenden Fragen:

a   Bin ich gerne unglücklich?
b   Ist es mir egal, ob meine Familie mich mag?
c   Will ich im Lokalsender des Radios als »unser Dorfschreiberling« bezeichnet werden?

d   Will ich einem Literaturagenten für den Rest meines Lebens zehn Prozent meines Einkommens zahlen?

e   Will ich mir, im Falle des Erfolgs, den Hass anderer Berufsschriftsteller zuziehen?

f   Will ich mir, im Falle des Misserfolgs, den Hass anderer Berufsschriftsteller zuziehen?

g   Will ich unschmeichelhafte Fotos von mir in der Lokalpresse sehen?

Wenn Sie all diese Fragen mit »ja« beantwortet haben, dann gehen Sie los und schicken Sie Ihr verdammtes Manuskript ab. Aber kommen Sie bloß nicht winselnd zu mir gerannt, wenn Sie Ihre Verfolgungsjagd zum fünfzehnten Mal umschreiben müssen.

Weihnachtsgeschenke

Ich habe gerade eine Plastiktüte hinter der Kellertüre gefunden. Der Inhalt der Tüte hat mich für einen Augenblick in ratloses Staunen versetzt, doch dann fiel es mir wieder ein: Heilig Abend 1993, und all die furchtbaren Erinnerungen stürzten wieder auf mich ein. In der Tüte waren:

1. Eine Nachbildung eines Radios aus den Vierzigern
2. Eine Geschenkbox mit Siegellack, Seidenbändern und einem Stempel mit einem B
3. Ein Paar silberner Ohrclips
4. Eine Bluejeans Größe 40 mit weitem Bein
5. Eine angerissene Tüte Party-Kracher

Haben Sie schon mal von dieser fürchterlichen Frau gehört, die ihre Weihnachtseinkäufe jeden Januar im Winterschlussverkauf macht? Existiert so eine schreckliche Person überhaupt, oder ist sie ein moderner Mythos? Jeder scheint irgend so ein unnatürliches Musterexemplar zu kennen, doch bisher hat noch nie jemand zugegeben, es zu sein.

Ich erwäge ernsthaft, selbst in diese Rolle zu schlüpfen. Den Stress, in allerletzter Minute Weihnachtseinkäufe zu tätigen, halte ich einfach nicht noch ein weiteres Mal aus. Und wenn ich von allerletzter Minute spreche, dann meine ich das auch genau so.

Ich war um 17.30 Uhr am Heilig Abend bei W H Smith, als die Kassen abgeschaltet wurden, ich zur Tür hinaus befördert wurde und die Lichter ausgingen. Ich wankte durch die fast leere Einkaufspassage und sank auf eine Bank, geistesabwesend vor mich hin brabbelnd und umgeben von einem rutschenden Berg von Einkaufstüten. Es war ein Wunder, dass mir nicht irgendein Wohltätigkeitsverein ein Bett für die Nacht angeboten hat. Eine Horde betrunkener junger Männer ging vorbei und lachte sich kaputt über meinen Hut. (Als ich nach Hause kam und in den Spiegel schaute, wusste ich auch, weshalb – irgendetwas Eigenartiges war mit der Krempe passiert.)

Ich hatte mit meinen Weihnachtseinkäufen schon im November in Neuseeland angefangen, es kann also niemand behaupten, ich hätte es nicht versucht. Ich schipperte drei überaus reizende Teppiche mit zurück nach England, samt einem ein Meter zwanzig langen Maori-Kriegskanu – aber das ist eine andere Geschichte. Dann tobte ich mich in einem Schmuck-und-Krimskams-Laden in Covent Garden aus. Du meine Güte, muss ich selbstgefällig geklungen haben, als ich den diversen Verkäuferinnen gegenüber verkündete: »Ich mache nämlich meine Weihnachtseinkäufe dieses Jahr schon etwas früher.«

Wie glücklich ich war, als ich im Zug zurück nach Leicester saß und hingerissen meine Geschenke begutachtete, in der festen Annahme, den Weihnachtseinkaufshorror für dieses Jahr gebannt zu haben.

Jetzt vergleiche ich die mit sich selbst zufriedene Frau im Zug damals im November mit dem Wrack auf der Bank am Heilig Abend und frage mich, was schief gelaufen ist. Meine Familie hat dazu mehrere Theorien ...

1.   Ich bin Masochistin. Ich liebe die Qual.
2.   Ich bin adrenalinsüchtig.
3.   Ich bin ein hoffnungsloser, desorganisierter Faulpelz.

4.   Ich bin ein Workaholic.
5.   Ich neige zu Hysterie.
6.   Ich bin das Gegenteil eines Stuhlverhalters. Niemand kennt
     den exakten psychologischen Begriff dafür, aber es ist ohne
     Zweifel etwas Widerliches.

Wie Ihnen vielleicht schon aufgefallen ist, schreibe ich zwang-
haft Listen, doch während die Tage bis Weihnachten langsam
aber sicher verstreichen, werden meine Listen immer kompli-
zierter. Sind die Geschenke für die Kinder auch alle ungefähr
gleich teuer? Haben sie in verpacktem Zustand in etwa den
gleichen, verlockenden Umfang? Meinte der eine Sohn das
ernst, als er sagte, er wolle eine Flugstunde zu Weihnachten?
Wollte mir der andere einen Hinweise geben, oder hat er nur
einfach die Fakten berichtet, als er sagte, sein Kletterseil sei
ausgefranst? Könnte ich meine feministischen Prinzipien beiseite
schieben und der einen Tochter eine Nähmaschine und der anderen einen Satz französisches feuerfestes Geschirr kaufen?
      Am Heilig Abend 1993 vergaß ich alle Prinzipien, die ich
je hatte: Gegen 16.30 Uhr stand ich bei Woolworth's in einer
Schlange an der Kasse und hielt zwei Barbiepuppen in Hoch-
zeitskleidern und zwei Paar Mr-Blobby-Socken für Kleinkin-
der in der Hand. Ich kann nur auf zeitweise geistige Umnach-
tung plädieren und hinzufügen, dass meine zwei Enkelinnen
am Heilig Abend ihren Barbies die Hochzeitskleider auszogen
und erklärten, nackt gefielen sie ihnen besser. Die Mr-Blobby-
Socken sind vermutlich irgendwo ganz hinten in einer Schublade
verschwunden.
      Es war ein ziemlich traditionelles Weihnachtsfest: Die
Schallplattengutscheine wurden versehentlich mit dem Müll
weggeworfen, die Enkel spielten den ganzen Tag lang mit dem
billigsten Geschenk (Knetmasse), und die Bratkartoffeln wollten nicht braun werden: Ich jedoch hatte von meinen Last-Mi-
nute-Einkäufen tiefe Narben davongetragen.

Dad: Wenn du das liest, die Kopie des Vierziger-Jahre-Radios war für dich gedacht. Sie wurde in Taiwan hergestellt, und nachdem ich die Batterien eingelegt hatte, war das Einzige, was ich zu hören bekam: Taiwanesisch. Deshalb hast du am Ende den Büchergutschein bekommen.

Barbara: Die silbernen Ohrclips weigerten sich hartnäckig, sich irgendwo anklippen zu lassen.

Lieber Gatte: Was hättest du wohl mit dem Siegellack und den Seidenbändern angefangen?

Die Jeans mit den weiten Beinen waren für mich vorgesehen – ein Fehlkauf. Ich sehe darin aus wie Charlie Chaplin, doch leider habe ich den Kassenbon verloren. Und die Party-Kracher haben nicht funktioniert. Wenn man an der Schnur zog, schossen nicht etwa bunte Papierschlangen heraus, sondern es regnete eine Art vielfarbige Katzenstreu auf den Küchenboden nieder.

Janet und John

Ich war bereits acht Jahre alt, als ich endlich lesen lernte. Meine Grundschullehrerin war eine Despotin. Nennen wir sie Mrs X. (Sie ist schon lange tot, aber ich habe immer noch Angst vor ihr.) Ihre Methode, uns das Lesen beizubringen, bestand darin, jedem Kind in der Klasse ein Exemplar des Lesebuchs *Janet und John* zu geben, uns auf jedes Wort deuten und es dann laut im Chor sagen zu lassen. Die Geschichten in *Janet und John* waren nicht gerade hochspannend. Daddy ging morgens in Hut, Mantel und Handschuhen und mit einer seltsamen Tasche, von der ich heute weiß, dass es eine Aktentasche war, aus dem Haus. Daddy trug immer dieselben Kleider, sogar im Sommer. Mummy winkte ihm immer nach. Sie trug meist ein hübsches Kleid, eine rüschenverzierte Schürze und Schuhe mit hohen Absätzen. Wenn sie zum Einkaufen ins Dorf ging, zog sie sich um und trug dann ein flottes Kostüm, einen Filzhut und natürlich Handschuhe.

Janet und John, die Kinder, schienen richtiggehend im Garten zu leben. Sie kamen erstaunlich gut miteinander aus, im Gegensatz zu den meisten Geschwistern, die ich kenne. Sie hatten einen netten, frech dreinguckenden Hund namens Klecks, und sie verbrachten viel Zeit damit, dem Hund zuzurufen: »Schau, Klecks, schau! Schau, da ist der Ball! Hol den Ball!«

Wenn Daddy von der Arbeit nach Hause kam, zog er Hut und Mantel aus, steckte sich die Pfeife zwischen seine männlichen Zähne und ließ sich mit seiner Zeitung in einem Ohrensessel nieder. Durch die offenstehende Küchentür konnte man Mummy sehen, wie sie mit einem seligen Lächeln Tee zubereitete. Dann ging sie zur Haustür und rief: »Komm rein, Janet! Komm rein, John!« Und Janet und John kletterten vom Baum, oder stiegen aus einem Boot (am Rand ihres Gartens schien es einen Bach zu geben), und Mummy und Daddy und Janet und John tranken genüsslich ihren Tee und aßen Sandwiches und Marmeladentörtchen und Wackelpudding.

Auf dem Tisch lag ein weißes Tischtuch, und manchmal sah man auch Klecks, wie er frech grinsend unter dem Tisch hervor lugte. Hin und wieder gingen Mummy und Daddy auch einmal in den Garten, in dem immer die Sonne schien und die Pflanzen sich immer ordentlich benahmen und in makellosen Reihen wuchsen. Dann schob Daddy den Rasenmäher vor sich her und Mummy hängte Wäsche auf die Leine. Auf Mummys Wäscheleine war nie Unterwäsche zu sehen, doch es wehte immer ein schöner, trockener Wind, in dem die nassen Wäschestücke sich bauschten und flatterten. Daddys Haar dagegen war nie vom Wind zerzaust: Er war ein treuer Anhänger von Brillantine. Abends, wenn Janet und John im Bett lagen, saßen Mummy und Daddy im Lichtkegel ihrer jeweiligen Stehlampen. Mummy stopfte Socken und Daddy rauchte Pfeife und machte das Kreuzworträtsel.

Es ist sehr gut möglich, dass John Major auch mit den *Janet-und-John*-Büchern lesen lernte. Ich hege den dringenden Verdacht, dass er deren perfekte, wohlgeordnete Welt im Hinterkopf hatte, als er die Formulierung »Back to Basics« einführte. Doch jetzt habe ich eine unzensierte Kopie von *Janet und John* entdeckt, die wahrhaft Erschütterndes enthüllt.

Janet und John kommen ins Heim. Daddy macht sich fertig, um zur Arbeit zu gehen. »Wo sind meine Handschuhe, Mummy?«, fragt er. »Schau, Daddy, schau, da sind deine Handschuhe«, gibt Mummy schnippisch zurück, »aber warum du im August Handschuhe anziehen willst, ist mir schleierhaft!«

Klecks kommt hereingerannt und wirft Daddys Aktentasche um. Eine Ausgabe von *Health and Efficiency* rutscht heraus und bleibt aufgeschlagen auf einer Seite voll Tennis spielender Nudisten liegen. John kommt hereingerannt. »Schau, Janet, schau!« Daddy schlägt John mit der Pfeife auf den Kopf, versetzt Klecks einen Tritt und geht weg zur Arbeit. Mummy trocknet ihre Tränen und geht zum Einkaufen in den Dorfladen. Sie ist immer noch außer sich wegen des Streits mit Daddy und lässt heimlich eine Dose Corned Beef in ihren Korb gleiten.

Mummy wird wegen Ladendiebstahls verhaftet. Als Janet und John von der Schule nach Hause kommen, ist Mummy nicht da. Die Haustüre ist abgesperrt. Sie setzen sich auf die Türschwelle und warten. Es fängt an zu regnen. »Schau, John, schau!«, sagt Janet schließlich. »Da ist Mummy.« John blickt auf und sieht Mummy auf dem Rücksitz eines Polizeiautos.

John und Janet bringen Mummy zu Bett. Sie bittet sie, sich selbst Tee zu machen. Sie setzen den Wasserkessel auf den Herd und gehen dann nach draußen, um in ihrem Boot auf dem Bach zu spielen. Es wird schon dunkel, als sie zurückkommen.

»Schau, Janet, schau!« John deutet auf ein rotes Glimmen am Himmel. Eine Sozialarbeiterin steht am Ufer des Bachs. Sie bringt ihnen die schlimmen Nachrichten schonend bei. Das Haus ist abgebrannt, ihr Vater hat sich mit einer Frau davongemacht, die ein Handschuhgeschäft besitzt, und ihre Mutter wurde mit Schock ins örtliche Krankenhaus eingeliefert. »Schau, Janet, schau!« ruft John. »Wir sind *back to basics*.«

Rückgrat

Hallo, Kreuzweh-Geplagte überall! Ihr habt eine neue Leidensgenossin! Mein Adressbuch hat einen frischen Eintrag unter dem Buchstaben C bekommen – Chiropraktiker. Das Schicksal streckte mich am Vorabend der Premiere meines neuen Theaterstücks, *Die Queen und ich*, nieder.

Sechs Monate Schreiben in schlechter Haltung, unter anderem bei Schummerbeleuchtung über Hotelzimmer-Frisierkommoden kauernd und in wackelnden Intercityzügen kritzelnd. Und dazu nun noch die gebündelte Hysterie des Probenraums am Theater. Als sich allmählich herauskristallisierte, dass meine Textvorlage einer massiven Überarbeitung bedurfte, hätte diese physisch-emotionale Frontalkollision leicht zu einem Nervenzusammenbruch führen können.

Schriftsteller neigen ja im Allgemeinen dazu, leicht überzuschnappen, doch mich hatte die Vorsehung für etwas ganz anderes auserkoren. Sie legte mich aufs Kreuz, indem sie an drei meiner Bandscheiben herumpfuschte und eine davon herausrutschen ließ. Ich kann es der Bandscheibe nicht übel nehmen – seit achtundvierzig Jahren ist sie immer brav an ihrem Fleck am unteren Ende meiner Wirbelsäule geblieben und hat ohne Murren ihre Arbeit erledigt. Wer kann es ihr vorwerfen, dass sie jetzt rausgerutscht ist, um mal eben einen Blick auf die Umgebung zu werfen? Aber sie hätte sich ja vielleicht irgendeine öde Phase dafür aussuchen können, und nicht ausgerechnet den

Tag der Premiere. Jedenfalls musste etwas geschehen. Meine
Schwestern brachten mich zum Chiropraktiker.

Ich sah aus wie ein menschliches Fragezeichen. Gekrümmt,
aber nicht fragend – der Schmerz nimmt einem jegliche Neugier.
Schmerz ist nach innen gerichtet, er schert sich einen Dreck um
den Rest der Welt, er konzentriert sich ganz auf sich selbst. Mit
zusammengebissenen Zähnen erklärte ich, dass ich auf jeden
Fall zur Premiere musste. Der Chiropraktiker machte Röntgen-
aufnahmen von mir und meiner Wirbelsäule: zwei abgenutzte
Bandscheiben und eine, die sich unerlaubt vom Dienst entfernt
hatte. Er riet zu sofortiger Bettruhe. »Unmöglich!«, rief ich. Vermutlich schwang ein Unterton von Hysterie in meiner Stimme
mit. Dabei ist es keineswegs so, dass ich Premieren liebe – wer tut
das überhaupt? Die Aussicht, zusammen mit 700 Leuten in einem
Theatersaal zu sitzen und mitzuerleben, wie sie nicht über meine
Witze lachen, ist eine hochgradig subtile Foltermethode. Einmal
habe ich mir in siebenköpfiger Begleitung ein Theaterstück von
mir angesehen: Vier meiner Begleiter sind dabei eingeschlafen,
einer davon war mein Mann. Aber so furchtbar Premierenabende
auch sein mögen, sie haben eine unwiderstehliche Anziehungs-
kraft. Ich kenne keinen Dramatiker, der am Ende nicht doch
kommt. Manche stellen sich im Dunkel hinten an die Wand des
Zuschauerraums. Andere betrinken sich an der Bar, wieder andere wandern durch die Straßen des Viertels, und noch mal andere, ob Sie es glauben oder nicht, sitzen tatsächlich in den Rän-
gen, im Kreise ihrer Kritiker!

Es gelang mir, meinem Knochenmann klar zu machen, dass
ich an diesem Abend, wenn es sein müsste, auch auf allen Vie-
ren ins Theater kriechen würde, und schließlich hatte er doch
noch ein Einsehen, holte einen fleischfarbenen Stützgürtel – der
reinste Liebestöter – aus einer Schublade und schnürte ihn mir
um. Meine Schwestern brachten mich nach Hause und ins Bett,
wo ich blieb, bis es Zeit war, die schwarze Samtrobe und die
schwarzen hochhackigen Samtschuhe anzulegen. Ich stakste auf

wackeligen Beinen wie eine Krabbe ins Theater und lehnte mich gegen ein Treppengeländer, um mich aufrecht zu halten. Als das Publikum hineindefiliert war – mit erwartungsvollen, gespannten Gesichtern (die armen Ahnungslosen) – legte ich mich im Theaterfoyer auf ein paar Stühle und lauschte dem Bar-Personal, das die Getränke für die Pause herrichtete. »Ziemlich versoffener Haufen heute Abend – hol noch mehr Flaschen raus«, sagte der Chef nach einem Kennerblick auf das Publikum.

Zwei Minuten vor der Pause bat ich einen vorbeigehenden Kellner namens Barry, mir auf die Füße zu helfen und wartete an die Wand gelehnt auf den Moment, da das Publikum aus dem Saal quellen und sich mit der ihm eigenen fiebrigen Hektik auf die Bar stürzen würde. Ich machte mich auf das Schlimmste gefasst: darauf, mitanhören zu müssen, wie fremde Menschen abfällige Kommentare über mein Stück machten. Doch ich hörte keinen einzigen. Die Leute plauderten über das Wetter, Bosnien und die Gemüsepreise, wie man das in der Pause eben so zu tun pflegt. Schließlich muss man noch einmal einen Akt absitzen, die Beweisaufnahme ist noch nicht abgeschlossen, die Geschworenen sitzen immer noch auf ihrer Bank. Meine Familie sagte mir, dass sie sich dumm und dämlich gelacht hätten, aber bei ihnen braucht es dafür nicht allzu viel. Ihnen genügt schon der Anblick von Paul Daniels Toupet im Fernsehen, um in hysterisches Gelächter auszubrechen.

Ich hievte mich die Treppe zum Balkon hinauf, um mir die letzte Szene anzusehen. Ich sah auf Knien zu, wie sich die Truppe aus neun wunderbaren Schauspielern verbeugte und den Applaus entgegennahm. Ich nahm mit einem Anflug von Bitterkeit zur Kenntnis, dass die zwei Marionetten (für die ich keinen Text geschrieben hatte) den herzlichsten Applaus bekamen. Dann rückte ich meinen chirurgischen Stützgürtel zurecht und stählte mich für das Urteil des Publikums.

Man braucht eben Rückgrat, wenn man im Theater arbeiten will.

Der Künstlermarkt

»Bitte lass mich nie, nie wieder auf einen Künstlermarkt gehen, selbst wenn ich auf Knien angerutscht komme und darum bettle, versprochen?«

»Versprochen«, sagte mein Mann und umklammerte das Lenkrad mit kaum verhohlenem Zorn, als wir uns auf dem Parkplatz des Künstlermarkts in eine Schlange abfahrender Autos einreihten. Auf mein Insistieren hin hatten wir mit einer unserer Grundsatzregeln gebrochen: an landesweiten Feiertagen niemals aus dem Haus zu gehen.

Irgendein seit langem unterdrückter Herdentrieb hatte mich am Vorabend erfasst und mich im *Leicester Mercury* nach Veranstaltungen und Ausflugszielen stöbern lassen. »Aha«, hatte ich schließlich ausgerufen und mich auch sogleich daran gemacht, meinem Gatten die Idee eines Ausflugs zu einem Landgut mit Wald und Spazierwegen, Gartengemüseverkauf sowie Künstler- und Handwerksmarkt schmackhaft zu machen. Ich war schon die ganze Woche in einer eigentümlichen Stimmung gewesen, einer Woche voller Selbstzweifel, Unsicherheiten, allmorgendlichem Gezeter vor dem Kleiderschrank und so weiter. Und so stimmte mein Mann zu – zweifelsohne in dem Bestreben, die launische Gattin zu besänftigen –, an einem Feiertag einen Ausflug zu machen. Es war ein wunderbarer Nachmittag, wir riefen unserer jugendlichen Tochter, die sich auf der Flucht vor der Sonne in ihrem Zimmer verkrochen

hatte, ein Wiedersehn zu und reihten uns in den Feiertagsver-
kehr ein. Fröhlich zottelten wir dahin und hörten uns dabei im
Autoradio auf BBC 4 *The Archers* an.

Während wir dem Hörspiel lauschten (einem modernen
Familiendrama mit Inzest, Mord und Wahnsinn), tauchten die
ersten, an Strommasten befestigten Hinweisschilder auf: »Craft
Fayre« stand darauf in leuchtfarbenen Lettern. Natürlich hätten
wir gleich an Ort und Stelle umkehren sollen, ein Starsky-und-
Hutch-Dreipunkt-Wendemanöver hinlegen und in vollem
Tempo nach Hause fahren sollen. Das Wort »fair« altertümelnd
als »fayre« zu schreiben war nun wirklich Kitsch hoch drei. Es
war genauso schlimm, wie wenn man ein Café »Das kleine Tee-
stüberl« nennt oder einen Stand, an dem Süßigkeiten verkauft
werden, »Susis süsses Lädchen«.

Etwas in der Art des Letzteren habe ich vergangene
Woche in einer Einkaufspassage in der Innenstadt gesehen:
einen Bonbonstand namens »Ye olde Sweet Kabin«. Um das
ganze noch verwirrender zu machen trug der Junge, der den
Bonbon-Mix abwog, eine Fleischeruniform von früher samt ge-
streifter Schürze und Strohhut. Schon ziemlich lächerlich, wenn
man bedenkt, dass die Süßigkeiten wahrscheinlich maschinell in
einer Fabrik in irgendeinem trostlosen Industriegebiet hergestellt werden.

Doch, geduldiger Leser, wir sind nicht umgekehrt. Wie
Lemminge eilten wir auf den Rand des Abgrunds zu, im vollen Bewusstsein dessen, was uns erwartete, und doch unfähig,
unser Schicksal selbst zu steuern. Ich sortierte ungeduldig
meine Kreditkarten, während wir uns den Ländereien des
Guts näherten. Ich zählte mein Bargeld, als wir uns in die
Autoschlange vor dem Parkplatz einreihten. Ich musste mich
beherrschen, nicht aus dem Auto zu springen, während
wir auf den verschiedenen Parkplatzbereichen nach einer
Lücke suchten. Schließlich fuhr mein Mann die Federung
des Wagens hoch, steuerte in einen zerfurchten Fahrweg

und parkte den Wagen im Straßengraben, und so konnten wir uns endlich unter die wilden Horden der Feiertagsausflügler stürzen.

»Teestube« hatte es in der Zeitungsankündigung geheißen, was bei mir Bilder von drallen, rotbackigen Damen in Schürzen auslöste, die hausgemachte, ofenwarme Scones servieren. Vor der Teestube stand eine lange Menschenschlange, in die sich mein Gatte, ganz der Kavalier, geduldig einreihte, während ich in der Sonne sitzend warten durfte. Die erste halbe Stunde war ich vollkommen glücklich. Dann machte ich mir allmählich Sorgen. War er in ein schwarzes Loch gefallen oder in einem Anfall von Hunger und Ungeduld Amok gelaufen und hatte die Teestube kurz und klein geschlagen? Irgendwann erschien er dann doch noch mit einem Tablett auf dem Arm, auf dem zwei traurige Scones kauerten. Ein einziger Blick genügte, um festzustellen, dass diese armseligen Dinger erst vor sehr kurzer Zeit die Reise vom Gefrierfach in die Mikrowelle und zur Ladenkasse angetreten hatten. Auch rotwangige Bedienungen hatte es keine gegeben – nur das eine linkische junge Mädchen, das aussah, als ob es dringendst einer Behandlung durch einen Kieferchirurgen bedurfte. Mit den klumpigen Teigresten unserer Scones am Gaumen, betraten wir schließlich die Gasse mit den Verkaufsbuden der Künstler.

Mir war bisher nicht klar gewesen, dass das Zusammenstecken von Schrauben und Muttern und das Basteln von kleinen Männchen, die auf Motorräder aus Muttern und Schrauben sitzen, eine siebenjährige kunsthandwerkliche Ausbildung erfordert. Weder der klobige Schmuck aus gewaschenen Strandkieseln noch die maschinell verfertigten Quiltdecken in faden Farben führten mich in Versuchung. Was die Hausschilder im New-Age-Merlin-Stil angeht, so sahen sie aus wie hart gewordene Katzenkacke. Beinahe hätte ich Hunderte von Gläsern zerbrochen, als ich mich fluchtartig aus diesem ganz besonderen Laden retten wollte. Die Töpferwaren wirkten klobig und düster und waren schlammgrün. So was würde man sich nicht geschenkt auf den Tisch stellen. Obwohl es ganz praktisch gewesen wäre, um sich die Pulsadern aufzuschneiden, während man, Stoßstange an Stoßstange, im Feiertags-Ausflugs-Verkehr wieder nach Hause kroch.

Der verlorene Ehemann

Über die Jahre habe ich Tausenderlei Dinge verloren: Regenschirme, Handschuhe, Terminkalender, Jacken, Katzen, usw. Einmal ließ ich meinen kleinen Sohn in seinem Kinderwagen auf dem Parkplatz vor dem Co-op-Supermarkt stehen und schlenderte einfach ohne ihn nach Hause. Es war sein erster Ausflug, und er verschlief ihn von Anfang bis Ende. Ich bestreite also gar nicht, dass ich ein wenig zerstreut bin, aber ich bemühe mich um Besserung. Im Augenblick führe ich drei Notizblöcke – das Problem ist nur, dass ich zwei davon gerade nicht finden kann. Ich weiß, dass sie hier irgendwo im Haus sein müssen. Einer von ihnen enthält den Artikel, den ich hier gerade wiederzugeben versuche.

Vor vier Wochen habe ich doch glatt meinen Ehemann verloren – er war auf einer griechischen Insel, ich auf einer anderen. Ein verrückter Reisebüromensch hatte ihm einen Abstecher nach Thessaloniki aufs Festland angedreht, was ungefähr das Gleiche ist, wie wenn man einen Griechen, der nach London will, auf die Äußeren Hebriden schickt. Die Verrücktheit des Reisebüroangestellten hörte aber damit noch nicht auf. Er erzählte meinem Mann auch noch, dass die Fährverbindungen nach Skyros so häufig seien, dass er gar keinen Fahrplan bräuchte. Das »so häufig« entpuppte sich als einmal in der Woche, und zwar Montags. Mein Mann fand dies am Freitagmorgen heraus. Wir hatten vereinbart, dass ich ihn von der ersten Fähre abholen würde, die Freitagvormittag von Thessaloniki kam. Am Donnerstagabend kannte ich die ganze schreckliche Wahrheit, aber ich fühlte mich trotzdem verpflichtet, nach Linaria zu dem kleinen Hafen von Skyros zu fahren, um das Schiff und den Phantom-Ehemann zu empfangen.

Elias fuhr mich in seinem Mercedes-Taxi hin. Er hat an der Universität von Athen Englisch studiert. Er und ich sind uns im Verlauf der folgenden zwei Tage richtig ans Herz gewachsen. Einmal chauffierte er Jeffrey Archer auf dem Rücksitz seines Taxis. Anscheinend hat der berühmte Lord, Politiker und Bestseller-Autor eine Schwäche für Töpferwaren aus Skyros, denn nachdem er einer Jacht im Hafen entstiegen war, plünderte er die Läden des Ortes. Elias erzählte mir, Lord Archer hätte beim Einsteigen verkündet: »Ich bin Jeffrey Archer.« Worauf Elias erwidert hatte: »Ich kenne Sie nicht.« Ich fragte ihn, welchen Eindruck der Lord auf ihn gemacht hätte, und er sagte, ganz diplomatisch: »Seine Frau ist sehr nett.«

Eine Kommunikation zwischen mir und meinem Mann war nicht möglich, doch ich weiß, dass er ein findiger Mensch ist und bestimmt nicht die Sorte von Mann, die däumchendrehend bis Montagmorgen im Hafen von Thessaloniki herumsitzen würde. Mir war klar, dass er schon irgendeinen Weg nach Skyros auftun würde. Es gab mehrere Optionen: Flugzeug, Fähre und den »Flying Dolphin« – eine Art Luftkissenboot auf Skiern. Es zeichnete sich ab, dass ich jedes Flugzeug, jede Fähre und jeden Flying Dolphin würde abpassen müssen. Elias sicherte mir seine Unterstützung zu, und so fuhren er und ich zusammen von einer Seite der Insel zur anderen. Der Flughafen besteht aus einem Container, das Flugzeug selbst sah aus wie aus einem Luftfahrtmuseum, und es transportierte nur neunzehn Passagiere. Als der letzte Engländer mit dürren, weißen Beinen und knubbeligen Knien auf der Gangway erschien, schüttelte ich den Kopf, woraufhin Elias den Mercedes wendete und wir Richtung Hafen weiterbrausten.

Schon bald wurde mir von allen Seiten Mitleid zuteil. Alte Frauen in Schwarz erkundigten sich nach meiner Gesundheit und meinem Gemütszustand. Der Besitzer der Taverne, die sich gegenüber der Anlegestelle der Fähre befand, schüttelte mitfühlend den Kopf. Inzwischen kamen und gingen Fähren und Flying Dolphins, alle ohne Ehemann. Elias witzelte einmal: »Vielleicht kommt er ja nie.« Ich lachte, doch es war ein gequältes Lachen. Dann, eines Morgens, als ich ergebnislos ein Flugzeug, eine Fähre und einen Flying Dolphin abgewartet hatte, verkündete Elias: »Sue, in fünf Minuten wirst du deinen Mann wiedersehen.« Und er hatte Recht – ein Flying Dolphin fuhr ein, und da stand er und warf mir durchs Kabinenfenster Kusshände zu. Elias zog sich dezent zehn Meter zurück und sah zu, wie mein Mann und ich uns auf dem Quai in die Arme fielen. Wenn es ein Kinofilm gewesen wäre, dann hätten die alten Frauen in Schwarz, der Tavernenbesitzer und die Fischer jetzt gejubelt und meinen Mann auf ihre Schultern gehoben und zur Taverne getragen. Doch es war das richtige Leben, also kam es nicht dazu. Aber ich glaube, sie freuten sich insgeheim.

Während der Woche, die wir auf Skyros verbrachten, wurde mein Mann mehrmals in freundlich-mitfühlendem Ton von Leuten auf seine Reiseprobleme angesprochen. »Ehrlich gesagt, es hat mir sogar Spaß gemacht«, antwortete er dann. »Es war ein richtiges Abenteuer.« Was mich über Elias' zweiten Witz sinnieren ließ – den mit der hübschen jungen Griechin in Thessaloniki.

Die Puppe Mary

Ich habe eine Puppe namens Mary. Sie sitzt auf einem Regal in meinem Arbeitszimmer (in dem ich nicht arbeite), trägt gestrickte Unterwäsche und ein hässliches purpurrotes gehäkeltes Kleidchen. Sie ist aus Porzellan (oder Biskuit, für alle, die es gern hochtrabend haben), und Gliedmaßen und Kopf sind mit Gummibändern am Körper befestigt. Ihr hübsches Gesicht ist fein gemalt, und dass sie da oben auf dem Regal sitzt, liegt daran, dass ich sie sehr gern habe und fest entschlossen bin, alle Unbill von ihr fernzuhalten.

Meine Enkelkinder dürfen sie nur unter strikter Aufsicht eines Erwachsenen (nämlich meiner selbst) im Arm halten. Keine religiöse Zeremonie kann es an Ernst und Feierlichkeit mit dem Augenblick aufnehmen, wenn ich Mary vom Regal hebe und sie einem Enkelkind in den Arm lege. Die Regeln sind, dass das Kind sitzen und die Puppe angezogen bleiben muss. Sobald meine Enkelkinder der Sprache mächtig waren, erklärte ich ihnen, dass Mary meine Puppe gewesen war, als ich selbst ein kleines Mädchen war, und natürlich musste ich ihnen auch noch auftischen, wie liebevoll und vorsichtig ich doch immer mit meiner zerbrechlichen kleine Puppe umgegangen war. Vermutlich hatte ich dabei ein abscheulich selbstgefälliges Lächeln auf dem Gesicht.

Vor einem Monat etwa – ich legte gerade die Wirtschaftsbeilage des *Observer* auf dem Boden vor meinem aus-

laufenden Geschirrspüler aus – hatte ich einen plötzlichen Er-
innerungs-Flashback, in dem ich mich in einen Trödelladen in
der Stadt gehen und Mary kaufen sah. Ich muss damals so um
die fünfunddreißig gewesen sein. Plötzlich hatte ich pudding-
weiche Knie, was auch nicht ungelegen kam, da ich mich sowieso auf alle Viere niederlassen musste, um gegen die seifige
Flut aus dem Geschirrspüler anzukämpfen. Wie hatte ich mir
nur diese Geschichte, dass ich Mary schon seit achtundvierzig
Jahren besaß, einbilden und sie dann auch noch herumerzählen
können? Während ich durch die Küche paddelte (kennt denn
niemand einen halbwegs anständigen Mechaniker für Geschirrspüler in der näheren Umgebung von Leicester?), während ich aufwischte und auswrang, fragte ich mich, was ich mir
wohl sonst noch so alles fälschlich in meiner Einbildung zu-
sammengereimt hatte. War ich wirklich das einzige Kind in
meiner Grundschulklasse gewesen, dass bei der Fahrradfüh-
rerscheinprüfung durchfiel? War das wirklich ich gewesen, die
beim »Tag der offenen Tür« Schande über unsere Schule
brachte, als sich wegen mir beim Tanz um den Maibaum die
Bänder verhedderten? Vielleicht war das ja doch nicht ich gewesen, die beim Schulausflug in einer Vorstellung von *Schwa-
nensee* laut »Mackeson« (die Biersorte!) rief, als sich der
Schwan zu Tode flatterte (Mackeson-Stout-Bier wurde damals
in der Werbung als ausgesprochen belebend angepriesen).
Hatte ich mir womöglich immer nur vorgestellt, dieses toll-
patschige, respektlose Kind zu sein? Ich schaltete mein Hirn
auf Computer-Suchmodus in dem Bemühen, weitere falsche
Erinnerungen herauszufiltern.

Ich beichtete alles dem ersten meiner Kinder, das
nach Hause kam. »Mach dir doch deswegen keine Sorgen,
Mum«, sagte mein Sohn mit diesem nachsichtigen Lächeln,
mit dem man zu Menschen von schlichtem Gemüte spricht.
Meine jüngste Tochter war weniger nachsichtig: »Das machst
du doch ständig«, sagte sie und verdrehte dabei die Augen.

Mit dem Kommentar meiner ältesten Tochter platzte die nächste Bombe: »Du hast Mary nicht in einem Trödelladen gekauft«, sagte sie. »Du hast sie in einem Müllcontainer gefunden.«

Ich wankte ein wenig hin und her, raufte mir die Haare und was man eben sonst so tut in solchen Momenten. Wie hatte ich mich gleich zweimal täuschen können? Hoffentlich würde ich nie in einem Prozess als Zeugin aussagen müssen, ich, die ich ja nicht einmal mehr Fakt von Fiktion zu unterscheiden vermochte.

Aber ich bin ja in guter Gesellschaft. Da war doch dieser berühmte Fall einer Polizeikonferenz in Los Angeles … oder war es die New Yorker Polizei, oder vielleicht die von San Francisco? Egal, die Polizisten waren jedenfalls zu einer Tagung über die Verlässlichkeit von Zeugenaussagen zusammengekommen. Ein renommierter Arzt oder Psychologe oder erfahrener Polizist war gerade mitten in seinem Vortrag, als jemand in einem Gorilla-Kostüm von hinten im Saal nach vorne zum Podium gerannt kam, mit einer Banane (glaube ich) auf den Redner zielte, »Peng! Peng! Peng!« rief und wieder hinaus rannte. Der Redner befahl den Polizisten im Saal, sofort niederzuschreiben, was sie gesehen hatten, und von den 300 oder 400 oder 500 anwesenden Polizisten bekam es nicht ein einziger richtig hin. (Einer schrieb gar, der Gorilla hätte einen weißen Smoking getragen und einen Blumenstrauß in der Hand gehabt.) Das lässt einen schon ein wenig an den historischen »Fakten« zweifeln. Hat nun König Alfred tatsächlich Kuchen anbrennen lassen, wie es der Volksmund will, oder hat er nur versehentlich seine Schuhe angezündet, als er sie am Feuer trocknen wollte?

Jahrelang habe ich mir etwas auf meine vermeintliche überlegene Beobachtungsgabe eingebildet und jeden, der es hören wollte, mit meinem Gerede davon, wie wichtig doch die »Wahrheit« sei, zugeschüttet. Doch Mary hat alles verändert.

Gestern Abend habe ich Doogie, meiner dreieinhalbjährigen
Enkelin, erlaubt, mit Mary im Arm durch mein Arbeitszimmer
zu spazieren.

PS.: Der Mechaniker für den Geschirrspüler muss natürlich
nicht »anständig« sein. Seine oder ihre Moralvorstellungen sind
mir ziemlich egal. Ich will einfach bloß, dass mein Geschirrspüler repariert wird.

Frühzeitiges Buchen erspart Enttäuschungen

Wissen Sie, wie man in den Genuss eines Schnäppchen-Urlaubs voller Spannung und Überraschungen kommt? Ich schon. Sie hasten am Mittwoch in ein Reisebüro und rasseln Ihr Sprüchlein herunter, dass Sie am Freitag auf Mallorca am Strand liegen wollen. Die Reisebüroangestellte wendet sich (meist mit einem Seufzer) ihrem Computer zu und schlägt ein paar Tasten an. Eine Stunde später verlassen Sie den Laden. Sie haben betont, dass Sie unbedingt am Freitag vom Flughafen East Midlands starten wollen, und sich dann doch wieder einmal breitschlagen lassen, von Gatwick loszufliegen, und zwar mit einem Flug, der Sie am Sonntagmorgen um fünf nach fünf in Palma absetzen wird. Sie wissen sehr wohl, dass um diese Zeit alle Babys im Flugzeug erbärmlich schreien und dass sämtliche Kinder unter fünf Jahren vor dem Gepäck-Fließband einen Tobsuchtsanfall bekommen werden (zusammen mit den meisten erwachsenen Männern, die ihre Gepäckwägelchen mit solch bedrohlichem Gestus herumschieben, als wären sie wilde Kämpen in einem mittelalterlichen Ritterturnier.

Wir Last-Minute-Reisende zu Schnäppchenpreisen werden für unseren sorglosen Umgang mit der Urlaubsplanung schwer bestraft. Wo wir übernachten, erfahren wir erst kurz bevor wir den Bus besteigen, der uns dort hinbringt. Zusammen mit unseren Mitreisenden versammeln wir uns um die Vertreterin unseres Reiseunternehmens, die für gewöhnlich auf

den Namen Julie hört. Das Pärchen aus Wolverhampton mit
den vorstehenden Zähnen ganz vorne bekommt seinen Hotel-
gutschein. Das »Splendide«, sagt Julie, und an ihrem ehrfürch-
tigen Tonfall erkennt man sogleich, dass im Hotel Splendide
auch der König von Spanien absteigt, wenn seine Villa gerade
neu eingerichtet wird. Der nächste Gutschein geht an die
Großfamilie aus dem Londoner Eastend, die schon im Flugzeug vor, neben und hinter einem saß. Julie sagt: »Die ›Bon
Vista Apartments‹, direkt am Strand.« Der Gutschein wird mit
einem Lächeln überreicht und mit einem ebensolchen Lächeln
entgegengenommen.

Dann kommen Sie selbst an die Reihe. Julie schafft es
nicht, Ihnen in die Augen zu sehen. »Ach«, sagt sie, als Sie ihr
Ihren Namen nennen. Murmelt etwas. Es klingt wie das »Höllen-Hotel«. Sie fragen noch einmal nach. Es ist wirklich das
Höllen-Hotel. Da steht es, in Julies kindlicher Handschrift,
schwarz auf weiß, auf dem Gutschein. Beim Einsteigen in den
Bus machen Sie noch tapfer mit Ihrem Partner Witze: »›Hölle‹,
haha! Hölle muss wohl auf Spanisch etwas anderes bedeuten,
oder vielleicht haben die es falsch geschrieben. Hela oder Hola,
zum Beispiel.«

Der Bus braust durch die ländliche Landschaft Mallor-
cas, während Julie über ein schlecht funktionierendes Hand-
mikrophon ihre Standardkommentare abspult. Die »Szene-
rie«, wie Julie es nennt, beginnt sich draußen im grauen Mor-
genlicht abzuzeichnen. Julie empfiehlt uns einen Ausflug. Sie
schlägt uns vor, uns im Hafen von Palma neben der Jacht eines
Multimillionärs fotografieren zu lassen und dann zu Hause zu
erzählen, es wäre unsere eigene! Dann rät sie uns zu einer
Fahrt nach Dias, weil dort Michael Douglas ein Haus hat, und
»vielleicht stehen Sie ja beim Gemüsehändler zufällig hinter
ihm an der Kasse.« Schließlich werden die Hasenzähne vor
dem wahrhaft splendiden Splendide-Hotel abgesetzt. Die
Eastend Familie steigt vor ihren Strand-Apartments aus. In-

zwischen ist die Sonne aufgegangen und man kann das Meer sehen, katalogblau.

Jetzt sind, außer Julie und dem Busfahrer, nur noch Sie und Ihr Partner übrig. Der Bus biegt auf einen abwärts führenden Weg und rumpelt durch Schlaglöcher, bis er schließlich vor einem Gebäude anhält, von dem der weiße Stuck so hoffnungslos abbröckelt, dass es wie eine mit missglücktem Zuckerguss überzogene Hochzeitstorte aussieht. Ein räudiger Hund liegt auf der Treppe vor dem Gebäude und macht irgendetwas Ekelhaftes mit seiner Zunge. Später, nachdem Sie Ihr Zimmer mit Bad etwas näher inspiziert haben, wird Ihnen klar, dass der Hund sich wenigstens bemühte, sich sauber zu halten. Etwas, was die Hotelführung mit Ihrem Zimmer anscheinend gar nicht erst versucht hat. Sie öffnen die schiefen Fensterläden und treten auf den Balkon. Vom Meer ist weit und breit nichts zu sehen.

Man muss eben frühzeitig buchen, kann ich Sie schon sagen hören. Meine Schwester hat einmal einen Urlaub für neun Leute im Februar gebucht, nur um dann im Juli, eine Stunde bevor die Fähre in Dover ablegte, zu erfahren, dass sie ihren gebuchten und bezahlten Urlaub nicht antreten könne, weil das Hotel doppelt belegt worden sei. Nach langwierigem Herumsuchen in verschiedenen Ferienorten kamen die Neun schließlich in zwei Zimmern unter – ziemlich zusammengepfercht, wie man sich vorstellen kann, und meine Schwester schlief auf dem Balkon. Ohne Zweifel wird der betroffene Reiseveranstalter sich anständig zeigen und unsere neun Leute entschädigen, nachdem sie sich das ganze Jahr auf einen Urlaub gefreut haben, der ihnen am Ende vorenthalten wurde, und dass bisher nichts dieser Art geschah, liegt ganz bestimmt nur an einem kleinen verwaltungstechnischen Irrtum. Eine andere Erklärung kann es ja wohl nicht geben. Oder?

Gebt mir Essen und Zeitungen

Wieder mal ein Abgabetermin, wieder mal ein Text zu überarbeiten, wieder mal ein Hotelzimmer. Diesmal ist es in Blackpool. Mein Zimmer hat Meerblick, und ich sitze und sehe dem Wechsel von Ebbe und Flut zu. Auf dem Schoß habe ich einen DinA4-Notizblock und einen Füllfederhalter, und im Gehirn nicht einen einzigen schöpferischen Gedanken.

Ich überarbeite gerade ein Filmdrehbuch, oder besser gesagt, ich versuche gerade vergeblich, ein Filmdrehbuch zu überarbeiten. Ich habe aufgehört mitzuzählen, wie viele Fassungen davon ich in den letzten vier Jahren schon fabriziert habe. Ich glaube, es sind acht, aber vielleicht sind es auch schon neun. Ich muss die ganze Zeit an *Vier Hochzeiten und ein Todesfall* denken und an Richard Curtis, der das Drehbuch dafür geschrieben hat. Ich weiß, dass Mr. Curtis siebzehn Fassungen davon erstellt hat, doch auch das ist mir kein Trost.

Ich wünschte, es gäbe in meinem Film eine richtig satte Rolle für den Star aus *Vier Hochzeiten und ein Todesfall*, Hugh Grant, aber dem ist leider nicht so. Meine männliche Hauptrolle ist ein fünfundvierzigjähriger Schildkrötenzüchter, der Sex ekelhaft findet und sich selbst die Haare schneidet – wohl kaum Mr Grants Stil.

Ich stehe auf und gehe angespannt im Zimmer auf und ab. Ein leichtes Gefühl von Klaustrophobie plagt mich, da ich eben erst meine Suite am Ende des Korridors zugunsten zweier

Freunde von mir geräumt habe, die übers Wochenende auf Besuch hier sind. Wie sich herausstellte, kommt die Suite billiger als drei einzelne Zimmer.

»Hier steigen auch Mrs Thatcher und John Major ab, wenn sie in Blackpool sind«, sagte der charmante Mr Price, als er mir die Tür zur Westminster Suite aufschloss. Ich hatte plötzlich das Bild vor Augen, wie Maggie Thatcher und John Major Arm in Arm und mit Baseballmützen die Vergnügungsmeile von Blackpool entlang spazieren. War ich hier zufällig einem Skandal auf die Spur gekommen, der die Regierung zu Fall bringen könnte? Leider nein. Anscheinend ging es strikt getrennt zu – Maggie mit ihrem Dennis und John mit seiner Norma.

Jedenfalls muss ich mich nun, nach der geräumigen Pracht der Suite, in der ich gleich in vier Zimmern auf und ab gehen konnte (wenn man die Dusche dazuzählt fünf), auf einmal mit dem begrenzten Auslauf eines Tigers in einem politisch inkorrekten Zoo zufrieden geben.

Sofern das Frühstück nicht inklusive ist, esse ich nie in englischen Hotels. Ich habe nichts dagegen, in Autobahnraststätten oder Imbissbuden am Straßenrand zu essen, aber nie in Hotels. Ich hege den Verdacht, dass die Zutaten, die in Hotelküchen landen, mit dem Vermerk »Für Menschen zum Verzehr ungeeignet. Nur Hotelgebrauch« versehen sind.

Während meines Aufenthalts in Blackpool aß ich vier Mal in *Harry Ramsdens Fish-and-Chips-Emporium*. Ich hasse es, anstehen zu müssen, doch der Gedanke an diesen leckeren frischen Schellfisch in knuspriger Panade ließ auch mich brav in der Schlange warten. (Übrigens, Harry, Sie müssen was wegen dieser doppelten Schwingtüren unternehmen. Sich da mit einem Rollstuhl durchzumanövrieren ist, als ob man versuchte, der Tory-Abgeordneten Lady Olga Maitland einen Platz im Himmel zu sichern.)

Beim vierten Mal begleiteten mich meine Eltern und meine Schwester, die mich zusammen abholen gekommen waren. »Das ging aber schnell«, sagte der junge Ober mit einem Blick auf unsere bewundernswert sauberen Teller. In unserer Familie ziert man sich nicht lange beim Essen. Wir könnten England bei einem Wettbewerb im Schnellessen vertreten. Ob das wohl vererbt ist, oder warnt uns unser Urinstinkt davor, dass uns jemand die Nahrung wegschnappen könnte?

Ach, übrigens, hat eigentlich jemals jemand »Harry's Challenge« aufgegessen? Ich habe einmal beobachtet, wie ein paar verwegene junge Kerle das Gericht von der Speisekarte weg bestellten und ihnen vor Schreck der Mund offen stehen blieb, als es ihnen vorgesetzt wurde. »Harry's Challenge« besteht aus einem Stück panierten Fischs von der Größe eines Kleinkinds, umgeben von einem Turm Pommes so hoch wie einer der kleineren Berge in Wales. Ein See aus Erbsenpüree vervollständigt das Ganze mit einer adretten, kontrapunktischen Note. Ich habe noch nie jemanden gesehen, der sich dieser »Herausforderung« gewachsen zeigte.

Wieder im Hotel zurück starre ich düster auf die See hinaus, zähle die Möwen, suche den Horizont nach Schiffen ab, lackiere meine Zehnägel zyklam-rosa und denke nach, bis mir der Schädel brummt. Ich erlaube mir keinerlei Ablenkungen. Es gibt keine Bücher in meinem Zimmer, keine Zeitschriften, und ich schalte den Fernseher nicht ein. Allerdings schiebt jemand vom Hotel jeden Morgen eine Gratisausgabe des *Daily Telegraph* unter meiner Tür durch. Ich muss zugeben, dass ich, als ich sie das erste Mal da liegen sah, missbilligend die Nase rümpfte. Wir haben alle unsere Vorurteile, und eines von meinen war, dass der *Daily Telegraph* nur von verknöcherten alten Armeeobersten mit einer politischen Gesinnung rechts von Dschingis Khan gelesen würde. Nun ist es kein Geheimnis, dass meine politische Gesinnung links von Lenin und Livingstone anzusiedeln ist, und so war es doch ein gewisser Schock für mich, als ich feststellen musste, dass ich den *Daily Telegraph* sogar genoss. Er brachte mich zum Lachen, war gut geschrieben und kritisierte die amtierende Regierung.

Ich habe immer noch den *Guardian* abonniert, doch inzwischen stehle ich mich heimlich davon und kaufe mir den *Daily Telegraph – zum Vergnügen*! Was kommt wohl als nächstes? Werde ich bald zur Fuchsjagd gehen, Blusen mit Pelzkragen tragen, die Todesstrafe in Schulen fordern?

Der Überfall

Eine ältere Dame, Mrs Coleman, wurde letzte Woche direkt vor unserem Haus überfallen. Sie ist fünfundsiebzig und war unterwegs zum Friseur. Es war ein strahlender Tag, einer von der Sorte, an denen man sich so richtig über das Leben freut. Ihr Mann fühlte sich nicht so gut, und so hatte sie darauf bestanden, dass er zu Hause blieb, anstatt sie wie gewöhnlich zum Friseur zu fahren.

Meine älteste Tochter hörte sie um Hilfe rufen, schaute aus dem Fenster und sah, wie eine Autofahrerin und ein Anwohner aus unserer Straße Mrs Coleman auf die Beine halfen. Zusammen brachten sie sie zu uns ins Haus. Sie war voller Blut, ihre Strümpfe waren zerrissen und sie hielt die abgerissenen Henkel ihrer Handtasche fest. Sie stand unter Schock und zitterte am ganzen Körper. Als sie sich selbst im Spiegel in der Diele sah, brach sie in Tränen aus.

Die Polizei und ein Krankenwagen wurden gerufen. Ein Polizist mit Motorrad traf nach wenigen Minuten ein, weitere Polizisten folgten. Mrs Coleman konnte einem der Polizisten eine Beschreibung des Angreifers geben: weiß, jung, auf einem Fahrrad, dunkle Haare. Der Polizist mit dem Motorrad wurde losgeschickt, um den brutalen jungen Mann vielleicht noch zu erwischen. Der Krankenwagen kam, und die Sanitäter waren sehr nett und fürsorglich zu Mrs Coleman.

»Wir müssen Ihrem Mann Bescheid geben«, sagten sie. Mrs Colemann wurde ganz unruhig. »Nein«, widersprach sie, »es geht ihm nicht so gut, er darf sich nicht aufregen.« An diesem Punkt musste meine Tochter aus dem Zimmer gehen, so erregt und wütend war sie. Draußen stieß sie auf den Motorrad-Polizisten, der gerade aus Frust mit dem Fuß gegen unsere Gartenmauer trat. Der junge Mann war verschwunden, und es gab keine Augenzeugen für den Überfall.

Mrs Coleman wurde auf einer Trage aus dem Haus gebracht und ins Krankenhaus gefahren. Ein Polizist wurde losgeschickt, um Mr Coleman die Schreckensnachricht zu überbringen, und drei meiner Kinder blieben zurück und diskutierten darüber, was sie am liebsten mit diesem feigen jungen Mann machen würden, der eine gebrechliche fünfundsiebzigjährige alte Dame niederschlug.

Später erfuhren wir, dass Mrs Coleman regelmäßig ins Krankenhaus ging. Sie musste sich täglich einer Chemotherapie unterziehen. Ich hatte eine Mordswut, als ich nach Hause kam und diese traurige Geschichte hörte. Mir war klar, dass Mrs Colemans Leben nie mehr so wie vorher sein würde. Ich hoffte, dass sie sich nicht davon würde abbringen lassen, auch in Zukunft an einem heiteren Tag mitten am Nachmittag eine hübsche, baumgesäumte Straße entlang zu spazieren. Doch insgeheim hegte ich die Befürchtung, dass der Vorfall ihr Leben vermutlich doch in vielen kleinen, alltäglichen Dingen beschneiden würde.

In solchen Augenblicken kann man leicht an der menschlichen Natur verzweifeln. Dann sind wir versucht, uns vor der Welt zu verbarrikadieren, niemandem mehr zu trauen und uns nach Einbruch der Dunkelheit nicht mehr auf die Straße zu wagen. Aber wenn wir dieser Versuchung nachgeben, dann haben die Verbrecher gewonnen. Dann haben sie uns nicht nur unser Geld und unser Eigentum genommen, sondern auch noch unser Selbstvertrauen und unsere Freiheit.

Wir müssen uns unbedingt in Erinnerung rufen, dass der dunkelhaarige junge Mann auf dem Fahrrad für eine winzige Minderheit steht. Andere Verbrecher verabscheuen solche feigen Angriffe, und wenn er schließlich gefangen wird und ins Gefängnis muss, dann wird es ziemlich unangenehm für ihn werden. In der Gefängnishierarchie wird er ganz, ganz unten stehen, auf einer Stufe mit denen, die Kindern Gewalt zugefügt haben.

Die überwiegende Mehrzahl der Menschen ist gesetzestreu und respektiert das besondere Bedürfnis sehr alter und sehr junger Menschen nach Schutz und Fürsorge. Die meisten von uns gehorchen diesem moralischen Imperativ ganz automatisch und instinktiv, und deshalb sind wir auch so erbost, wenn einer unserer Mitmenschen diesen Moralkodex bricht.

Wie ich schon sagte war ich nicht zu Hause, als Mrs Coleman überfallen wurde. Ich war in London und wohnte den Proben für *Die Queen und ich* bei, das bald darauf im Londoner West End Premiere haben sollte. Um so verblüffter war ich, als ich in unserer Lokalzeitung las, dass *ich* Mrs Coleman auf der Straße gefunden und ins Haus gebracht hätte.

Einen Moment lang glaubte ich schon, ich hätte nicht mehr alle Tassen im Schrank – dass ich mir die Zugfahrt nach London, die Theaterproben, die Zugfahrt zurück nach Hause nur eingebildet hätte, eine reine Halluzination. Ich kapierte einfach nicht, wie jemand mich mit meiner Tochter verwechseln konnte: Sie ist jung und hübsch, und ich bin im reiferen Alter und, na ja, eben nicht hübsch.

Mrs Coleman lieferte der Lokalzeitung einen sehr lebendigen und beherzten Bericht des Überfalls. Sie telefonierte vom Haus ihres Sohnes aus, wo sie sich von ihren Verletzungen erholte. Aus ihrer Erzählung gewann ich den Eindruck, dass sie eine tapfere Frau ist und sich sehr darüber empörte, dass ein Fremder so in ihr Leben eindrang und es auf den Kopf stellte.

Und jetzt wo ich darüber nachdenke, glaube ich auch, dass sie vielleicht doch wieder nachmittags unsere Straße entlang spazieren wird. Und wenn ja, dann hoffe ich, dass sie auf eine Tasse Tee hereinschaut. Ich würde sie sehr gerne kennen lernen, und zwar diesmal in echt.

Prinz Charles als König?

Ich habe schon seit längerem diese Theorie. Bisher habe ich sie immer für mich behalten, aus Angst, mich in aller Öffentlichkeit lächerlich zu machen. Ich komme mir vor, wie der Mensch, der vor vielen hundert Jahren zum ersten Mal die Ansicht zu äußern wagte: »Äh, glauben Sie nicht, dass es vielleicht denkbar wäre, dass äh … die Erde … äh, also, in Wirklichkeit *rund* ist anstatt, äh … *flach*?« Also seien Sie bitte nachsichtig mit mir, ja?

Meine Theorie lautet folgendermaßen: Ich glaube, dass Prinz Charles erleichtert wäre, wenn die Monarchie endlich abgeschafft würde. Ich habe keinerlei Beweise, die ich zur Unterstützung meiner These vorbringen könnte. Ich bin auch ganz bestimmt nicht das, was man eine Vertraute des Prinzen nennen würde. Und werde es auch garantiert nie sein. Aber ich habe da so ein Gefühl.

Oberflächlich betrachtet sieht der Job eines Königs ja ganz verlockend aus. Die Bezahlung ist extrem gut, man hat viel Urlaub, kommt in der Welt herum, man muss sich keine Sorgen machen, womöglich wegen der Bauarbeiten auf der M25 sein Flugzeug zu verpassen – es wartet nämlich auf einen. Jetzt wo ich darüber nachdenke: Wenn man König ist, was hat man dann überhaupt auf der M25 zu suchen? Warum sitzt man dann nicht in seinem eigenen Hubschrauber und schwebt über die verkehrsgebundenen Massen hinweg?

Wenn ein König sein Reiseziel erreicht, dann muss er nicht seine Reisetasche unter sengender Sonne zu einem Taxi schleppen, dessen Fahrer gerade in der Nase bohrt und dann den Finger am Polster abwischt. Nein, ein König wird von seinen Lakaien zu einer klimatisierten Limousine geleitet, die sodann auf Straßen entlang fährt, die für den normalen Verkehr »aus Sicherheitsgründen« gesperrt sind. Möglicherweise muss er einer gackernden Schar von Schulkindern, die fähnchenschwenkend und dem Sonnenstich nahe auf dem Bürgersteig stehen, ein wenig zuwinken, doch keine Sorge, das königliche Handgelenk wird bestimmt nicht überstrapaziert werden: Denn genau wie Kindern aus gewöhnlichen Familien von ihren Eltern beigebracht wird, eine Cornflakes-Packung so aufzureißen, dass nicht gleich der ganze Karton zerfetzt wird, oder den Müllbeutel aus dem Treteimer so zu transportieren, dass man auf dem Weg zur Mülltonne nicht eine Eierschalenspur hinter sich her zieht, so wird königlichen Kindern praktisch von Geburt an beigebracht, ihr Winken zu perfektionieren.

Andere Vorteile des Königseins sind … dass man weltberühmte Persönlichkeiten kennen lernt; dass man rund um die Uhr Zimmerservice hat (jeden Tag); und dass jemand ein Buch über einen schreibt mit einem Umschlagfoto darauf, das einen als ein tiefsinniges und hochsensibles Individuum zeigt. Da auf Königen sowieso schon die ganze Verantwortung für die Zukunft lastet, können sie wenigstens in dem sicheren Bewusstsein von zu Hause wegfahren, dass jemand die Haustiere füttern wird und dass das Videogerät nicht gestohlen wird. Sie müssen nicht nachts wachliegen und sich mit quälenden Fragen wie »Bin ich untere obere Mittelschicht?« oder »Bin ich unterer Arbeiter-Abschaum?« über ihre Klassenzugehörigkeit den Kopf zerbrechen. Könige können voller Vertrauen von sich sagen: »Ich bin die alleroberste Oberschicht«, und sich sicher sein, dass kein Brite ihnen je widersprechen wird.

Als wir noch Eidechsenlederschuhe trugen und in Höhlen lebten, da war es ja vermutlich ganz sinnvoll, dass es einen König gab, jemanden, der uns rumkommandierte und sicherstellte, dass man das Feuer nicht ausgehen ließ.

Im Mittelalter sagte man uns, dass der König von Gottes Gnaden eingesetzt werde und uns eine Berührung durch seinen königlichen Zeigefinger von unseren widerlichen, skrofulösen Krankheiten heilen würde. Damals glaubten wir auch, dass die Erde flach und Mangold wohlschmeckend sei. Anders ausgedrückt, wir waren ignorante Bauern, die in armseligen Löchern hausten und nicht in den Genuss öffentlicher Bibliotheken kamen. Es ist schwer, im ausgehenden zwanzigsten Jahrhundert König zu sein. Die Öffentlichkeit ist so viel höher entwickelt. Jetzt kommen Babys schon mit dem instinktiven Wissen auf die Welt, wie man das Videogerät programmiert, um die Teletubbies aufzunehmen.

Sehen wir uns nun einmal die Nachteile des Königseins an.

Reisen. Man wird am Flugzeug von einer Versammlung von Herren mittleren bis fortgeschrittenen Alters in neuen Anzügen empfangen, die vor lauter Nervosität und Anspannung schwitzen, wenn sie einem vorgestellt werden. Ihr Händedruck fühlt sich an wie fauliger Fisch. Sie sind nervös, *weil* man der König ist.

Berühmte Leute kennen lernen. Die meisten berühmten Leute sind langweilig. Sie wollen nur über sich selber reden und unterbrechen einen ständig, sobald man seinerseits etwas von sich erzählen will. Der einzige Grund, weshalb sie einem Treffen zustimmen, ist, *weil man der König ist.*

Die Biographie. Nur weil der Biograph der altehrwürdigen Familiendynastie der Dimblebys entstammt, fühlt man sich verpflichtet, ihm intimste Gedanken zu erzählen und ihm anzuvertrauen, welche Entbehrungen man doch in seiner qualvollen Kindheit ertragen musste. Dabei vergisst man dann, dass Mutter und Vater immerhin lesen konnten, und dass eine Tracht

Prügel, ein eiskaltes Schlafzimmer und schlechtes Essen die Kindheit nahezu jedes in den vierziger Jahren geborenen Briten kennzeichneten. Deshalb erweckt man auch überhaupt kein Mitgefühl mit diesem Buch, und im Grunde seines Herzens weiß man ja sowieso, dass es nur in Auftrag gegeben, geschrieben und veröffentlicht wurde, *weil die glauben, dass man mal König sein wird*.

Eines Tages sagt man dann zu sich selbst: »Ich bin nicht von Gottes Gnaden eingesetzt. Ich bin ein Mensch, und ich will *frei* sein.«

Aber wie gesagt, das ist nur eine Theorie.

Der Mantel

Ein chinesisches Sprichwort lautet: »Nimm dich in Acht vor Anlässen, die neue Kleider erfordern.« Ich selbst ignoriere diesen Rat ständig. Anlässlich meiner ersten Lesereise in die Vereinigten Staaten – ein Meilenstein im Leben eines jeden Schriftstellers – habe ich den Rat nicht nur ignoriert, sondern ihm geradezu ins Gesicht gelacht.

Ich bummelte in London eine Straße entlang, und da sah ich ihn in einem Schaufenster: den Mantel schlechthin. Er war knöchellang, außen Wildleder, innen mit Schaffell gefüttert. Vor meinem inneren Auge erschien ein Bild von mir in dem Mantel, in New York in einem Schneesturm. In meiner Fantasie sah ich mich locker und geistreich mit weltmännischen New Yorker Verlegern flachsen, während wir gerade ein schickes Restaurant betraten, um den Riesenerfolg meines Buches zu feiern.

Ich ging in den Laden und berührte den Mantel. Das Wildleder war so weich wie die Haut eines Geliebten. Eine lächelnde junge Verkäuferin murmelte ermunternde Worte, und kurz darauf tänzelte ich auch schon vor einem, wie es schien, außergewöhnlich schmeichelnden Spiegel auf und ab. Der Mantel war federleicht. Die Verkäuferin stellte den Kragen auf, so dass er mein Gesicht einrahmte. Ich sah mich schon auf der Plattform des Empire State Building stehen, kuschelwarm trotz des eisigen Ostwinds, der vom Hudson River herüber blies.

Vielleicht sollte ich Ihnen langsam einmal sagen, dass meine Amerika-Tour folgende Reiseroute vorsah: Heathrow – New York – Boston – New York – Washington – Miami – Heathrow.

Haben Sie den Außenseiter entdeckt? In Miami herrschen fast das ganze Jahr über Temperaturen von um die fünfunddreißig Grad, mit Ausnahme von ein paar Monaten, wo sie auf um die fünfundzwanzig Grad fallen. Doch als ich, von den Ohren bis zu den Knöcheln in meinen Traummantel gehüllt, in diesem Laden stand, verbannte ich Miami einfach aus meinem Hirn, oder dem was noch davon übrig war. Die Verkäuferin (die wahrscheinlich gerade ihren Abschluss im Schauspielfach an der Royal Academy of Dramatic Arts gemacht hatte) bemerkte: »Ich habe mir die ganze Zeit schon gewünscht, dass jemand mit Eleganz und Stil diesen Mantel kauft.« Nun, werter Leser, unter anderen Umständen wäre ich ob dieser Bemerkung in Gelächter ausgebrochen, da ich nämlich sehr genau weiß, dass ich nicht elegant bin. Mein abblätternder Nagellack ist schon legendär, meine Strümpfe bekommen Laufmaschen, sobald ich sie aus der Verpackung hole, und meine schwarzen Maßanzüge sind für gewöhnlich mit einem alles andere als eleganten Flaum aus weißen Katzenhaaren überzogen. Doch die Umstände waren eben nicht normal. Mir stand eine Reise in vier amerikanische Großstädte bevor, in denen ich aus meinem Buch lesen sollte. Ich hatte panische Angst. Also zog ich es vor, der Verkäuferin zu glauben. Sie besaß offensichtlich eine hervorragende Menschenkenntnis, sagte ich mir, und außerdem brauchte ich den Mantel auch. Er würde mich vor feindlichen Elementen schützen: der Öffentlichkeit und der Witterung.

Ich kaufte ihn. Der Preis des Mantels ist ein Geheimnis, das ich mit mir ins Grab nehmen werde. Meine Töchter, die ein geradezu obsessives Interesse daran haben, welche Summen ich für meine Kleidung ausgebe, unterzogen mich der üblichen KGB-Verhörroutine, doch ich hielt dicht.

Der Mantel war zu lang für sämtliche Schränke im Haus und schleifte auch an der Garderobe hängend noch am Boden, weshalb ich ihn schließlich mit einem Kleiderbügel an der Bilderleiste im Flur aufhängte. Besucher und Familienmitglieder gingen dazu über, ihn wie ein exotisches Haustier zu streicheln. Das Wetter in England war für die Jahreszeit ungewöhnlich warm, so dass ich den Mantel noch nicht ein einziges Mal hatte ausführen können, doch New York und der Schneesturm gingen mir nicht mehr aus dem Sinn.

Zu einer mittleren Katastrophe kam es, als die Reinigung am entscheidenden Tag beschloss, früher zu schließen – wodurch mein Jacke/Hose/Rock-Outfit, das ich als »Kern-Garderobe« eingeplant hatte, eingeschlossen war. Ich überlegte schon, ob ich einen Ziegelstein durchs Fenster werfen, meine Klamotten packen und fünfzehn Pfund auf der Ladentheke hinterlassen sollte, doch andere, vernünftigere Familienmitglieder rieten mir davon ab.

Der Mantel ist zwar leicht, jedoch extrem voluminös. Ich trug ihn im Duty-Free-Laden, streifte damit jedoch ständig irgendwelche Gegenstände in den Regalen, die auch sogleich herunterfielen. Der Mantel verlangte ein völlig neues Raumbewusstsein. Er war eben für draußen gemacht. Dabei hatte ich vergessen, dass ich überhaupt nicht gerne draußen bin, sondern den Großteil meiner Zeit in verdunkelten, überheizten Räumen verbringe. Schwitzend und nach Luft japsend schälte ich mich aus dem Mantel und stieg ins Flugzeug. Dort weigerte sich der Mantel hartnäckig, in dem Gepäckfach über dem Sitz zu verschwinden. Immer wenn ich gerade den Deckel über dem verdammten Ding zuknallen wollte, schlüpfte wieder irgendwo eine Ecke heraus. Irgendwann hatte ich ihn dann schließlich doch im Käfig, aber nur mit Mühe und Not.

New York erfreute sich gerade an einer aberwitzigen Hitzewelle. Der Taxifahrer, der mich zum Hotel brachte, trug ein

T-Shirt. Leute spazierten in Bermuda-Shorts auf den Bürgersteigen lang.

In Miami saß ich in meinem Wonderbra und Schlüpfer am Strand; den Mantel hatte ich schmollend im Kleiderschrank meines Hotelzimmers zurückgelassen (zu diesem Zeitpunkt sprachen wir bereits nicht mehr miteinander).

Inzwischen bin ich wieder in England und hoffe immer noch auf einen Kälteeinbruch, doch allmählich komme ich zu der Überzeugung, dass der Mantel eine nutzlose Anschaffung war – es sei denn als hohnsprechendes Zeugnis meiner Eitelkeit und Dummheit.

Einbrüche

Bei uns wurde in den vergangenen vier Monaten vier Mal ein-eingebrochen. Eigentlich können wir auch gleich alle Türen und Fenster weit aufmachen und ein Schild in unseren Vorgarten stellen, das in pinkfarbenen Leuchtbuchstaben verkündet *Haus leer. Einbrecher willkommen*. Nicht dass das Haus leer sein müsste, damit Einbrecher sich bei uns hereintrauten. Als sie das letzte Mal kamen, lag meine Tochter krank im Bett, ich war oben am Telefon, im Wohnzimmer liefen der Fernseher und drei Radios – alle auf Gesprächs- und Nachrichten-sendern – doch auch diese Kakophonie schreckte die Kerle nicht ab.

Meine Tochter war aus ihrem Krankenbett geklettert, als sie draußen Reifen quietschen hörte. Sie blickte aus ihrem Schlafzimmerfenster und sah, wie ein verbeultes gelbes Auto vor unserem Haus in schnellem Tempo zurücksetzte und dann abgestellt wurde. Zwei junge Kerle mit Frettchengesichtern stiegen aus, gingen über die Straße und klingelten an unserer Haustür Sturm – fast ein bisschen so wie die Gestapo immer in alten Kriegsfilmen. »Ich muss auflegen«, sagte ich zu meiner Schwester, »es klingt, als ob da ein Irrer an der Tür wäre.« Meine Tochter kam ins Zimmer und sagte, dass ihr die zwei jungen Kerle da unten gar nicht gefielen. Das war an sich keine allzu ungewöhnliche Feststellung – meine Tochter ist notorisch anspruchsvoll, wenn es um Männer geht. Das Klingeln ging weiter, der Briefkastendeckel wurde scheppernd auf und zu geschlagen, Fußtritte krachten gegen die Tür.

Nun ist diese arme Tür schon bei früheren Einbrüchen mit Vorschlaghammermethode aufgebrochen worden, und inzwischen ist sie völlig funktionsuntüchtig. Eigentlich ist es schon gar keine Tür mehr, sondern nur noch ein Stück Holz, das uns vor den Elementen, streunenden Hunden und dergleichen schützt. Bei anderen Leuten geht die Haustüre auf. Bei uns nicht. Große Nägel wurden hinein geschlagen und schwere Riegel angebracht. Der Lärm hörte auf, und wir sahen durchs Fenster zu, wie die Strolchgesichter hinters Haus schlenderten. Ich wählte die Notrufnummer. Es kann nur Sekunden gedauert haben, doch es fühlte sich wie zwei Wochen an, bis endlich ein Polizist am anderen Ende der Leitung war und ich unsere Adresse durchgeben konnte, nebst der Tatsache, dass zwei potentielle Einbrecher »gerade über unsere Gartenmauer kletterten« – denn genau das taten sie, während wir inzwischen vom Badezimmerfenster aus zusahen.

Meine Tochter schlüpfte hastig aus ihrem Teddybär-Schlafanzug (nicht gerade die wünschenswerte Garderobe, wenn Einbrecher zu Besuch kommen) und in ein energischeres, weniger verletzliches Outfit, und ging zum Fenster, um die Nummer des verdächtig aussehenden gelben Autos der Frettchengesichter aufzuschreiben. Inzwischen war einer der beiden auch schon mit dem Stemmeisen an unseren Balkontüren zugange. Ein Wagen der Polizei sei »unterwegs«, wie mir die Polizistin am anderen Ende der Leitung versicherte. Ich reichte den Hörer an meine Tochter weiter und schaute mich auf dem Flur im oberen Stock nach einem stumpfen Gegenstand um. Nach etwas, womit wir ein wenig Zeit schinden könnten, falls die Kerle mit einem Messer bewaffnet waren. Doch die Auswahl an potentiellen Waffen war jämmerlich. Eine Flasche Schaumbad? Ein hölzerner Kleiderbügel? Ein Badeschwamm auf einem Holzstecken?

Im selben Augenblick hörte ich, wie unten die Balkontüren aufgingen und meine Tochter flüsterte: »Mama, ich hänge hier in der Warteschleife!« Dann schrie sie ins Telefon: »Wir haben Einbrecher im Haus!« Das Adrenalin gewann die Überhand. Ich war voller Wut – eine Emotion, die mich nicht allzu oft befällt. Plötzlich war ich die Löwin, die ihr Junges verteidigt. Auf keinen Fall würde ich zulassen, dass diese Frettchen nach oben kamen und meine Tochter ängstigten, und darüber hinaus würde ich nicht hier oben herumsitzen und tatenlos zusehen, wie sie uns unten die paar Habseligkeiten raubten, die uns nach den letzten Einbrüchen noch geblieben waren. Ich sagte meiner Tochter, sie solle sich in ihrem Zimmer einsperren und schlich mich nach unten.

Frettchen Nummer eins befand sich im letzten Zimmer, das ich durchsuchte. Wenn ich sage, dass er baff war, mich zu sehen, dann ist das noch eine Untertreibung. Seine Frettchen-Kinnlade fiel ihm herunter, als er mich sah, den Hausdrachen mit der Waffe seiner Wahl – *Tolstoi* von A. N. Wilson. Ich brauchte den Kerl jedoch gar nicht mit biographischer Literatur niederzuknüppeln – er drehte sich auf dem Absatz um und stürmte aus dem Haus, rutschte auf einem glitschigen Laubhaufen aus, den ich schlampiger Weise auf dem Gartenweg hatte liegen lassen, raffte sich wieder auf und machte einen Satz über die Mauer. Frettchen Nummer zwei war bereits vor ihm davon geeilt. Ich schrie ihnen in einer Stimme, von der ich gar nicht wusste, dass ich sie habe, nach, dass … – also, vielleicht sage ich Ihnen lieber nicht, was ich geschrieen habe, schließlich schreibe ich ja für eine Familienzeitschrift, doch ein paar der Ausdrücke stehen mit Sicherheit nicht im Wörterbuch.

Ich rannte ums Haus herum zur Straße, wo die Kerle eben verzweifelt versuchten, ihr Auto zu starten. Schließlich schafften sie es und sausten in einer Abgaswolke davon, während ich völlig sinnlos hinterher rannte. Als sie am Ende der Straße abbogen, fuhr gerade ein Polizeiauto an ihnen vorbei. Binnen fünfundvierzig Sekunden standen drei Polizeiautos vor meinem Haus, nach einer weiteren Minute waren es neun. Wie ich schon reuevoll zu dem charmanten Polizisten sagte, der die Beschreibung der Frettchengesichter aufnahm: »Hätte ich doch noch eine Minute gewartet.« Das habe ich mir seither ziemlich oft gesagt.

Ihr Autokennzeichen war falsch, die Fingerabdrücke verschmiert. Sie wurden nicht gefasst.

Beige in Cromer

Wieder ein anderes Hotel, wieder ein anderes Drehbuch, das ich zu schreiben versuche. Der Film spielt in Barcelona, und wohin bin ich also prompt gereist, als der Filmproduzent anbot, meine Reisekosten und Spesen zu übernehmen? Nach Cromer, genau. Nicht Cromer in den USA, oder Cromer gleich hinter Barcelona, sondern Cromer, Norfolk, England. Es muss etwas damit zu tun haben, dass ich nächstes Jahr fünfzig werde, aber ich muss das einmal festhalten: Die Besucher von Cromer sind nicht gerade jung und hip. Heute morgen starrte ich düster in das Schaufenster eines Textilgeschäfts und entdeckte ein Schildchen mit der Aufschrift *Neueste Mode, £ 7,99*, das mit einer Nadel am Saum eines hässlichen, schlammgrünen Polyester-Faltenrocks mit Ahornblattmuster befestigt war. Ich brach in schallendes Gelächter aus (ich bin zwar erst eineinhalb Tage da, habe jedoch schon eine Reihe fragender Blicke auf mich gezogen). Nun sehe ich selbst vielleicht nicht gerade aus wie eine Trendsetterin in der Bekleidungsmode, doch ich kenne meine *Vogue*, und ich kann mich an keinen Artikel erinnern, der den Leserinnen in aufgeregtem Ton Polyesterfaltenröcke ans Herz gelegt hätte.

Im weiteren Verlauf des Tages ließ ich versehentlich eine Schachtel Zigaretten auf einer Ladentheke liegen, und als ich gerade aus dem Geschäft gehen wollte, hörte ich die junge Frau an der Kasse sagen: »Wem gehören die hier?« Eine Kundin antwortete: »Der Dame da in Schwarz.« Nachdem ich beiden gedankt, mein löchriges Gedächtnis auf die Wechseljahre geschoben und mich ganz generell zum Idioten gemacht hatte, schlenderte ich die Uferpromenade entlang und sprach immer wieder diese romantische Beschreibung vor mich hin: die Dame in Schwarz. Dabei begegneten mir immer wieder Leute, die nur zehn Jahre älter waren als ich und allesamt eine Art informeller Uniform trugen: eine beigefarbene kurze Jacke, wie man sie gut zum Autofahren tragen kann, und dazu bei den Frauen einen karierten Faltenrock und bei den Männern eine beigefarbene Hose. Beide Geschlechter schienen außerdem dieselben beigefarbenen Schuhe mit Kreppsohlen zu tragen. Was mich nun beschäftigt, ist die Frage: Erwartet mich das auch bald? Werde ich an meinem sechzigsten Geburtstag ebenfalls diese Vorliebe für Beige entwickeln? Und was ist mit dieser Dauerwellenfrisur, die so viele beige bekleidete ältere Damen bevorzugen? Ist das verpflichtend? Bekommt man die Aufforderung dazu mit der Rentenbescheinigung zugeschickt?

Sie werden hiermit aufgefordert, sich um 13.00 Uhr in Madam Yvonnes Friseursalon einzufinden, wo Sie Ihre vorschriftsmäßige Dauerwelle erhalten. Bitte beachten Sie, dass dabei die beigefarbene Uniform zu tragen ist.

Wenn ich der große Diktator wäre, dann würde ich Beige verbannen – es ist die Farbe von Kompromiss und Zögerlichkeit. Doch ich muss zugeben, dass mich auch eine Angst beschleicht: Wird meine Generation von Schwarz-Trägern, wenn sie sechzig wird, von der nachfolgenden Generation ebenso verabscheut werden? Werden die herablassend die Nase über unsere schwarzen Lederjacken rümpfen? Wird Schwarz das nächste Beige sein?

    In Cromer gibt es nur einen einzigen Stadtstreicher. Unter seiner Schmutzschicht ist er jung und gutaussehend. Wie die meisten Stadtstreicher ist er mit Tüten voller Müll und geheimnisvollen Bündeln beladen. Er verhält sich still und trägt schwarze Kleidung. Er zeigt keine offensichtlichen Anzeichen geistiger Verwirrung. Ich habe versucht, mir vorzustellen, was ihn in seine gegenwärtige Lage gebracht haben mag. War er ein Schriftsteller, der nach Cromer kam, um einen Film zu schreiben, scheiterte, und nun dazu verdammt ist, bis in alle Ewigkeit an der Küste entlangzustreifen? Wird mich in zwei Wochen oder so dasselbe Schicksal ereilen?

Als ich noch klein war, wimmelte es auf dem Land nur so von Landstreichern. Man konnte kaum eine Landstraße entlanggehen, ohne auf einen zu treffen, und im Großen und Ganzen wurden sie von den meisten Leuten auch freundlich behandelt. In bestimmten Häusern auf ihrer Route bekamen sie eine Tasse Tee und Sandwiches, und man fragte sie nach ihrer Meinung zum Wetter und zur Landschaft. Ich habe sie jedenfalls immer darum beneidet, frei und nach Lust und Laune umherziehen zu können, vor allem dann, wenn ich einen von ihnen dösend am Straßenrand traf, während ich mich müde zur Schule schleppte.

Cromer ist eine Kleinstadt, und irgendwie stehe ich jedes Mal, wenn ich um eine Ecke biege, dem gutaussehenden jungen Stadtstreicher gegenüber. Vor ein paar Stunden haben wir uns sogar eine Bank geteilt. Wir saßen stumm nebeneinander und blickten starr auf die sonnenbeschienene See hinaus. Ich bin fest entschlossen, ihn nicht näher kennen zu lernen. Die einzige engere Beziehung, die ich in Cromer eingehen möchte, ist die zu meinem Film. Allerdings wünschte ich, mein Liebster wäre hier. Ich wohne im Hotel Pentonville in der Honeymoon-Suite, inklusive Whirlpool, Messingbett und Panoramablick aufs Meer.

Inzwischen ist die Sonne weg und vom Meer bläst ein kalter Wind. Jetzt könnte ich eine warme, beige Jacke gebrauchen.

Pulp Fiction

Ich habe es mir so lange verkniffen, wie ich konnte, aber jetzt halte ich einfach nicht länger durch. Ich muss über *Pulp Fiction* schreiben. Ich werde Sie nicht mit endlosen Details aus dem Film überschütten (es möge genügen, wenn ich hier festhalte, dass es der beste Film ist, den ich je gesehen habe), doch ich will versuchen, Ihnen einen Eindruck von der außergewöhnlichen Wirkung zu vermitteln, die der Film auf Leute aus meinem Bekanntenkreis hat. Sie können gar nicht mehr aufhören, davon zu reden. Sie zitieren Dialogpassagen. Sie geben die Witze aus dem Film wieder. Sie stehen plötzlich auf und machen die Tanzschritte vor. Sie diskutieren über ihre Lieblingsszenen und hören aufmerksam und gespannt zu, wenn andere ihre Lieblingsszenen erzählen, und weiß Gott, wie viele Stunden schon verflossen und wie viele Abgabetermine verstrichen sind, während ich selbst auch noch meinen Senf dazu geben musste.

Der Film handelt von Leuten, die mit Gewalttaten ihren Lebensunterhalt verdienen. Sie sind Auftragskiller, Boxer, Soldaten und bewaffnete Räuber. Diese Leute kaufen und konsumieren harte Drogen so beiläufig, wie Sie oder ich Tee kaufen oder konsumieren. Ihre Sprache ist häufig obszön. Es ist kein Film für unsere Kleinen oder für Ihre Frau Mama (obschon ich, wie mir eben einfällt, den ganzen letzten Samstag lang, während einer reizenden Hochzeitsfeier in der Verwandtschaft, meine Mutter zu überreden versuchte, sich den Film anzusehen).

Anfang dieses Jahres gab es eine Phase, in der mein ältester Sohn als einziger unserer Familie *Pulp Fiction* noch nicht gesehen hatte. Er gab eine traurige, isolierte Gestalt ab, wie er so aus unseren *PF*-Unterhaltungen ausgeschlossen war und keine Miene verzog, wenn wir schallend über einen *PF*-Witz lachten. Schließlich befahl ich ihm einfach – obwohl er inzwischen ein Mann von dreißig Jahren ist (wobei mir allerdings auch auffiel, wie lächerlich jung Ärzte heutzutage sind) – ins Kino zu gehen, genau so wie ich ihm als kleiner Junge befohlen habe, ein Unterhemd anzuziehen, wenn das Wetter umschlug.

Danach war er wie ausgewechselt. Am folgenden Tag nahmen wir ihn wieder im Schoße unserer Familie auf und lauschten fröhlich, als er seine eigenen, klugen Gedanken zu unserer gemeinsamen Filmanalyse beitrug. *Pulp Fiction* bietet den Briten endlich eine Alternative zum Wetter als Allerwelts-Konversationsthema. Der Film eignet sich nicht nur, um die Unterhaltung in Gang zu bringen, sondern wird sogar des öfteren zum eigentlichen Gesprächsthema.

Es ist mir schon passiert, dass ich in Besprechungen über meine eigenen Drehbücher die meiste Zeit nur davon geredet habe, wie genial doch Quentin Tarantino ist, der Drehbuchautor und Regisseur von *Pulp Fiction* (noch ein halbes Kind obendrein). Anstatt also die anwesenden Produzenten von meinen eigenen Fähigkeiten zu überzeugen, habe ich mein Licht kräftig unter den Scheffel gestellt. So kräftig, dass da bestimmt nichts mehr leuchten kann. Ich muss unbedingt damit aufhören – das ist beruflicher Selbstmord.

Ich besitze in der Tat eine zwanghafte Persönlichkeit. Es hat mir nicht gereicht, einfach ein Elvis-Fan zu sein – nein, ich musste ihm auch noch schreiben und ihn bitten, mich zu heiraten, als ich das rechtsfähige Alter von sechzehn Jahren erreicht hatte. (Und darüber hinaus leide ich auch noch an Größenwahn. Ich habe damals tatsächlich erwartet, dass er mir zurückschreibt und sagt, er werde es sich überlegen.) Das nächste Objekt meiner Obsession war Dostojewski. Es gab eine Zeit in meinen Jugendjahren, da musste ich immer und überall irgendein Buch von ihm unterm Arm haben. Wäre er zur Blütezeit meiner Leidenschaft noch am Leben gewesen, dann wäre ich nach Leningrad gepilgert, hätte im Schnee stehend auf ihn gewartet und um eine Locke aus seinem Bart gebettelt.

John Travolta spielt in *Pulp Fiction* mit, und meine Töchter sind nun alle auf ein Neues für ihn entbrannt. Das ist ein bisschen beunruhigend, da er nämlich ein unappetitliches, übergewichtiges Exemplar von Gauner mit mopsigem Gesicht und strähnigem Haar spielt. Er wäre der absolute Horror-Schwiegersohn.

Alle jenen unter Ihnen, die *Pulp Fiction* noch nicht gesehen haben, möchte ich dringend empfehlen, es sich anzuschauen. Trotz der Gewaltszenen ist es ein Film mit hohem moralischem Gehalt. Die Dialoge sind witzig und geistreich, und man hängt sehr an den Figuren und leidet mit ihnen, während sie sich durch die Filmhandlung bewegen. Ich habe ihn dreimal gesehen. Ich habe das veröffentlichte Drehbuch, den Soundtrack und das Video gekauft. Wenn morgen John-Travolta-Puppen auf den Markt kämen, dann würde ich mir auch noch eine kaufen. Ach, was rede ich hier eigentlich? Ich würde mir drei davon kaufen.

Eine traurige Folgeerscheinung meiner gegenwärtigen Obsession ist, dass meine Beziehungen zu den wenigen Leuten aus meinem Bekanntenkreis, die den Film nicht mögen, deutlich abgekühlt sind. Der Theaterkritiker Ken Tynan schrieb einmal: »Ich könnte niemanden mögen, der *Blick zurück im Zorn* nicht mag.« Andere Leute haben dasselbe von *Casablanca* gesagt, der inzwischen der Lieblingsfilm eines jeden Filmkritikers ist.

Wenn ich doch nur eine obsessive Leidenschaft fürs Bügeln oder für frühes Aufstehen oder das Einhalten von Abgabeterminen entwickeln könnte. Wie viel einfacher wäre dann mein Leben, und das Leben des Redakteurs von Sainsbury's *The Magazine*. Bitte schauen Sie ihn sich an!

Es muss Leber sein

Ich bin keine gesunde Frau. Neulich hatte ich Bronchitis. Ich musste ein paar Tage das Bett hüten (ach ja, vier wundervolle Tage Schlaf, Essen auf einem Tablett, Antibiotika, Radiohören, den Wolken zusehen und süßes Nichtstun). Das Gehuste war ein verfluchtes Ärgernis, sowohl für mich als auch für alle anderen im Haus, und zeitweise fühlte ich mich ziemlich elend und hatte ganz feuchte Augen vor lauter Selbstmitleid. Aber ich muss zugeben, dass ich es sehr genossen habe.

Mein Mann kochte für mich die Art von Gerichten, die man Invaliden im Edwardianischen England zu servieren pflegte: riesige Mengen von üppigen, leckeren Sachen mit viel Soße und Nachtisch mit Sahne. Er legte sogar das Tablett mit einem sauberen Geschirrtuch aus. Ich aß alles bis auf den letzten Krümel. Ich war eine hungrige Wölfin. Einmal wachte ich sogar nachts um drei Uhr auf, schweißgebadet von meiner Bronchitis, fand meinen Gatten in erschöpftem Tiefschlaf neben mir liegend vor (es ist nicht so einfach, für eine Wölfin zu kochen) und musste plötzlich unbedingt Leber haben – etwas anderes kam nicht in Frage.

Auf wackeligen Beinen ging ich nach unten und wühlte auf dem Boden der Gefriertruhe in den längst vergessenen Sachen herum. Schließlich fand ich es – ein Päckchen mit Lammleber. Es war mit Eiskristallen überzogen und muss dort seit den Zeiten, als Mario Lanza die Hitparade anführte, gelegen haben. Ich wandte meine Augen instinktiv vom Verfallsdatum ab und warf die vereiste Tüte in die Mikrowelle. Während der Inhalt zischend vor sich hin schmolz, hackte ich eine Zwiebel und ein paar Kartoffeln. Ich hielt mich an die brutalistische Schule der Kochkunst.

Als die Leber einigermaßen aufgetaut war, verfrachtete ich sie in einen Topf und schob sie in den Ofen. Dann wanderte ich in der Küche auf und ab und wartete, bis sie endlich fertig war. Eine halbe Stunde später wischte ich mir die Leber-, Zwiebel- und Kartoffelpüreereste von meinen Wolfspfoten und kroch wieder ins Bett. Mein Mann staunte nur angesichts meiner frühmorgendlichen Saturnalien. »Wieso gerade Leber?«, fragte er. »Die musste mal weg«, entgegnete ich schwach zwischen zwei Hustern.

Eine irgendwie geartete Krankheit war mir von Freunden und Familienangehörigen sowieso prophezeit worden, seit ich angekündigt hatte, dass ich für eine Woche nach Australien fliegen und dort drei Städte besuchen würde: Melbourne, Sydney und Adelaide. Der Theaterdirektor Max Stafford-Clark und ich hatten dort Geschäftliches zu erledigen, nämlich die Planung einer Australien-Tournee für mein Theaterstück *Die Queen und ich*. Angesichts meiner Sucht war mir die Vorstellung von dreiundzwanzig Stunden ohne Zigarette einfach zu viel, weshalb ich den Antrag stellte, mit Malaysia Airlines zu fliegen, bei denen eine Handvoll sozial Abtrünniger immerhin noch die Chance bekommen, ganz hinten im Flugzeug sitzend ihr tödliches Kraut zu paffen.

Max saß in der Mitte des Flugzeugs und schonte seine Lungen, doch im *Dunkin' Donuts* in Kuala Lumpur trafen wir uns wieder und versuchten zu entscheiden, ob der feuerrote Ball am Himmel die untergehende oder die aufgehende Sonne war. Zufällig erstreckt sich die Duty-Free-Shopping-Mall von Kuala Lumpur so weit das Auge reicht, doch nachdem ich sie der Länge und Breite nach mit einem ganzen Stoß Kre-

ditkarten in der Tasche durchmessen hatte, kam ich mit leeren
Händen wieder heraus – ohne einen einzigen Einkauf. Ich hätte
darin ein erstes Symptom einer ernsten Krankheit sehen und sogleich nach einem Arzt verlangen sollen. »Shopping« ist zwar
nicht gerade mein Zweitname – der ist Lilian – doch es ist immerhin eine meiner Lieblingsbeschäftigungen, auch wenn ich
in letzter Zeit nur noch Nagelbürsten und Kissen zu kaufen scheine.

Australien war wunderschön – zu schön, wie sich am Ende
herausstellte. Mit Max zusammen suchte ich nach einer ange-
messen verkommenen Gegend, in die wir die Queen (meine
Theater-Queen) aussiedeln konnten: einem dem Charakter
des Stücks entsprechenden Aufführungsort in einer ärmlichen
Gegend. Normalerweise wollen Leute die Sehenswürdigkeiten der Stadt sehen, Gegenden von außergewöhnlicher Schönheit und dergleichen. Nicht so wir. »Wir wollen ein armes, he-
runtergekommenes Viertel sehen«, sagte Max zu dem Taxifahrer in Melbourne. Der Mann tat weiß Gott was er konnte,
doch nach einer langen Fahrt durch etwas, das wie endlose
reiche Villenvororte aussah, wurde auch ihm klar, dass er es
wohl nicht so richtig getroffen hatte. In Sydney und Adelaide
war es dasselbe.

Natürlich gibt es dort vergleichbare Armut, aber eben
nichts ähnlich Trostloses, wie die grauen, kalten Sozialwoh-
nungsblöcke in Großbritannien. Allerdings entdeckte ich immerhin noch eine neue Szene für die australische Version des
Stücks. In einem Pub in Sidney lasen wir eine Art Veranstal-
tungskalender. »Wackelpuddingschlacht der Barmädchen,
Montagabend, fünf Dollars.« Und dahinter in Klammern »Für
die ersten zwei Reihen Eintritt frei.« Eine Wackelpudding-
schlacht-Szene mit einem der jüngeren Mitglieder der königlichen Familie würde meinem Stück einen Schuss herbe australische Authentizität verleihen, so unsere Überlegung. Und
Wackelpudding roch ja dermaßen nach gepflegtem aristokra-

tischen Kinderstuben-Nachmittagstee. Ich kann das Kindermädchen schon hören: »Diana, iss erst mal dein Butterbrot, danach kannst du mit dem Wackelpudding werfen.«

Mir fällt gerade auf, dass ich bestimmt seit zwei Stunden
nicht mehr richtig gehustet habe. Das ist ein echter Schock. Es
bedeutet, dass es mir besser geht. Womöglich muss ich heute
Abend wieder selbst kochen.

Nacktheit

Ich war mal ein ziemlich sportliches Mädchen. Es gab eine Zeit, in der es für mich das Glück auf Erden bedeutete, über Hürden zu hüpfen, weitzuspringen oder auf einen Federball einzudreschen. Natürlich fand das alles in der Schule statt. Die einzige echte körperliche Anstrengung, der ich mich unterzog, seit ich mit fünfzehn die South Wigston High School for Girls verlassen habe, fand im Kreißsaal eines Krankenhauses statt: Insgesamt vier Mal habe ich für England gepresst.

Aber so sehr ich auch die Sportstunden genoss, sie waren doch immer getrübt vom Schreckgespenst der anschließenden Zwangsdusche. Dreißig Mädchen wurden in einen weiß gekachelten, hallenden Raum gepfercht und angewiesen, sich auszuziehen. Dann wurden wir in einer Reihe aufgestellt und mussten durch den Duschraum gehen, wo abwechselnd heiße und kalte Wasserstrahlen auf unsere armen, verschämten englischen Körper niederprasselten. Das einzige Mädchen in unserer Klasse, das die Zwangsdusche zu genießen schien – ja, sie stellte ihren Körper richtig zur Schau unter dem Duschstrahl – hatte einen sehr exotischen ausländischen Namen. Ich werde ihn hier nicht verraten, da sie Sachen über mich weiß (jungendliche Verfehlungen, ganz triviale Sachen eigentlich, die man eben so hinten im Fahrradschuppen macht, aber trotzdem). Des öfteren versuchte ich, mich in Turnhemd

und Turnhose durch die Duschen zu schummeln in der Hoffnung, dass die Masse der anderen Mädchen und der Dampf
mich verbergen würden. Manchmal kam ich damit durch, doch
meistens wurde ich von Mrs Scruton, der Sportlehrerin, ertappt und dann gleich noch einmal nackt unter die Dusche
geschickt.

Ich war damals geradezu lächerlich sittsam und verschämt.
Gemäldegalerien steckten für mich voller potentieller Peinlichkeiten, und sogar die barbusigen Statuen in der Rathaus-
halle ließen mich rot anlaufen und betreten auf die praktischen
Schuhe meiner Schuluniform starren. Manchmal fälschte ich
sogar Entschuldigungen:

> *Sehr geehrte Mrs Scruton,*
> *Susan war die ganze Nacht wegen einer Magenverstim-*
> *mung auf. Bitte lassen Sie sie heute nicht duschen,*
> *da dies ihren Zustand verschlimmern könnte.*
> *Mit freundlichen Grüßen etc.*

Mrs Scruton erkannte eine gefälschte Entschuldigung auf
250 Meter Entfernung. Sie zog dann eine ihrer buschigen Augenbrauen hoch, reichte mir wortlos den Zettel zurück und
blieb neben meinem Kleiderhaken stehen, während ich mich
aus meinen Sportsachen schälte. Als in Kaufhäusern Ge-
meinschaftsumkleiden eingeführt wurden, hörte ich einfach
auf, mir Kleider zu kaufen. Am Strand einen Badeanzug zu
tragen war für mich ein Akt größter Kühnheit – nicht einmal
darin wollte ich mich zeigen, sondern saß stocksteif auf meinem Handtuch und versteckte mich hinter einer Zeitung.
Wenn meine Kinder Hilfe beim Sandburgenbauen brauchten,
dann rief ich ihnen meine Tipps wie ein Fußballtrainer von
der Seitenlinie aus zu.

Die wenigen Leute, die mich je nackt gesehen haben, hatten dieses Vergnügen in stygischer Dunkelheit. Als Miniröcke

in Mode kamen, nähte ich die Säume meiner Röcke um gewagte fünf Zentimeter hoch. (Ich glaube, das war auch das letzte Mal, dass ich eine Nähnadel in der Hand hatte.) Und all das, lieber Leser, weil ich dachte, ich sei dick. Weil ich felsenfest davon überzeugt war, dass ich ein einziger Fettkloß sei, dessen wabbeliges Fleisch man auf jeden Fall vor den Blicken der Öffentlichkeit verbergen musste.

Kürzlich habe ich mir alte Fotos angesehen und dabei ging mir auf, dass ich abgesehen von einem Jahr, in dem ich unerklärlicher Weise bis auf 76 Kilo aufgedunsen war, nie dick war. Die fette Kuh, die ich in meiner Erinnerung finsteren Blicks vor dem Spiegel zurückweichen sah, war ich gar nicht. Das erfüllte mich mit Reue. All die Jahre hatte ich mich unter Maxiröcken und Sack-Pullovern versteckt, während ich im Bikini umherrennen und Beach-Volleyball hätte spielen können. Also, vielleicht nicht gerade Volleyball, aber zumindest hätte ich hin und wieder mal eine Flagge in eine Sandburg stecken können.

Inzwischen bin ich in meinem fünfzigsten Jahr und richtig besessen davon, nur ja jede sich bietende Chance zu nutzen. Als ich in Skyros einen Kurs für kreatives Schreiben gab, habe ich nicht etwa meine Freizeit schmollend in einem einteiligen Badeanzug auf dem nächstliegenden Stück Strand verbracht. Oh nein. Ich habe die Schultern gestrafft, meinen Mut zusammen genommen (ich sage meinen Schriftsteller-Schülern immer, sie sollen bloß Klischees vermeiden) und bin zum »Nacktarsch-Strand« gepilgert. Dort habe ich mich, in aller Öffentlichkeit und am helllichten Tag vor Menschen, die ich auch noch kannte, nackt ausgezogen. Es war eine wundervoll befreiende Erfahrung. Die Leute sind nicht empört und mit den Händen vor den Augen davongerannt, womöglich noch mit einem »Um Gottes Willen, Frau, bedecken Sie sich« auf den Lippen. Zeus sandte keine Blitze vom Olymp. Zusammen mit meinen Nudisten-Freunden lag ich einfach da, wir plauderten über Gartenarbeit und Bauarbeiter, das Wesen der menschlichen Existenz und den Preis von Teebeuteln. Dann ging ich, nur mit einer Baseballmütze und Badesandalen bekleidet, ins Wasser und paddelte auf einem Surfbrett in Strandnähe auf und ab. Mrs Scruton wäre stolz auf mich gewesen.

Hitzewelle

Dienstag Mein Mann kam gerade mit Taschen voller Limonade und anderer netter Sachen, die man zum Wodka gießen kann, von der 24-Stunden-Tankstelle zurück. Die Gesundheitsbehörde von Leicester hat den Bürgern der Stadt dringend nahegelegt, mindestens drei Liter Flüssigkeit pro Tag zu trinken (die Temperaturen lagen heute bei 33 °C). Wir halten uns gewissenhaft an die ausgegebene Empfehlung.

Niemand ist allzu versessen darauf zu kochen. Der Aga-Herd ist ein feuriges Ungeheuer in unserer Küche, doch man kann ihn nicht abschalten. Vor zweieinhalb Jahren entschlossen wir uns allzu kühn – damals mitten im Winter – Aga-Puristen zu werden: kein zusätzlicher Gasherd mehr in unserer Küche, befanden wir. Jetzt leben wir mit den Folgen unseres Puritanismus.

Kürzlich wurde auch wieder bei uns eingebrochen – das fünfte Mal in sechs Monaten, so dass das Haus allmählich einem Hochsicherheitstrakt gleicht. Ich könnte sogar den Posträubern Unterkunft anbieten, und sie würden ohne den nötigen Satz Schlüssel nicht mehr aus dem Haus kommen. Jedes Fenster ist verriegelt, jede Tür doppelt gesichert und verstärkt, nichts kann herein, auch keine frische Luft mehr.

Inzwischen spuckt der Aga heißen Dampf wie ein kleiner Vulkan. Ich denke feuchten Auges an die Tage zurück, als ich das Haus noch mit weit aufstehenden Fenstern, unversperrten

Türen und einem laufenden Küchenradio verlassen konnte. Ich war der festen, unverbesserlichen Ansicht, dass potentielle Einbrecher nur an der Türschwelle aufkreuzen und Sue Lawley auf BBC Radio 4 zu hören bräuchten – wie sie gerade ihren heutigen Schiffbrüchigen fragt, was er auf eine Insel mitnähme – um sogleich auf Zehenspitzen und mit leerem Beutel wieder abzuziehen.

Der obige Satz ist natürlich grammatikalisch zweideutig. Er könnte nahelegen, dass Sue Lawley mit leerem Beutel und auf Zehenspitzen abzieht. Dabei will ich nicht im Entferntesten andeuten, Sue Lawley könnte eine Einbrecherin sein. Schon die Vorstellung verbietet sich. Sue Lawley bezieht ein ansehnliches Gehalt, und ihr Gesicht ist viel zu bekannt. Obwohl es vielleicht doch denkbar wäre, wenn sie sich einen ihrer eigenen Seidenstrümpfe übers Gesicht zöge.

Aber wie dem auch sei, die Vorstellung von Susan Lawley, wie sie das Sendegebäude verlässt, in einen ruhigen Villenvorort fährt, sich dort ihre Armani-Einbrecher-Garderobe anzieht, um sich sodann ein wenig mit vornehmem Fensterknacken und Einsteigen zu vergnügen, ist ziemlich absurd. Obwohl man sich natürlich in Menschen auch täuschen kann.

Mittwoch Es ist 9.30 Uhr morgens, und Gott allein weiß, wie viel Grad es draußen sind. Kennen Sie diese Fotos, die immer auf der Titelseite der Boulevardblätter erscheinen, wo Leute auf der Motorhaube ihres Autos Spiegeleier braten? Die Schlagzeile dazu lautet dann »Brutzelnd heiß!« oder etwas in der Art. Ich schwöre, es ist heute so heiß. Fernsehköchin Delia Smith könnte ein komplettes englisches Frühstück auf meiner Stirn braten, Toastbrot inklusive.

Haben Sie kürzlich auch den Tag des Flohs gefeiert? Unser Kater Max jedenfalls schon. Er brachte Unmengen der kleinen Tierchen mit ins Haus, wo sie es sich auch gleich richtig gemütlich machten. Erinnern Sie sich noch an den Song:

»C'mon over to my house, hey hey, we're having a party?« Also, die Party könnte bei uns im Haus gewesen sein. Wenn Leute mich fragen, was das für rote, geschwollene Beulen auf meinen Beinen sind, dann brumme ich nur »Mückenstiche« und greife nach dem Floh-Spray. Die Schlacht ist noch lange nicht geschlagen, denn die Flöhe sind begeistert von den Treibhaustemperaturen bei uns. Es turnt sie richtig an: Wenn sie nicht gerade auf mir herumhüpfen und mir die Beine zerbeißen, dann hüpfen sie aufeinander herum. Meine Sofas und Sessel und Teppiche sind inzwischen Flohsäuglingsstationen. Man kann richtig hören, wie die Sektkorken knallen.

Mittags, 34 °C Überall um mich her klagen Leute über die Hitze. Aber wir sind selbst schuld, wenn wir damit nicht umgehen konnen. Wir müssen eben unsere Gewohnheiten ändern, vor allem unsere Bekleidungsgewohnheiten. Gerade ging ein Mann in Nadelstreifenanzug, Weste, Hemd, Krawatte und festen Halbschuhen vor meinem Fenster vorbei. Würde dieser Mann etwa in demselben, unangebrachten Aufzug auf der Promenade von Torremolinos entlang schlendern? Natürlich nicht. Er würde die britische Urlauberuniform tragen – zu kurze Sportshorts, vergilbtes weißes Unterhemd, schwarze Socken, Sandalen und einen Kapitänshut mit Plastikkrempe. Darin würde er zwar immer noch lächerlich aussehen, aber zumindest wäre er dem Wetter gemäß gekleidet.

Ich verspürte jedenfalls das drängende Bedürfnis, das Fenster aufzureißen und hinauszurufen, »Ziehen Sie sich doch aus!«, aber ich tat es dann doch nicht. Bis ich den Schlüssel gefunden und das Fenster entriegelt hätte, wäre er schon weg, und außerdem hätte man meine Worte missverstehen können. Er hätte womöglich gedacht, ich sei eine verrückte, ältere Frau, der die Hitze zu sehr zugesetzt hat. Dabei bin ich in Wirklichkeit eine verrückte, ältere Frau, der die Einbrecher, der Aga, die Flöhe – aber nicht die Hitze – zu sehr zusetzen.

Gartenschlauchverbot

Vor vielen Jahren ging ich einmal in den Gärten von Crystal Palace spazieren und entdeckte ein Hinweisschild mitten in einem Blumenbeet. Darauf stand, in großen schwarzen Buchstaben: »Es ist verboten, mit Steinen auf dieses Schild zu werfen.« Komisch. Richtiggehend surreal. Wenn das Schild gar nicht da wäre, dann könnte auch keiner mit Steinen darauf werfen. Welchen Zweck erfüllte es also, außer als ein Beispiel für übergeschnappte Bürokratie zu fungieren?

Der Bürokratismus lässt in jüngster Zeit mal wieder kräftig die Muskeln spielen. Ich beziehe mein Wasser von Severn Trent Water und während ich hier schreibe ist es mir doch tatsächlich verboten, meinen Gartenschlauch zu benutzen. Dadurch ist mir eine meiner·liebsten Freuden versagt: Ich liebe meinen Garten heiß und innig; ich kenne jedes Pflänzchen, jeden Strauch, jeden Baum darin. Es tut mir weh, sie alle durstig und welk zu sehen. Den Rasen habe ich längst aufgegeben: Er hat sich schon vor Jahren in einen störrischen Delinquenten verwandelt, und inzwischen habe ich jegliche Kontrolle über ihn verloren – wenn er nicht aufpasst, schmeiße ich ihn ganz raus und verlege Steinplatten.

Es hat mir schon immer Freude bereitet, einen feinen, sprühenden Wasserstrahl auf die ausgedörrten Pflanzen zu richten und mit anzusehen, wie sie wieder lebendig werden und die Köpfe aufrichteten. Auch mir tat das Wässern gut. Es beruhigte mich und lenkte mich von allerlei Sorgen wie Altern, Abgabe-termine und dergleichen ab. Es war sozusagen meine ganz persönliche Hydrotherapie. Jetzt bin ich gezwungen, wegen des in letzter Zeit spärlichen Niederschlags schwere Gießkannen herumzuschleppen, was sowohl meinem Rücken als auch meiner Laune schlecht bekommt. Das Schlimmste daran ist, dass Seven Trent Water sogar Hubschrauber und kleine Flugzeuge einsetzt, um den Bezirk zu überwachen und jeden zu melden, der das Gartenschlauchverbot übertritt.

Können Sie sich vorstellen, was sich da für lächerliche Unterhaltungen zwischen den Piloten und der Zentrale von Severn Trent Water abspielen müssen?

PILOT: Schlauchspionageflugzeug an Zentrale. Verdächtiges Objekt gesichtet. Wiederhole, verdächtiges Objekt gesichtet. Over.

ZENTRALE: Bitte Einzelheiten, Schlauchspionageflugzeug. Over.

PILOT: Akazien-Avenue Nr. 17. Mann mit Glatze und Brille, kariertem Hemd und Army-Shorts richtet Gartenschlauch auf Gruppe von Sonnenblumen, circa zwei Meter groß. Over.

ZENTRALE (aufgeregt): Zwei Meter groß! Da wird er leicht zu identifizieren sein, oder? Ältlicher Glatzkopf? Over.

PILOT: Nein. Die Sonnenblumen sind zwei Meter groß. Jetzt richtet er den Schlauch auf einige Geranienkästen. Soll ich Fotos machen? Over.

ZENTRALE: Positiv. Was macht er jetzt? Over.

PILOT: Er schüttelt die Faust zum Himmel. Over.

ZENTRALE: Der Computer sagt uns, dass es Arthur Wainwright ist, Fleischer, fünfundfünfzig Jahre alt. Gute Arbeit, Schlauchspionageflugzeug. Wir schicken sofort Beamte zur Überwachung des Gartenschlauchverbots in die Akazien-Avenue. Over.

PILOT: Was wird mit ihm passieren, Zentrale? Over.

ZENTRALE: Er bekommt fünfzig Hiebe mit einem Schlauchende auf die nackten Pobacken, das Ganze an einem öffentlichen Platz – meistens der Parkplatz eines Gartenzentrums; dazu tausend Pfund Strafe, und sein Gartenschlauch und Wasseranschluss im Freien werden konfisziert. Over.

Es gibt Gegenden in diesem Land, in denen die Milchmänner von staatlicher Seite ermuntert werden, verdächtig erscheinende Aktivitäten im Morgengrauen zu melden. Das Programm heißt Milch-Wacht. Ich betrachte inzwischen meinen Milchmann mit ganz anderen Augen, und meine Nachrichten an ihn haben einen defensiven, leicht paranoiden Ton angenommen.

> *Lieber Milchmann,*
> *ich möchte vorerst nur noch eine Flasche Milch täglich, so-*
> *lange ich nicht eine anderweitige Nachricht hinterlasse. Der*
> *Grund dafür ist nicht etwa, dass ich meinen Mann umge-*
> *bracht hätte – es geht im gut wie immer, er wird jedoch eine*
> *Woche weg sein, in Amsterdam. Er hat mir versichert, keine*
> *Diamanten außer Landes oder ins Land zu schmuggeln.*
> *Würden Sie mir bitte am Samstag eine Flasche Sahne da*
> *lassen, da wir eine kleine Feier haben werden (nicht etwa*
> *für einen befreundeten Ex-Sträfling). Außerdem brauche*
> *ich am nächsten Mittwoch ein Dutzend Eier.*
>
> *Sue*

Wird er mir in Zukunft so antworten?

> *Liebe Sue,*
> *leider kann ich Ihnen das Dutzend Eier am Mittwoch nicht*
> *liefern. Der Kabinettsminister John Selwyn Gummer wird*
> *auf Besuch in ihrem Wahlbezirk sein, und da ich Ihre An-*
> *sichten über ihn kenne, muss ich befürchten, dass Sie die*

erwähnten Eier als Wurfgeschosse verwenden und damit
gegen die Sicherheitsvorschriften verstoßen könnten.

Milchmann

PS: Ihre Katze hat um 5.30 Uhr heute morgen vor der Haus-
türe miaut. Wenn ich sie noch einmal dort vorfinden sollte,
werde ich Sie dem Tierschutzverein melden.

Ich weiß nicht, wie es Ihnen geht, aber ich werde jedenfalls
in Zukunft all meine leeren Milchflaschen nach dem Ausspü-
len sorgfältig abwischen – um jegliche Fingerabdrücke zu
entfernen.

Reisen im Schnee

Vermissen Sie auch richtigen, tiefen, knirschenden Schnee? Von dem Kaliber, das Autos zum Stillstand bringt und Leute daran hindert, zur Arbeit zu gehen und Schüler zur Schule zu gehen? Ja? Ich auch. Ein heftiger Schneefall bringt uns allen eine Verschnaufpause, und außerdem sieht natürlich alles so wunderschön aus. Um diese Jahreszeit sehe ich mir immer die Wettervorhersage an und höre tatsächlich zu, was Michael Fish als Wetterfrosch zu sagen hat, anstatt über seine Krawatte zu lästern. Ich will, dass er ankündigt, dass ganz Großbritannien im Schnee versinken wird, mindestens, sagen wir, einen Monat lang, die Weihnachtsferien eingeschlossen. Ich weiß, das ist egoistisch, und wenn ich ein Schneepflugfahrer oder ein Rentner auf unsicheren Beinen wäre, dann würde ich auch drohend die Fäuste zu den Wolken hinauf schütteln. Aber da ich keines von beiden bin, mögen Sie mir bitte meine Wunschvorstellungen nachsehen. Was ich mir nämlich wünsche ist, dass der gesamte Verkehr knirschend zum Stillstand kommt und der Notstand ausgerufen wird. Wir geben es nicht gerne zu, doch wir Briten haben ein Faible für Notstandszeiten. Wir sind die weltbesten Stoiker, und wir freuen uns insgeheim auch noch, wenn wir für eine lebenswichtige Ressource anstehen müssen. Und mir liefert es einmal ein anderes Gesprächsthema als immer nur *Coronation Street* oder die jüngsten Peinlichkeiten der königlichen Familie.

Eine meiner Enkelinnen kam während des letzten heftigen Schneefalls, den Leicester erlebte, zur Welt. Sie lag auf der Säuglingsstation eines Krankenhauses eineinhalb Meilen von unserem Haus entfernt. Die Straßen waren tief verschneit. Ein halbwegs vernünftiger Mensch hätte bis zum nächsten Vormittag gewartet, wenn die Straßen vom Schneepflug und vom Streuwagen gezähmt wären, doch mich erfasste ein primitiver Drang, dieses neue Familienmitglied zu sehen und zu halten. Ich bereitete mich auf meinen Fußmarsch zum Krankenhaus vor wie auf eine Antarktisexpedition. Ich steckte eine Thermoskanne Tee ein, Wegzehrung, ein Paar extra Handschuhe, Socken und eine Taschenlampe. Dann machte ich mich auf den Weg.

Ich kenne mich aus mit Überlebenstechniken – mein Mann hat früher einmal Survival-Kurse gegeben. Er führte eine Gruppe von Managern in eine abgelegene, garstige Gegend, zwang sie, sich von Würmern zu ernähren, und stellte ihnen für dieses Privileg eine ziemlich hohe Summe in Rechnung.

Wie dem auch sei, meine Expedition zählte nicht unbedingt zu den bedeutendsten Reisen der Menschheitsgeschichte (wie ich schon sagte, waren es nur eineinhalb Meilen), doch sie war wunderschön: Am Himmel funkelten die Sterne, und so kam ich mir, während ich so dahinstapfte, richtig kosmisch und kühn vor. Unterwegs traf ich auf andere Schneereisende, und wir unterhielten uns sogar miteinander und tauschten Informationen über unsere jeweiligen Reiseziele aus. Ein Mann unternahm einen ehrenwerten Versuch, sich zum Pub durchzuschlagen. Ich sah aus der Ferne zu, wie er die Eingangstür erreichte, nur um sie geschlossen vorzufinden. Sein Körper sackte merklich zusammen. Ich schätze, so ähnlich muss wohl auch Kapitän Scott bei seiner Antarktisexpedition zusammengesackt sein, als er erfuhr, dass die norwegische Flagge bereits am Südpol wehte.

Vor vier Jahren war ich nicht gerade topfit, und so erreichte ich das Krankenhaus in einem leicht geschwächten Zustand.

Die Treibhaustemperaturen im Inneren ließen mich binnen kurzem eine Lage Kleider nach der anderen ausziehen. Von der Straße herein gekommen war eine dicke, ausgekühlte Frau, aber es war eine dünne, erhitzte Frau, die mit einem Bündel Kleider auf dem Arm im Aufzug hoch fuhr.

Das Baby war mit weit geöffneten, blauen Augen zur Welt gekommen, und im Alter von drei Stunden hatte es sie immer noch offen und schaute mich damit groß an. Die Kleine war jeden einzelnen eisigen Schritt wert. Allerdings war ich überrascht, so viele andere Verwandte und Freunde vorzufinden. Keiner von ihnen zeigte wie ich Spuren einer Schneewanderung. Die Frauen sahen gepflegt, ja richtig schick aus. Ich war jedenfalls garantiert die einzige anwesende Frau, deren dicke, pelzgefütterte Stiefel mit Gefrierbeuteln ausgelegt waren (wobei die Ränder auch noch oben herausschauten). »Wie seid ihr denn alle hergekommen?«, stieß ich atemlos hervor. »Mit dem Auto«, sagte jemand. Das nahm mir ein bisschen den Wind aus den Segeln.

Doch kürzlich, als das blauäugige Baby – das inzwischen vier Jahre alt ist – nicht einschlafen konnte, erzählte ich ihr die Geschichte, wie ich damals, am Tag ihrer Geburt, durch den Schnee gewandert war, um sie zu sehen. Sie war sehr angetan. Vielleicht habe ich die Erzählung ein wenig ausgeschmückt, noch einen kleinen Schneesturm angefügt oder zwei, und natürlich habe ich nicht erwähnt, dass ihre anderen Besucher alle mit dem Auto gekommen waren.

Übrigens, falls Sie und Ihre Kinder sich so inbrünstig nach Schnee zu Weihnachten sehnen sollten, dass Sie schon eine Reise nach Lappland in Erwägung ziehen, um den Weihnachtsmann in seiner Schneehöhle zu sehen, überlegen Sie es sich noch einmal. In den letzten paar Jahren war die Schneedecke dort ziemlich dünn. So dünn, dass sie praktisch gar nicht existierte. Leider muss ich sagen, dass Lappland ohne Schnee eine eher traurige Angelegenheit ist. Und es ist eine ziemlich

lange Reise, mit aufgedrehten Kindern noch dazu, dafür dass
man am Ende in einer windgepeitschten Tundra steht, die aussieht, als ob sie mit einer Zwanzig-Watt-Birne beleuchtet wäre.
Ich weiß wovon ich rede, ich war dort, und, ja, ich habe die
Trinkbecher aus Rentiergeweih, um es zu beweisen.

Ausschluss aus dem Schriftstellerverband

Ich lag vollständig bekleidet auf meinem Bett, hatte auf einem Auge einen Verband und darüber die Sonnenbrille und sah meiner ältesten Tochter zu, wie sie meinen Koffer packte. Ich lag, weil ich zu müde war um zu stehen, und ich trug das Gespann aus Augenverband und Sonnenbrille, weil … nein, das ist einfach zu langweilig. Ehrlich. Es ist zu langweilig.

Meine Tochter hatte die Anweisung, die passende Kleidung für zwei Wochen auf einer griechischen Insel im Oktober einzupacken. Die Insel heißt Skyros, das bedeutet »Wind«, und so war es kein ganz einfaches Nullachtfünfzehn-Shorts-und-T-Shirt-Packen. Mein Koffer ist klein, einer von denen, die Stewardessen immer mit solch sparsamen Bewegungen an und von Bord rollen. Allerdings flog ich nicht in die Ferien, sondern sollte für fünfzehn Erwachsene einen Kurs im Schreiben geben. Nicht in beliebigem Schreiben, wohlgemerkt: In zwei Wochen sollten sie ein Gedicht verfassen sowie ihre eigene Todesanzeige (klingt morbide, ich weiß, doch die Anzeigen waren wirklich lustig). Sie schrieben auch noch einen Monolog (aus der Sichtweise des anderen Geschlechts), ein Hörspiel, die Anfangsszene eines Films und die ersten Seiten ihres Romans.

Vor diesen sporadischen Ausflügen ins Reich des Lehrens komme ich mir immer ein bisschen wie ein Hochstapler vor. Ich kann mich nicht mit einem Abitur oder irgendeinem Titel schmücken, und das einzige Mal, dass ich eine Universität be-

trat, war als junge Frau, um bei einem Twist-Wettbewerb mit-
zumachen. Wo wir gerade dabei sind kann ich auch gleich zugeben, dass ich bei meiner Schulübertrittsprüfung mit elf Jahren
durchgefallen bin, und ebenso, was besonders demütigend ist,
beim Fahrradführerschein in der Grundschule. Ich denke, Sie
werden mir zustimmen, dass man eine solche Liste fehlender
Qualifikationen vor nervösen schriftstellernden Studenten am
besten geheim hält. Ich arbeite jetzt seit achtzehn Jahren professionell als Schriftstellerin, aber immer noch warte ich insgeheim auf diese Faxmitteilung:

> *An: Sue Townsend*
> *Von: Gesellschaft für die Entlarvung unehrenhafter Schrift-*
> *steller und Schriftstellerinnen*
> *Sie sind enttarnt worden. Sie werden hiermit aufgefordert,*
> *sich augenblicklich aus dem Schriftstellerberuf zurückzu-*
> *ziehen. Wir konnten eine freie Stelle für Sie in der Keks-*
> *fabrik finden. Sie werden an sechs Tagen pro Woche von*
> *7.30 Uhr bis 17.30 Uhr Schokoladenkekse verpacken, in*
> *einer Geschwindigkeit, die von der Geschäftsführung fest-*
> *gelegt wird. Das Tragen eines das gesamte Kopfhaar be-*
> *deckenden und wenig schmeichelhaften Haarnetzes zu jeder*
> *Zeit ist Pflicht.*
>
> *Mit freundlichen Grüßen,*
> *Edna Grubbe*
> *Sekretärin*

Ich kann schon hören, wie einige von Ihnen murmeln: »Das
war ja auch langsam Zeit.« Die meisten Schriftsteller, die ich
kenne, warten insgeheim auf einen derartigen Schicksalsschlag.
Schriftsteller sind getriebene Geschöpfe, voller Ängste und mit
dem Selbstbewusstsein eines zurückgebliebenen Köderwurms.
Wenn mir jemand bei einer Party sagt, mein letztes Buch oder
Stück sei Mist gewesen, dann renne ich nicht etwa heulend aus

dem Zimmer, sondern stimme sogar noch zu. »Ja!«, rufe ich fröhlich lachend aus. »Sie haben mich ertappt, ich bin keine richtige Schriftstellerin!« Den Schriftstellern, die ich kenne, geht es allen genauso. Es gibt nur zwei Ausnahmen. Beide Männer. Kleine Männer. Einer hat einen Bart, der andere ist fett. Beide sind Bestsellerautoren. Ich würde Ihnen zu gerne die Namen nennen. Es juckt mir schon in der Feder … Aber da ich nicht gern endlose Wochen vor dem obersten Zivilgericht verbringen oder einem Anwalt tausend Pfund pro Tag für meine Verteidigung in einer Diffamierungsklage in den Rachen schieben möchte, weiche ich von diesem Abgrund lieber wieder zurück.

Nein, ich kann das Thema einfach nicht fallen lassen. Diese Männer glauben, dass jeder Satz, den sie schreiben, kostbar und vollkommen ist und sowieso Perlen vor die Säue. Vor kurzem habe ich ein Interview mit einem von ihnen gelesen – dem bärtigen: »Schreiben ist nur ein Job«, sagte er darin. »Ich liege nicht nachts wach und mache mir ständig Sorgen darüber.« Ich bedachte das widerliche, selbstgefällige Gesicht auf dem Foto mit wilden Schwüren und rief mir jenen Kommentar über das Schreiben in Erinnerung, mit dem ich mich am besten identifizieren kann: »Schreiben ist ganz leicht. Man muss dazu nur so lange auf ein leeres Blatt Papier starren, bis einem die Stirn blutet.«

So landete ich also auf dieser Insel mit einem Bündel von Ängsten und Unsicherheiten und einem Beutel mit Medikamenten im Gepäck – jedoch ohne Make-up im Gesicht, was ein seltener und bedauerlicher Anblick ist. Ich hatte meine Kosmetiktasche am Flughafen in Athen auf der Toilette vergessen. Irgendeine Frau zieht jetzt mit meinem duty-free gekauften Chanel-Lippenstift auf ihren diebischen Lippen durch die Gegend, die Glückliche.

Die Mitglieder des Schreibkurses wuchsen schon während der ersten zwei Tage richtig zusammen. Wir lachten uns dumm und dämlich, weinten bei der einen oder anderen Gelegenheit, hielten unsere Siestas, tanzten und feierten bis in die Nacht hinein. Daneben arbeiteten wir auch sehr hart.

Erst gegen Ende der zweiten Woche machte ich eine vorsichtige Andeutung dahingehend, dass ich eigentlich gar nicht qualifiziert sei, um kreatives Schreiben zu unterrichten. Aber zu diesem Zeitpunkt war es ihnen schon egal. Sie hatten inzwischen alle etwas geschrieben, was sie mit großem Stolz vorlasen. Ich bewundere Lehrer, aber ich könnte niemals in England unterrichten. Die Unterrichtsmittel, die ich brauche, sind ein sonnenüberflutetes, terrassenartiges Klassenzimmer mit Meer- und Bergblick, eine von Tavernen gesäumte Hauptstraße, die gepflastert und für Fahrzeuge viel zu eng ist, Bougainvilleen, Weinreben schwer von Trauben, mit Granatäpfeln verzierte Bäume, Griechischen Salat, ein fantastisches Dorfpanorama aus weißen, würfelförmigen Häuschen, die sich einen Hang hinauf ziehen, und eine Bar, die bis 3.30 Uhr in der Nacht unverschämt große Drinks serviert und rauchigen Jazz spielt. Ich muss mich auch weiterhin irgendwie mit dem Schreiben durchmogeln. Ich könnte unmöglich um 7.30 Uhr aufstehen, um Schokoladenkekse zu verpacken, und ich würde absolut schrecklich aussehen in diesem Haarnetz.

Die »Zu erledigen«-Liste

13.00 Uhr Ich komme gerade, nach einer sechsjährigen Pause (oder vielleicht sollte ich besser von einem sechsjährigen Loch reden), von einem Termin bei meinem Zahnarzt zurück. Ich hatte ja eigentlich immer vor, ihn anzurufen, um einen Termin auszumachen, doch dann bin ich irgendwie nie dazu gekommen. Es stand jedenfalls auf meiner Liste mit wichtigen Erledigungen, und das schon seit … na ja, seit sechs Jahren eben.

Ich habe meinen Zahnarzt in den vergangenen Jahren durchaus gesehen, nur eben nicht in seiner Praxis. Vielmehr haben wir uns im Haymarket Theatre an der Bar getroffen. Er hat mir einen Drink spendiert und ich habe versprochen, ihn wegen eines Termins anzurufen, nur leider stand ich damals unter dem Einfluss starker Schmerzmittel (wegen Zahnschmerzen). Ich fürchte, die müssen mein Erinnerungsvermögen beeinträchtigt haben, denn irgendwie war mir das mit dem Anrufen und Termin machen danach völlig entfallen. Nun ist mein Zahnarzt ein lieber Mensch, seine Kunden reisen von weit her an, um sich von ihm behandeln zu lassen. Für meine Kinder ist er ein Held. Was er macht ist vollkommen schmerzlos. Jeder einzelne Zahn, den man im Mund hat, ist ihm wichtig, und so kann ich mir nicht erklären, wie es zu dieser sechsjährigen Unterbrechung kam.

»Ich werde Sie behandeln, als ob Sie zweieinhalb Jahre alt wären«, hat er einmal zu mir gesagt, um mich zu beruhigen. Ich glaube, er ist der einzige Mann, der je mein wahres Alter erkannt hat.

Meine Liste mit wichtigen Erledigungen lautet (in willkürlicher Reihenfolge):

1   Ein Testament aufsetzen und unterzeichnen
2   Paillettenbesetzte Pullover wegwerfen
3   Die Abflussrohre überprüfen lassen
4   Zahnarzt anrufen
5   Zwei Meilen am Tag gehen
6   Hundertachtzig-Seiten-Roman schreiben
7   Nadelbaum vom Eimer in den Garten umsetzen
8   Briefe von 1994 beantworten
9   Beim Waschen kaputt gegangene Unterwäsche wegwerfen
10 Briefe von 1995 beantworten

Vielleicht sollte ich diese Gelegenheit nutzen, um mich bei Freunden und Fremden zu entschuldigen, die mir 1994 und 1995 geschrieben haben. Ich habe 1995 die Dinge etwas schleifen lassen, und nun, 1996, habe ich diesen enormen, windschiefen Berg aus unerledigter Korrespondenz vor mir, den ich nur mit Sauerstoffmaske bezwingen kann.

16.30 Uhr Ich habe beschlossen, die »Zu erledigen«-Liste in Angriff zu nehmen. Ich war gerade oben und habe die paillettenbesetzten Pullis aus dem Schrank geholt und danach Kommoden und Schubladen nach ramponierter Unterwäsche durchkämmt. Ich weiß nicht, wie es Ihnen geht, aber immer wenn ich neue Unterwäsche kaufe, schwöre ich mir, sie mit besonderem Feinwaschmittel per Hand zu waschen, sie mit Küchenkrepp trocken zu tupfen und auf besonders niedriger Temperatur zu bügeln. Warum also habe ich gerade eben wieder eine ganze Ladung trister, grauer Lumpen eingesammelt, die ungefähr so aufreizend sind wie John Majors Oberlippe? Ich könnte es jetzt auf meinen Mann schieben – der im Augenblick außer Landes ist, um Skandinaviern Kanus zu verkaufen – aber das wäre nicht fair.

Ich gehe jetzt einkaufen, so dass leider keine Zeit für den täglichen Zwei-Meilen-Marsch bleibt, aber wer weiß? Vielleicht drehe ich ja noch eine Runde durch die Nachbarschaft und sehe mir mal an, was die Nachbarn so für Sicherheitsbeleuchtung installiert haben.

Was das Prüfen der Abwasserrohre angeht, also, um ehrlich zu sein, dazu kann ich mich im Moment einfach nicht aufraffen. Ich sehe immer noch das Gesicht des Klempners vom Wochenendnotdienst vor mir, als er mir die Nachricht unterbreitete, dass das Abwasser in dem Leitungsrohr (das aus irgendwelchen unerklärlichen Gründen ausgerechnet unter unserer Küche verläuft) nur »eingeschränkt abfließt«. Sein Gesichtsausdruck war ernst – so wie wenn ein Schauspieler einen Fernsehdoktor spielt und einem Schauspielerpatienten mitteilen muss, dass er nur noch vierzehn Tage zu leben hat. Nein. Das mit den Leitungsrohren nehme ich mir mal vor, wenn ich seelisch und physisch besser bei Kräften bin. Man kann schließlich nicht alles auf einmal schaffen, schon gar nicht als schwer gebeutelte, mehrfach ausgeraubte Frau wie ich.

Damit bleiben jetzt also noch die Leitungsrohre, das Testament und der Roman. Ich weiß nicht, ob Sie schon Ihren Letzten Willen aufgesetzt haben. Ich muss sagen, es schafft doch eine ganz wundervolle Ruhe und Konzentration im Geiste. Da sitzt man mit seinem Anwalt und Ratgebern und unterhält sich fröhlich über deren Leben und den eigenen Tod.

Sollten Sie irgendwelche exzentrischen Gedanken hegen, den in ihrem Testament Begünstigten Bedingungen aufzuerlegen (»Ich hinterlasse jedem meiner Kinder soundsoviel Pfund, vorausgesetzt dass sie nie heiraten, sonntags zweimal in die Kirche gehen und Schafe züchten«), dann werden Sie schnell eines

Besseren belehrt und vom Anwalt sanft zu einer prosaischeren Sprache angehalten.

2.20 Uhr Heute war ich Einkaufen und habe genug Lebensmittel mit nach Hause gebracht, um eine Belagerung durchzustehen. Ich habe einem Journalisten in Australien ein Telefoninterview gegeben und dreieinhalb Seiten an meinem Roman weitergeschrieben, aber ich kann mir einfach die Frage nicht verkneifen – Was soll das? Leben wir denn nur für den Augenblick?

Vielleicht stehen die Listen, die wir alle erstellen, für unsere Zukunft. Aber egal, was sie verdammt noch mal bedeuten mögen: Das Leben muss doch mehr sein, also bloß Erledigungen auf einer Liste abzuhaken, schön brav eine nach der anderen.

Böse Briefe

Ich bin vermutlich die einzige Person, die ich kenne, der es nichts ausmacht, anonyme Briefe zu bekommen – wenigstens muss ich den Mist nicht beantworten. Meinen ersten bösen Brief bekam ich vor ein paar Jahren. Darin wurde ich beschuldigt, die IRA zu sponsern, und der anonyme Schreiber (oder die Schreiberin, aber ich glaube, es war ein Mann) sagte, er würde mich umbringen, und zwar »im Theater, vor deiner ganzen Familie und allen deinen Bekannten«. Meine Kinder drängten mich, damit zur Polizei zu gehen, doch ehrlich gesagt schlotterten mir nicht gerade die Knie – etwas an dieser Handschrift und der Art der Formulierungen ließ mich vermuten, dass der Schreiber kaum in der Lage war, einen Stift gerade zu halten, geschweige denn mit einer Kalaschnikow zu zielen.

Ich habe noch einen anderen regelmäßigen anonymen Schreiber, dessen Umschläge derart mit wirrem Zeug und durchgeknallten Beleidigungen vollgekritzelt sind, dass einige der Briefe schon von der Post beschlagnahmt und an die Polizei weitergeleitet wurden. Diese Person beschuldigt mich, tief in Korruptionsaffären bei der Stadtverwaltung und der Polizei verstrickt zu sein. Wie es scheint, habe ich mehrere Mitglieder des Stadtrats von Leicester in der Hand und verbringe meine Zeit damit, mich nächtens in den Büros der Stadtverwaltung herumzutreiben und »stinkende Zigaretten zu rauchen und nächste Schritte zu planen.« Ich wünschte, man könnte tatsächlich rauchen in den Büros des Stadtverwaltung. Doch leider, leider sind die Zeiten der verqualmten Räume aus und vorbei.

Der anonyme Brief von letzter Woche bestand aus zwei mit roter Tinte vollgeschriebenen Seiten. Darin wurde mir vorgeworfen, ich wäre die verschmähte Geliebte von Prinz Charles! Der Brief begann mit: »Nur damit Sie es wissen, Sue, Sie sind eine gemeine SCHLAMPE.« Es folgten noch ein paar Schmähungen, und dann dies: »Ich weiß genau, dass Sie eine ehemalige Geliebte von Prinz Charles sind.« Diese Frau hatte wohl etwas gegen einige kritische Bemerkungen, die ich über Prinzessin Diana gemacht hatte.

Weiter schrieb sie: »Sie sollten wenigstens einmal in Ihrem Leben versuchen, eine Frau zu sein, tun Sie einfach mal so, als wären Sie eine Frau und versuchen Sie sich vorzustellen, wie sich eine Frau fühlt, die von einem Mann schlecht behandelt wird.« Sie unterzeichnete den Brief mit »Eine *Daily Mail*-Leserin«.

Hier ist meine Antwort.

Liebe Daily Mail-*Leserin,*
vielen Dank für Ihren anonymen Brief. Sie irren sich vollkommen mit Ihrer Annahme, ich sei eine verschmähte und eifersüchtige Ex-Geliebte von Prinz Charles. Ich würde es nicht aushalten mit einem Mann, der ständig Sakkos trägt. Männer in Sakkos erinnern mich an hinterlistige Versicherungsverkäufer. Auch diese Lackleder-Slipper, die Prinz Charles zu öffentlichen Anlässen trägt, kann ich nicht ausstehen. Ich mag Männer mit klobigen Schuhen.
Mir ist natürlich klar, dass meine Widerlegung Ihrer dreisten Behauptung bisher allein auf – in Ihren Augen vermutlich belanglosen – Stil- und Geschmacksüberlegungen beruht, aber seien Sie versichert: Derlei Dinge sind mir wichtig. Ich habe mich einmal auf der Stelle von einem Geliebten getrennt, nur weil er mit zu kurzen Haaren vom Friseur nach Hause kam.

Sie fordern mich auf, mir vorzustellen, wie es ist, von einem Mann schlecht behandelt zu werden. Entschuldigen Sie bitte, aber da muss ich lachen. Ich werde nächstes Jahr fünfzig. Ich bin zum ersten Mal mit einem Jungen bzw. Mann gegangen, als ich vierzehn war. Ich brauche mir nicht vorzustellen, wie es sich anfühlt, von einem Mann schlecht behandelt zu werden. Ich habe mit sechzehn mit dem Schauspielern aufgehört, weil ein Kerl zu mir sagte, ich sähe »saublöd« aus auf der Bühne. Jahrelang bemühte ich mich, mich nicht im Profil zu zeigen, weil ein Mann mir einmal mit der Begründung: »Deine Nase ist zu groß«, den Laufpass gab. Ich könnte noch weitermachen, aber ich belasse es dabei. Es gibt zu viele Beispiele ähnlicher männlicher Grausamkeit.

Glauben Sie mir, Prinzessin Diana hat mein volles Mitgefühl angesichts ihres ehelichen Dilemmas. Und es mag wohl sein, dass ihre Ehe in Wirklichkeit sogar aus vier Personen bestand, ich jedenfalls war nicht die vierte. Ich war viel zu sehr mit meiner eigenen Familie und meiner Arbeit beschäftig, um mich einer Romanze mit einem Royal hinzugeben, und wie kommen Sie überhaupt auf den Gedanken, Charles könnte mich attraktiv finden? Ich habe Angst vor Pferden und wäre ein hoffnungsloser Fall, wenn ich im Hochmoor auf Vögel und Kleingetier schießen müsste. Und zu guter Letzt: Ich habe noch nie über die Goon Show gelacht. Ich würde stehenden Fußes den Raum verlassen, wenn Charles in seine berüchtigten Goon-Imitationen verfallen würde. Ich bin eine Frau für anspruchsvolle Komik.

Habe ich Sie nun davon überzeugt, dass ich und Prinz Charles keine heiße Affäre hatten? Ich hoffe doch. Darüber hinaus hoffe ich, dass Sie nicht etwa Ihre Freunde und Nachbarn mit Ihren irrwitzigen Verdächtigungen vollgeschwatzt haben, oder den Schreibwarenhändler, bei dem Sie Ihre grauenhaften roten Federhalter kaufen.

Ich warne Sie, Daily Mail-*Leserin: Sollte mir zu Ohren kommen, dass Sie mir und Prinz Charles öffentlich eine Verbindung nachsagen, dann werde ich gleich mehrere Mitglieder des Stadtrats von Leicester (den ich in der Hand habe) auf Sie ansetzen.* Ich habe Sie gewarnt.

Mit freundlichen Grüßen,
Sue Townsend
(Marxism Today *und* Daily Telegraph *Leserin*)

Nachtschwärmer

Am vergangenen Dienstag hatte ich das große Vergnügen, an einer Veranstaltung teilzunehmen, bei der Geld an Bedürftige verteilt wurde. Es hatte nichts mit Lotto oder so zu tun, obwohl die Bedürftigen, in diesem Fall Drehbuchautoren, 5000 Pfund pro Kopf gewonnen hatten.

Das Pearson Television Playwrights Scheme, ein Förderprogramm für Fernsehdrehbuchautoren, veranstaltet diese jährliche Preisverleihung. Die Motive der Organisation, obschon löblich, sind nicht unbedingt nur ein Akt reiner Menschenfreundlichkeit. Das Fernsehen braucht die schreibende Zunft. Ohne Autoren bliebe die Röhre schwarz. Einer ganzen Reihe scheinbar intelligenter Rezensenten, die über das Fernsehen schreiben, entgeht es offensichtlich, dass für die Produktion eines Fernsehfilms oder einer Serie auch ein Autor vonnöten ist. Schauspieler sind daran gewöhnt, von Fans auf der Straße mit den Worten angesprochen zu werden: »Ich habe Sie in dieser Sendung da gestern Abend im Fernsehen gesehen. Ich weiß nicht, wie Sie es schaffen, sich immer so tolle Sätze auszudenken, aber was Sie da gesagt haben, war echt klug / total lustig / ganz rührend.«

Einige Schauspieler nehmen dieses ziemlich verfehlt angebrachte Lob auch noch entgegen. »Wie nett von Ihnen«, murmeln sie bescheiden, während sie ihre ganz und gar nicht bescheidene, schwungvolle Unterschrift in das Staralbum ihrer

Fans kritzeln oder auf sonst ein zerknittertes Stück Papier, das auf die Schnelle aus den Tiefen einer Handtasche befördert wird. Andere, ehrlichere Schauspieler, sagen einfach die nackte, ungeschminkte Wahrheit: »Ich denke mir keine tollen Sätze aus. Das macht der Drehbuchautor.« Doch das wird im Allgemeinen nicht allzu gut aufgenommen. Es ist ein bisschen so, wie wenn man einem Zehnjährigen erklären wollte, dass Michael Jackson früher mal schwarz war, oder dass Dame Edna Everage in Wirklichkeit ein Mann namens Barry Humphries ist, der eine Vorliebe für hohe Kunst und klassische Literatur hat.

Und so bin ich natürlich sehr angetan, an einem Programm beteiligt zu sein, das junge Dramatiker und Drehbuchautoren ehrt und ermutigt. In Wirklichkeit sind sie allerdings gar nicht mehr so jung, aber diese Dinge sind ja relativ. Ich bin ja auch an den Anblick zwölfjähriger Polizisten gewöhnt, die ihre Gummiknüppel spielen lassen. Kürzlich war ich in einem Geschäft, als eine aufgebrachte Kundin mit einer kaputten Geldbörse in der Hand verlangte, den Geschäftsführer zu sprechen. Zu meiner nicht geringen Überraschung erschien ein achtjähriges Mädchen aus dem Hinterzimmer. Dieses Kind (das eigentlich zu Hause mit seinen Barbiepuppen hätte spielen sollen) ratterte auch prompt den für die Geldbörse – an der vor gut drei Monaten der Druckknopf abgefallen war – relevanten Absatz aus dem Verbraucherschutzgesetz herunter. Aber ich schweife mal wieder ab. Wobei ich allerdings sagen muss, dass meine Sympathien in diesem Fall auf Seiten des Geschäfts lagen, was wirklich untypisch ist für mich. Die Besitzerin der Geldbörse sah mir sehr nach jemandem aus, der nicht gerade zimperlich mit einem Druckknopf umgeht. Ganz offensichtlich hatte sie ihre Geldbörse einmal zu oft mir roher Gewalt aufgerissen. Und überhaupt, warum hatte sie mit ihrer Reklamation drei geschlagene Monate gewartet? Sie hatte selbst erwähnt, dass sie in der Stadt arbeitete. Warum hatte sie also nicht gleich am ersten Tag, als der Druckknopf kaputt ging, im Laden vorbeigeschaut, um sich zu beschweren? Aber wie gesagt, ich komme vom Thema ab. Doch den Ausgang dieses kleinen zwischenmenschlichen Dramas muss ich Ihnen nun schon noch schnell erzählen. Das Kind bzw. die Geschäftsführerin bot der Kundin einen Gutschein in Höhe des Gegenwerts der Geldbörse an (was ich persönlich sehr großmütig von ihr fand). Die Kundin ließ daraufhin den Blick flüchtig über das riesige Angebot an Geldbörsen wandern und erklärte, dass ihr keine einzige davon gefiele und dass sie ihre 9,99 Pfund in bar zurückhaben wolle. An dieser Stelle hätte ich mich am liebsten eingemischt und der Kundin Vorhaltungen gemacht, doch ich konnte mich gerade noch beherrschen und beschränkte mich darauf, der kindlichen Geschäftsführerin durch ein System von Lächeln und Augenverdrehen meine Solidarität zu bekunden. Aber, wie ich schon sagte, ich komme vom Thema ab.

Nachdem den Drehbuchautoren ihre Schecks überreicht worden waren, gab es eine kleine Feier: Drinks wurden eingenommen, Rohkost gedippt und geknabbert, und Gruppenfotos gemacht. Nach und nach dünnte sich die Gesellschaft immer mehr aus, bis schließlich nur noch die Drehbuchautoren, eine Freundin eines solchen, ihres Zeichens Tänzerin, ein paar Flaschen Wein und meine Wenigkeit übrig waren. Eine gefährliche Mischung.

Sehr viel später ließ sich die kleine Gruppe in die Polster eines schwarzen Taxis fallen, und das Letzte, was ich von den Drehbuchschreibern und der Tänzerin sah, war wie sie im Vergnügungsviertel Soho auf der Straße standen und mir nachwinkten, als ich im Taxi zur St. Pancras Station und meinem Zug nach Leicester davonbrauste.

Um halb zwölf Uhr nachts rief ich meinen Mann vom Zug aus an, und zwar mit genau den Worten, über die sich alle Handy-Verächter immer so gerne lustig machen: »Hallo. Ich bin gerade im Zug.« Ich hatte Kettering verschlafen, Market

Harborough und Leicester, und weiß Gott was noch alles, und als ich aufwachte, fand ich mich in einem stehenden Zug auf einem dunklen verlassenen Bahnhof wieder. Meine Schritte hallten in der Leere nach, als ich den Bahnhof verließ. Nottingham, wo ich schließlich gelandet war, war menschenleer. Die Taxifahrer schnarchten zufrieden unter ihrer Bettdecke. Ein Mann mit einer Halskrause führte mich in ein kleines Hotel in der Nähe des Bahnhofs. »Wir nehmen nur Bargeld«, sagte er misstrauisch. Ich kann mich nicht erinnern, je schon einmal so viel Resopal auf so kleinem Raum versammelt gesehen zu haben wie in diesem Zimmer. Am Morgen blickte ich aus dem Fenster und sah, dass der Kanal direkt unter mir verlief. Einen Augenblick lang erwog ich, mich hineinzustürzen, beschloss dann aber doch, dass das Leben selbst für jemand so Hirnverbranntes wie mich weitergehen musste.

Traumhaus

»In Quorn steht ein Haus mit Wald zum Verkauf«, bemerkte ich ganz beiläufig. Mein Mann weiß genau, dass sich hinter dem heiter-freundlichen Wesen, das ich für gewöhnlich bin, noch eine andere Person verbirgt: eine Kreuzung zwischen Pol Pot und Joan Crawford. Ich mache nie beiläufige Bemerkungen. Dementsprechend verstand er auch sofort, setzte den Blinker, und wir bogen nach Quorn ab.

Quorn ist nicht etwa der Produktionsstandort des gleichnamigen Fleischersatzstoffs, der bei Vegetariern so überaus beliebt ist, sondern ein Ort voller begehrenswerter Häuser. Auch Diät-Päpstin Rosemary Conley, die Magnatin des flachen Bauchs und der straffen Schenkel und Hüften, lebt hier. Tatsächlich verläuft der Fluß, der Quorn so begehrenswert macht, sogar mitten durch ihr Grundstück. Ich vermute, dass er den Bauch einzieht, während er an ihrem Haus vorbeirauscht.

Das zum Verkauf stehende Haus hieß »Eine Esche«. An dem mit Vorhängeschloss gesicherten Tor hing das Bild eines grimmigen, zähnefletschenden Schäferhunds. Ich weiß nicht mehr, ob ich darüber geklettert oder mich unten durch geschlängelt habe. Eine fiebrige Erregung hatte mich gepackt, sobald ich den Wald erblickt hatte.

Fotos von mir aus jüngster Zeit legen die Vermutung nahe, dass ich meine Kindheit und Jungend ebenso wie mein Er-

wachsenendasein in einem unterirdischen Nachtclub verbracht
habe, doch in Wirklichkeit wuchs ich umgeben von Wäldern
auf. Als kleines Kind kletterte ich auf Bäume und baute mir
Höhlen im verwachsenen Unterholz. Im Herbst sammelte ich
Kastanien und Eicheln, und im Frühling pflückte ich Schöll-
kraut und Schlüsselblumen. Im Sommer packte ich mir eine
Flasche Wasser und ein Marmeladenbrot für ein Picknick im
Schatten ein, und im Winter, wenn es schneite (und es schneite
immer, als ich noch klein war), bereitete es mir das größte Vergnügen, mit meinen Gummistiefeln die ersten Fußspuren auf
dem verschneiten Waldboden zu hinterlassen. Ich kannte jeden
einzelnen Baum, und als der Großteil des Waldes abgeholzt
wurde, um neuen Häusern Platz zu machen, brach es mir
das Herz.

»Sie verkaufen es ganz billig, wegen Beschädigung durch
Vandalismus«, sagte ich zu meinem Mann, während wir die
lange Auffahrt durch den Wald hinauf wanderten. »Aber das
Grundstück ist über fünf Hektar groß.« Er zuckte nicht einmal mit der Wimper. Er wies mich nicht darauf hin, dass wir
schon mit der Pflege unseres gegenwärtigen Gartens nicht
nachkamen, der ungefähr handtuchgroß ist und gerade mal
fünf Bäume beherbergt. Wir konnten das Haus selbst noch
nicht sehen, doch in der Ferne machten wir eine Pferdekop-
pel aus. Wir kamen an einem zugewachsenen Tennisplatz mit
durchhängendem Netz vorbei und an einer Lichtung mit einem
Sommerhäuschen darauf.

Dann bogen wir um eine Kurve, stiegen einen leichten Hang hinauf, und da war es, das Haus. Dunkel und
mit Brettern verschlagen wie ein Gemäuer aus einem Hor-
rorfilm. Es fehlte nur noch Blitz und Donner und ein Schrei
aus der Ferne. Wir gingen hinten um das Haus herum und
betrachteten die Außengebäude, die Orangerie und die
Gewächshäuser, alle mit zerschlagenen Fenstern. Der Swimmingpool war voll schleimigen Drecks, doch der Garten

war – selbst im Winter – wunderschön. Es gab kleine Teiche und eine Pergola aus Backsteinen, und überall standen Bäume, und es roch nach einem Gemisch aus Nadelwald und verrotteten Blättern. Ich war ganz schwach vor Begehren. Ich wollte es. Ich wollte es, noch bevor ich das Haus von vorne gesehen hatte oder gar darin gewesen war. Ich sah im Geiste schon meine Enkelkinder durch den Wald rennen. Ich sah mich selbst schreibend im Sommerhaus sitzen. Ich sah meinen Mann, wie er jede einzelne der hundert Glasscheiben der Orangerie ersetzte. (Seltsamerweise hatte er keine derartige Vision.)

Als ich die Vorderseite des Hauses sah, wäre ich vor Entzücken beinahe ohnmächtig geworden. Es hatte Fensterläden und einen hübschen schmiedeeisernen Balkon und eine reizende Haustür. Ein blasser, mit einer Schicht Kohlenstaub überzogener Mann kam heraus. Er trug eine Taschenlampe. Ob wir das Haus sehen wollten?

»Ja«, hätte ich am liebsten gejuchzt, »natürlich wollen wir das Haus sehen. Es ist unser Haus. Wir werden hier wohnen.«

Die Batterien in der Taschenlampe des blassen Mannes ließen allmählich nach, und da jedes Fenster von außen mit Brettern vernagelt war, stolperten wir durch fast völliges Dunkel. Dennoch erhaschte ich hie und da eine Andeutung herrlicher Fensterrahmen, Decken, Böden und Kamine und schwor mir, dass ich hier leben und diesen Ort warm und licht und einladend machen würde. Wir bedankten uns bei dem blassen Mann, und er tappte davon, um sich wieder vor sein Kohlenfeuer zu kauern.

Am nächsten Tag kam ich mit meiner Schwester Kate und meinen zwei Töchtern zurück. Kate war hellauf begeistert, doch die Mädchen wandten sich entsetzt ab. Wir fuhren zum Immobilienmakler, wo mir ein junger Mann mitteilte, dass das Haus so gut wie verkauft sei, bar auf die Hand.

»Sei's drum«, sagte meine erleichterte Tochter und blickte in mein untröstliches Gesicht, als wir nach Hause fuhren. »Du könntest doch in keinem Haus leben das ›Eine Esche‹ heißt.«

»Wie würdest du es denn nennen?«, fragte ich sie, während ich mir noch eine Zigarette anzündete. »Eine Asche?«, schlug sie vor. Wir lachten alle miteinander, doch mein Lachen klang ein wenig hohler als das der anderen.

Der fette Kater Max

Ich hatte mir eigentlich geschworen, das nie zu tun: es jenen Kolumnisten gleichzutun, die über ihre verdammten Katzen schreiben.

Unser Kater ist übergeschnappt. Er sitzt in der Diele bei der Haustür und miaut, um hinausgelassen zu werden. Sobald er draußen ist, läuft er ums Haus herum und miaut, um wieder hereingelassen zu werden. Sobald er im Haus ist, trottet er wieder zur Haustür und miaut, um hinausgelassen zu werden. Vorne raus, hinten rein, immer schön im Kreis herum. Hält er sich für einen Goldfisch?

Sein Name ist Max, und ich glaube er leidet unter irgendeiner depressiven Krankheit. Er sieht aus, als ob er die Probleme der ganzen Welt auf seinen pelzigen Schultern trüge: als ob er für die Friedensgespräche im Nahen Osten zuständig wäre oder für die Zusammenstellung des Zugfahrplans von British Rail. Ständig hat er diesen leidenden Gesichtsausdruck. Er hat noch nie in seinem Leben glücklich ausgesehen, nicht einmal als kleines Kätzchen. Vielleicht wurde er ja zu früh von seiner Mutter getrennt, jedenfalls hat er nie *gespielt*. Wenn man vor seiner Nase mit einem Wollknäuel herumspielte, dann glotzte er es mit leeren Augen an, wie ein Schauspieler in einem Ingmar-Bergmann-Film, und trotte davon. Er war das freudloseste Katzenjunge, das mir je untergekommen ist. Jetzt ist er zehn. Ein Blick in sein Gesicht genügt, und ich stelle mir die

Frage nach dem Sinn tierischer und menschlicher Existenz.
Warum sind wir bloß hier?

Er leidet unter einer ernsthaften Essstörung. Das hängt
damit zusammen, dass er außerdem ein pathologischer Lügner
ist. In unserem Haus kommen und gehen ständig Leute, und
Max schafft es, jeden Bewohner und jeden Besucher davon zu
überzeugen, dass er seit einer Woche nichts zu fressen bekam
und praktisch am Verhungern ist. Er besitzt das lauteste und
verstörendste Miauen, das ich je gehört habe. Es wundert mich
wirklich, dass noch nie jemand vom Lärmschutzamt mit so
einem kleinen Dezibelzähler da war. Manchmal bekommt er
geschlagene sechs Mal am Tag zu Fressen. Als Folge davon ist
er natürlich extrem fett. Ich habe schon beobachtet, wie Auto-
fahrer langsamer wurden, nur um ihm nachzuschauen, wie er da
auf dem Gehsteig lang wackelte.

Darüber hinaus ist er auch noch dumm. Unser Haus ist
dicht an dicht vollgepfropft mit Sofas und Betten. Sogar ein
Katzenkörbchen gibt es, doch dieser Idiot sucht sich ausgerechnet die unterste Stufe der Treppe zum Schlafen aus, genau
in der Mitte, da, wo man hintritt. Folglich wird natürlich sein
Schlaf ständig durch stolpernde, fluchende Leute gestört. Falls
man mich einmal mit gebrochenen Knochen und schwinden-
dem Puls am Fuße der Treppe liegend findet, dann ist zumindest
klar, wer daran Schuld ist – Max. Und wird er um mich trauern?
Wohl kaum. Für ihn bin ich bloß die Idiotin, die für sein Kat-
zenfutter blechen muss.

Noch ein Beispiel für seine Dummheit: Einmal ist er so
dicht vor einem Kaminfeuer eingeschlafen, dass er sich die
Barthaare verbrannt hat. Ohne diese Orientierungshilfen war
er jedoch unfähig, Weite und Distanz einzuschätzen und
konnte, bis seine Barthaare wieder nachgewachsen waren,
nicht einmal durch eine offenstehende Tür hinausgehen oder
durch Löcher in der Hecke schlüpfen, die so breit waren wie
ein Gartentor.

Ich glaube, er hasst mich. Manchmal wende ich den Kopf und ertappe ihn dabei, wie er mich mit einem verächtlichen, vernichtenden Ausdruck ansieht. Er schaut dann immer sofort wieder weg, doch nicht ohne bei mir ein Gefühl von Verunsicherung, Unruhe und, aus irgendeinem Grund, sogar Schuld auszulösen.

Ich habe eine Freundin, die eine fanatische Katzenliebhaberin ist. (Sie kennen diesen Typ bestimmt: die Art Leute, die einen im Krankenhaus besuchen und sich dann nach dem Wohlergehen der Katze erkundigen.) Wenn diese Katzenliebhaberin in unser Haus kommt, zieht Max seine Waisenkind-Annie-Nummer ab. Er sitzt zitternd in der Ecke und jault mitleidserregend. Er schafft es sogar irgendwie, *dünn* auszusehen. Und natürlich hat er es auch noch hingekriegt, sein Halsband mit Namensschild abzustreifen und sein Fell so zerzausen zu lassen, dass sich darin Millionen Flöhe wohlfühlen.

»Armer Max«, ruft die Katzenliebhaberin dann aus und nimmt ihn in die Arme und küsst sein Gesicht ab, bevor sie ihm zu essen gibt und ihn bürstet und mit ihm redet, als wäre er ein menschliches Wesen.

»Er braucht nur etwas Liebe und Aufmerksamkeit«, sagt die Freundin dann vorwurfsvoll, während sie den Fahnenflüchtigen hinauf ins Gästezimmer trägt, wo er mit seinem verräterischen Kopf auf ihrem Kissen schlafen wird. Es ist sinnlos, einzuwenden, dass Max nur Theater spielt, um mich in Misskredit zu bringen. Meine Freundin ist fest überzeugt, dass die Katze emotional und physisch vernachlässigt wird. Als ich mich kürzlich über Katzenhaare auf meiner Kleidung beklagte, gab sie spitz zurück: »Dann hör eben auf, Schwarz zu tragen.«

Was mich außerdem an Max ärgert, ist, wie übel er seine Katzenfreunde behandelt. Vor allem ein trauriges Geschöpf mit nur drei Beinen und schmollendem Gesicht. Manchmal verdrischt er sie im Garten. Dann lädt er sie wieder ein, sein Abendbrot mit ihm zu teilen. Ich glaube aber nicht, dass Max

und das Dreibein eine sexuelle Beziehung haben. Er ist nämlich
sexuell verwirrt. Als Jugendlicher wagte der Tierarzt die Dia-
gnose, dass Max homosexuell sei, doch meiner Meinung nach
ist er asexuell. Das Dreibein wird bestimmt nie seine Kätzchen
austragen.

Traurig aber wahr: Max wurde neulich angefahren. Ich rief
vom Tierarzt aus zu Hause an, um die Neuigkeiten zu unterbreiten. »Wie schlimm ist es denn?«, fragte mein Mann. »So
ungefähr im Gegenwert von zweihundert Pfund«, sagte ich mit
einem Blick auf die Tierarztrechnung.

Kann man Katzen Prozac verschreiben lassen?

Herr und Frau Blauhaar

Mir ist klar, dass ich schon seit geraumer Zeit für mich in Anspruch nehme, fünfzig zu sein; allerdings bin ich dabei nach dem chinesischen Prinzip vorgegangen, wonach das wahre Alter eines Menschen eigentlich vom Tag (oder der Nacht) der Zeugung an berechnet werden sollte. Aber nun bin ich auch im westlichen Sinn fünfzig. Wenn vierzig ein gefährliches Alter ist, hm, also dann muss fünfzig ja wohl noch weitaus gefährlicher sein.

Heutzutage gehen Leute mit fünfzig in Rente. Wir kennen doch alle diese Werbungen für die Altersvorsorge, in denen ein selbstzufrieden lächelndes Paar mit graublauem Haar schwungvollen Schritts auf dem Golfkurs herummarschiert, oder Tee trinkend im Garten sitzt und ihr strahlendes Gebiss im nächsten Moment in ein selbstgebackenes, ofenwarmes Scone drückt.

Manchmal sehen wir Herr und Frau Blauhaar in ihrem Dingi in einer Meeresbucht in Essex segeln, oder jedenfalls sieht es nach Essex aus. Und obwohl sich das Segel im Wind bläht, bleibt eigenartigerweise das Haar des Paars immer in einem makellosen, helmartigen Schopf – nicht ein einziges bläuliches Strähnchen rutscht je heraus. Mir tun Herr und Frau Blauhaar Leid. Nicht nur sind sie dazu verdammt, sich vor jedem Segelausflug mit einer kompletten Dose Haarspray zu präparieren, sondern sie müssen darüber hinaus auch noch ihr Leben hauptberuflich mit aktiver Freizeitgestaltung verbringen.

Der Werbung nach zu urteilen beginnt ihr Tag mit Frühstück im Hotelzimmer. Sie ganz elegant im spitzenbesetzten Negligee, er im seidenen Morgenmantel. Durch das Fenster kann man die makellosen Fairways des hoteleigenen Golfplatzes sehen, auf dem Herr und Frau Blauhaar in Kürze mit ihrer von der Rente gekauften Golfausrüstung entlang stapfen werden.

Zum Lunch sitzen sie auf der Terrasse eines Landgasthofs (strohgedeckt) und nippen an ihren fürchterlichen alkoholfreien Drinks. Der frühe Nachmittag ist mit dem oben erwähnten Segeln im Dingi ausgefüllt. Zur Teezeit, am späteren Nachmittag, sind die beiden in einem malerischen Dörfchen in den Cotswold Hills auf Antiquitätenjagd. Einer von ihnen, meist Frau Blauhaar, hebt einen hässlichen Kunstgegenstand in die Höhe und blickt Zustimmung suchend zum Partner hinüber. Am frühen Abend sind sie dann zurück im Hotel und ziehen sich fürs Dinner um. Herr Blauhaar macht Frau Blauhaar die Halskette zu. Manchmal berühren sich ihre Hände für einen Augenblick.

Ob wohl Frau Blauhaar fürchtet, Herr Blauhaar könnte die Hände von ihrer Kette nehmen und sie ihr um den Hals legen, um sie zu erwürgen? Womöglich begleitet von einem verzweifelten Aufschrei: »Ich halte die Vorstellung nicht mehr aus, noch eine einzige Minute Freizeit mit dir verbringen zu müssen!« Nein, natürlich nicht. Denn da sind sie ja auch schon, im Hotelrestaurant, stoßen klingend mit ihren langstieligen Gläsern an und beglückwünschen sich gegenseitig zu ihrer Voraussicht, so eine großzügige Altersvorsorge betrieben zu haben. Etwas später sehen wir sie dann noch, wie sie anmutig miteinander tanzen, Herr Blauhaar in anständigem Abstand von seiner Frau, im Gegensatz zu vielen Männern seines Alters, die zuviel trinken und dann auf der Tanzfläche kräftig das Becken nach vorn stoßen.

Und dann geht's ab ins Bett, wie wir vermuten dürfen. Allerdings sehen wir sie nie wirklich im Bett. Sex ist eine Freizeitaktivität, der Herr und Frau Blauhaar nicht zu frönen scheinen. Vermutlich deshalb, weil Sex immer noch kostenlos ist (wäre ja auch schwierig zu privatisieren), selbst weniger wohlhabende Leute ohne Altersvorsorge können sich dieser genussreichen Freizeitaktivität hingeben. Dazu ist keinerlei teure Ausrüstung erforderlich, außer man hätte nun wirklich *sehr* ausgefallene Vorlieben, und vom Tragen von Kleidung wird sogar ausdrücklich abgeraten, wiederum außer …

Wir wissen allerdings, dass Herr und Frau Blauhaar zumindest in der Vergangenheit eine sexuelle Beziehung hatten, da wir sie hin und wieder sehen, wie sie auf Besuch zu ihren Enkeln fahren. Obwohl die Enkelkinder eigentlich nur ein Vorwand sind. Eigentlich wollen die Blauhaars ja doch nur angeben. Sie wollen, dass wir ihre neue Limousine sehen und ihr todschickes Reisegepäck aus lauter zusammenpassenden Teilen (der Kofferraum steht nämlich offen), alles gekauft und bezahlt mit der Privatrente.

Was wir nie sehen ist, wie die Blauhaars sich darüber streiten, wer diesmal den stinkenden Inhalt des Treteimers hinuntertragen muss. Natürlich sehen wir sie auch nicht, wie sie mit der Fernbedienung in der Hand über das Fernsehprogramm streiten, oder wie sie sich beklagen, dass die Enkel während des Besuchs den winzigen Schlüssel zu Frau Blauhaars Kosmetikköfferchen verloren haben.

Die Vorstellung, der Ruhestand mit fünfzig könnte auch noch etwas anderes sein als ein ewiges Freizeitparadies, ist uns leider nicht gestattet. In der Welt der Blauhaars sind die besten Dinge im Leben nicht kostenlos. Man kauft sie in Geschäften. Manchmal glaube ich in Herrn Blauhaars Gesicht einen sehnsüchtigen Ausdruck zu erkennen. Ich glaube, er vermisst seinen Arbeitsplatz und seine früheren Kollegen.

Und Frau Blauhaar ist auch keine glückliche Frau. Sie wünscht sich ihr früheres Leben zurück, das sie vor dem Ruhestand führte. Ein bisschen leichte Arbeit im Wohltätigkeitsverein am Vormittag. Ein Buch aus der Bibliothek und Oprah Winfrey im Fernsehen am Nachmittag.

Frau Blauhaar ist der Golfplätze und Landgasthöfe und Dingis und dem Tanz zur Musik des Hotelquintetts überdrüssig. Sie will faul herumhängen und es sich gemütlich machen und ihr blaugraues Haar im Wind fliegen lassen. Und ich auch.

Die Verkehrsinsel

Da wo ich wohne gibt es ganz in der Nähe eine wunderschöne Verkehrsinsel. Ich komme fast jeden Tag daran vorbei und betrachte sie immer mit einem Anflug von Zärtlichkeit, da es nämlich keine ganz gewöhnliche Verkehrsinsel ist. Sie ist aus Westmoreland-Steinen zusammengesetzt und bewachsen mit Bäumen, Sträuchern, Blumen und allerlei Pflanzen, die man in Steingärten findet. Im Frühjahr, wenn die Blüten explodieren, sieht es besonders hübsch aus. Im Sommer wogen Kräuter in der sanften Brise, und wenn diese schließlich absterben, entzückt eine Palette aus Herbstlaub und Beeren das Auge.

Diese Verkehrsinsel ist ein Markenzeichen von Leicester. Ich finde sie nicht nur schön, sondern bin auch stolz auf sie. Das klingt jetzt vielleicht so, als ob ich der letzte Spinner wäre, aber es ist mir egal. Und ich hege eine Wut tief in meinem Inneren, weil die städtische Verkehrbehörde die Insel durch drei Ampelanlagen ersetzen will, »um den Verkehrsfluss zu verbessern«. Als ich von diesem feigen, hinterhältigen Plan zum ersten Mal hörte, wäre beinahe der Blutfluss zu meinem Herzen komplett zum Stillstand gekommen.

Leicester besitzt so viele Ampeln wie ein Tausendfüßler Beine. Besucher reiben sich beim Anblick der Belgrave Road ungläubig die Augen, so sehr sieht das ganze wie eine gelb-rot-grüne Hölle aus. Die Lichter erstrecken sich bis zum Horizont und noch darüber hinaus, wahrscheinlich bis in alle Ewigkeit.

Jüngst mussten die Einwohner Leicesters auch noch mit ansehen, wie aufgemalte Straßenmarkierungen plötzlich wild um
sich griffen. Jede einzelne Hauptstraße, so scheint es, ist jetzt
mit diagonalen Linien, Vierecken und gestrichelten Flächen
bemalt, und immer noch mehr und noch größere Zeichen
kommandieren einen herum. Demnächst schreiben die noch
»Schluss mit dem Rauchen!« oder »Haben Sie sich heute morgen auch die Zähne geputzt?« auf die verdammten Straßen.

Am besten gebe ich gleich zu, dass ich selbst kein Auto-
fahrer bin. Allerdings habe ich mal ein Auto besessen. Es war
ein Cabriolet, grau und glänzend, und als ich es im Schaufenster
eines Autohändlers sah, bin ich einfach reingegangen und hab's
gekauft. (Eigentlich war ich nur mal eben schnell aus dem Haus
geschlüpft, um einen Laib Brot zu holen.) Ich stellte mir vor,
wie ich mit Kopftuch und schweinsledernen Handschuhen hinter dem Steuer saß und gekonnt auf einer gefährlichen, kur-
venreichen Passstraße im Gebirge zur Küste hinunter fuhr, irgendwo im Ausland. Ich plauderte munter mit meinem Begleiter und machte Witze in fließendem Französisch. (Nicht
vergessen, das alles passierte nur in meiner Vorstellung. Im
wirklichen Leben ist mein Französisch *très mal*. Einmal habe
ich von einer französischen Speisekarte ein Essen für meine
Kinder bestellt und bekam einen riesigen Korb voll rohen
Gemüses serviert, das erst vor sehr kurzer Zeit aus dem Erdreich gezogen worden war.)

Ich besorgte mir die eingeschränkte Fahrerlaubnis für
Fahranfänger und bat meinen Mann, neben mir zu sitzen,
während ich das glänzende, graue Cabriolet durch das ländliche
Leicestershire steuerte. Wenn ich auf der Grasnarbe entlang
fuhr, legte er mir sanft nahe, dass ich es vielleicht bequemer
finden würde, auf der Straße zu bleiben. Wenn ich die Geschwindigkeitsbegrenzung überschritt (um fünfzig kmh), deutete er sacht an, dass ich vielleicht zur Entspannung einmal den
Fuß vom Gaspedal nehmen könnte. Von meiner ländlichen

Spritztour beflügelt, entschloss ich mich zu einem Intensiv-Schnellkurs, um dann im Anschluss daran die Führerscheinprüfung abzulegen.

Mir wurde ein bestimmter Fahrlehrer empfohlen. Nennen wir ihn einfach »M«. Er hatte einen sehr guten Ruf und hatte schon viele Fahrschüler auf Anhieb durch die Prüfung gebracht. Leider nur war die Woche mit meinem Intensivkurs zugleich Ms Katastrophenwoche. Alles, was im Leben eines Mannes nur schief gehen kann, ging in dieser Woche schief. Ich verbrachte die Woche damit, M von einem Schauplatz seines privaten und wirtschaftlichen Desasters zum nächsten zu fahren.

Es muss auch gesagt werden, dass ich eine aufmüpfige Schülerin war. Ich hasste es, an Ampeln warten zu müssen, und war anscheinend genetisch unfähig, mich an eine Geschwindigkeitsbegrenzung zu halten. Außerdem hasste ich es, hinter irgendwas herfahren zu müssen. Der arme M, der eigentlich für seine starken Nerven bekannt war, begann an seinen Fingernägeln zu kauen. Am siebten Tag schien er irgendwie zu zucken. Am achten Tag trat ich die Prüfung an.

Mein Prüfer hieß Mr Smith. Nach dem elften erfolglosen Versuch, ein Dreipunkt-Wendemanöver durchzuführen, bot ich ihm an auszusteigen, doch er lehnte ab. M sah durchs Fenster vom ersten Stock der Führerscheinprüfstelle aus zu, wie ich den Wagen quer über die zweispurige Fahrbahn lenkte und abwürgte. Zum ersten Mal seit einer Woche lächelte er.

Seither bin ich nie mehr Auto gefahren. Meine Kinder waren begeistert, dass sie sich nun mit dem schnittigen grauen Cabriolet vergnügen konnten, doch nach ein paar Wochen voller Alpträume, in denen ich sie in dem grauen Flitzer ein unschönes Ende finden sah, schrieb ich das Cabriolet zum Verkauf aus. »Kaum gefahren, vorsichtige Fahrerin, km-Stand 1500.« Natürlich glaubte das niemand, und das Auto wurde für weit weniger verkauft, als ich dafür bezahlt hatte. So viel weniger, dass ich manchmal mitten in der Nacht mit dem genauen Differenzbetrag im Kopf aufwache.

Am Sonntag hielt die »Rettet unsere Verkehrsinsel«-Initiative ein Protest-Picknick auf der Insel ab. Ich wollte eigentlich dabei sein, und habe es dann komplett vergessen. Doch sie sollen wissen, dass ich fest hinter ihnen stehe, genau wie meine Familie. Mein Ex-Schwager sagte, er werde ein Protestcamp aufschlagen und sich an einen Baum mitten auf der Insel binden, falls die Bulldozer es wagen sollten anzurücken. Es gibt so wenig Schönes in unseren Städten anno 1996, so wenig, was das Auge erfreut. Und so beschwöre ich den Stadtrat von Leicester, unsere kleine Verkehrsinsel auszusparen. Auch Drohungen sind keineswegs unter meiner Würde. Wenn diese Verkehrsinsel vernichtet wird, wer weiß, dann fange ich vielleicht wieder mit dem Fahren an.

In Melbourne

Ich war zufällig in Australien, als Isabelle dort auf die Welt kam. Meine übliche Vorgehensweise, wenn ich ein neugeborenes Enkelkind besuche, besteht darin, ohne Rücksicht auf die Uhrzeit auf die Entbindungsstation zu stürmen, die Tür mit der Aufschrift »privat« aufzustoßen und das Baby an meine Brust zu drücken und in unserer Familie willkommen zu heißen. Normalerweise bin ich recht höflich und respektiere die sozialen Gepflogenheiten, doch wenn es um die Familie geht, dann verliere ich jegliche Zurückhaltung. Ich fürchte, ich habe Mafia-Blut in mir. Zwar habe ich nicht das Drogenhandel- und das Auftragsmord-Gen geerbt, doch offensichtlich das Familien-Gen, das nichts über die eigene Sippe gehen lässt. Vermutlich habe ich es auch noch an meine Söhne weitergegeben. Vergangenes Jahr mussten potentielle Freunde meiner jüngsten Tochter sich einer Reihe penibler Charaktertests unterziehen und auch noch ihre Vorgeschichte durchleuchten lassen, wenn sie mit ihr ausgehen wollten. Dem armen Mädchen ging es wie der Prinzessin im Märchen. Ein Freier nach dem anderen wurde abgewiesen. Oft kam sie von der Disco nach Hause und erzählte mir eine traurige Geschichte, in der die Townsend-Brüder wieder einmal einen glücklosen jungen Mann an ihrer Seite von der Tanzfläche eskortiert hatten. Manchmal war sein Vergehen ganz trivial (er schien immer weiße Socken zu tragen), manchmal eher gravierend (er war ein notorischer Frauenheld,

der in den East Midlands verstreut mehrere Kinder hatte).
Meine Söhne versicherten mir, dass sie ihrer Schwester damit
eine Menge Herzschmerz ersparten, und vielleicht hatten sie
ja Recht. Jetzt hat sie einen sehr netten Freund, der die einhel-
lige Zustimmung der ganzen Familie besitzt. Meine Augen begannen zu leuchten, sobald ich hörte, dass er von Beruf Klempner war. Ich habe über die Jahre ein Vermögen für das verrückte Rohrleitungssystem in unserem Haus ausgegeben, da
ist es natürlich wunderbar, nun einen Klempner griffbereit zu
haben. Ich ermutige das Mädchen ausdrücklich zu einer lang-
fristigen romantischen Beziehung.

Isabelle ist inzwischen zweieinhalb Wochen alt, und ich
habe sie noch immer nicht gesehen und an mich gedrückt. Auf
dem Foto, das mir mein Mann mitbrachte, sieht sie wunder-
hübsch aus. Ich kann es mir nicht verkneifen, das Foto ständig
irgendwelchen Fremden unter die Nase zu halten. Bis jetzt habe
ich es einer Frau gezeigt, mit der ich mich auf einer Toilette in
Sidney unterhielt, einem griechischen Taxifahrer, einer Verkäuferin in einem Bekleidungsgeschäft in Melbourne, und
jedem anderen, der nichtsahnend den Eindruck erweckte, es
nicht allzu eilig zu haben. Ich bin Isabelle bereits zu Dank verpflichtet, da sie ihrer Mutter so wenig Schmerzen verursacht
hat. Vier sanfte Kontraktionen und schon war sie da und er-
staunte damit sämtliche Anwesenden – allen voran die Mutter, die prompt fragte: »Ist das mein Baby?« Also schöpft Mut,
Schwangere aller Länder – es könnte auch euch so gehen.

Ich bin gerade in Melbourne auf Werbetour für die an-
stehende Premiere meines Theaterstücks *Die Queen und ich*,
in dem die Königin samt *royal family* in einen abgelegenen Vor-
ort von Sydney ausgesiedelt wird. Letzte Woche habe ich ein
Live-Interview im Radio gegeben, und eine Frau namens
Sylvia rief in der Sendung an und sagte, ich gehörte vom obersten Stock des Sendeturms (mit zweiundzwanzig Stockwerken)
geworfen. Dann beruhigte sie sich ein wenig und meinte, ich

sollte an einem Strick um den Hals am Fahnenmast baumeln.
Doch so glühende Anhänger der Monarchie wie Sylvia sind
auf australischem Boden eher dünn gesät. In Wirklichkeit ist
der Einfluss der Briten auf das Alltagsleben der Australier sehr
gering. Die einzige Ausnahme bildet die englische Mode, wobei
man sich jedoch wundern darf, weshalb: Australische Mode-
designer verwenden wunderschöne Stoffe und Schnitte und
entwerfen Kleider für Frauen jeden Alters und Umfangs – nicht
nur für Teenager mit der Figur eines Besenstiels.

Es ist Winter hier, und die Australier spazieren in einer
unglaublichen Bandbreite von Kleidungsvarianten herum. Es
kann vorkommen, dass jemand in T-Shirt, Shorts und Sandalen die Straße entlang geht, gefolgt von jemandem in schweren Stiefeln, einer Hose aus Moleskin, Pulli und dickem
Anorak. Die einzige Kleidervorschrift, die mir bisher unter-
kam, hing im Fenster eines Restaurants und lautete: »Ohne
Schuhe kein Zutritt.«

Heute morgen saß ich in meinem Hotel beim Frühstück,
und als ich aufblickte, sah ich meinen Namen in großen Lettern gegenüber an der Fassade des Theaters stehen. Ich hätte
mich beinahe an meinem Frühstücksei verschluckt. Tausend
Leute pro Nacht zu überreden, ihr trautes Heim zu verlassen
und sich in einem Theater ein Stück anzusehen, erscheint mir
wie eine Zumutung. In solchen Augenblicken packen mich
Panik und Entsetzen. Dies wiederum macht mich tapsig und
ungeschickt. Im Probenraum kräuselt der Theaterdirektor Max
Stafford-Clark missbilligend die Lippen, als ein Stoß Blätter
aus meinem überarbeiteten Manuskript davonrutscht und über
den Boden segelt. Ich weiß, ich bin ein Alptraum von Autor,
und nicht für eine Million Pfund würde ich selbst ein zweites
Mal mit mir zusammenarbeiten.

Ich vermute, der Redakteur dieses Magazins verflucht gerade im Stillen den Tag, an dem er mich einlud, regelmäßige
Beiträge in Form einer Kolumne beizusteuern. »Wo ist der Text

von der Townsend?« kann ich ihn schreien hören (obwohl er der sanfteste, ausgeglichenste Mann ist, den ich kenne). Die Tatsache, dass ich 12000 Meilen weit weg bin, ist keine Entschuldigung dafür, dass dieser Beitrag inzwischen seit vier Tagen überfällig ist. Faxmaschinen haben diese Ausrede zunichte gemacht. Tja, worauf kann ich es also schieben? Auf den Jetlag? Nein, der ist bereits überstanden. Faulheit? Auch nicht – ich wäre froh, wenn ich die Zeit hätte, faul zu sein. Nein, es ist die Angst, Wörter zu Papier zu bringen. Ich glaube, ich leide an Wörterphobie. Vielleicht sollte ich einen Arzt aufsuchen und ihn bitten, meinem Redakteur eine Krankmeldung zu schicken.

Flugtrauma

Das Testpublikum für *Die Queen und ich* (in der australischen Fassung) bog sich vor Lachen. Doch das Premierenpublikum lachte schon ohne Biegen, und die Theaterkritiker blieben ganz ausgesprochen steif und lachten überhaupt nicht. Zu sagen, sie hassten das Stück, wäre eine gewaltige Untertreibung gewesen. Ich setzte mich in meinem Hotelzimmer in Melbourne im Bett auf, um die Zeitungskritiken zu lesen, und sank danach in mein Kissen zurück, während mir Wörter wie »infantil«, »nicht lustig« und »Sitcom« vor den Augen tanzten. Ich glaube, einmal habe ich mir sogar die Decke über den Kopf gezogen und gewinselt. Ich weiß noch, dass ich beim Wiederauftauchen sehnsuchtsvoll zur Minibar hinüberschielte, wo sofortiges Vergessen in Form hochprozentigen Alkohols lockte, doch da es erst 8.30 Uhr morgens war, machte ich mir lieber eine Tasse Tee. Dann packte ich meine Koffer und machte mich auf zum Flughafen.

Ich hatte meinen Rückflug nach England extra einen Tag verschoben, um einen Raucherflug zu bekommen, doch beim Einchecken setzte mich ein adretter junger Mann davon in Kenntnis, dass es nun doch ein Nichtraucher-Flug war. Ich wäre beinahe in Tränen ausgebrochen (falls irgendwelche Kinder dies lesen – steckt euch bloß nie eine Zigarette zwischen die Lippen. *Nie.* Ihr werdet sonst unter permanentem Husten leiden, ständig stinken, und euch obendrein vor jungen Menschen am Check-in-Schalter des Flughafens lächerlich machen.) Der gesamte Flughafen ist Nichtraucher-Bereich, und so stand ich mit anderen Süchtigen draußen im Freien und rauchte viele, viele Zigaretten, bis schließlich das »Boarding«-Lämpchen aufblinkte. Eine Zigarette schmeckte übler wie die andere, doch ein Süchtiger ist nun einmal süchtig danach, und daher müssen die Dinger eben geraucht werden.

»Wo ein Wille, da ein Weg«, höre ich Sie schon vorwurfsvoll murmeln. »Ach ja?«, kann ich da nur sagen. Ich habe eben keine Willenskraft. In dem Teil meines Gehirns, der die Willenskraft steuert, ist die Nikotinsucht-Mafia einmarschiert, und die macht kurzen Prozess mit allem, was ihr in die Quere kommt.

Das Flugzeug startete noch ganz normal, doch während wir höher stiegen, spürte ich ein unangenehmes Gefühl in den Ohren. Immer mehr Passagiere schüttelten die Köpfe und bohrten mit den Fingern in den Ohren. Babys fingen an zu schreien. Als der Kapitän schließlich verkündete, dass wir unsere Flughöhe von 35 000 Fuß erreicht hatten, war mir, als müsste mir gleich der Kopf zerspringen. Dann fielen die Sauerstoffmasken herunter. Dies hatte ich bisher nur in Flugzeugkatastrophenfilmen gesehen. Als echte Britin bewahrte ich einen kühlen Kopf, wandte mich allerdings dem Mann neben mir im grauen Anzug zu und lächelte ihn an. Ein Romanautor hätte es ein schiefes Lächeln genannt. Der Herr im grauen Anzug zog die Brauen hoch, griff dann nach der vor ihm baumelnden Sauerstoffmaske und setzte sie sich auf. Ich tat dasselbe. Doch es kam kein Sauerstoff. Von den Flugbegleitern war weit und breit nichts zu sehen, und der Flugkapitän war auf einmal beunruhigend schweigsam. Inzwischen wurde der Druck in meinem Kopf unerträglich. Die Ursache könnte verzögerter Schock als Reaktion auf die schlechten Kritiken gewesen sein, doch ich habe auch vorher schon schlechte Kritiken bekommen, ohne dass mir dabei der Schädel explodierte.

Schräg gegenüber von mir saß ein Mann, der gut und gerne der dickste Mann Australiens hätte sein können und vielleicht gerade als Vertreter seines Landes zur Internationalen Meisterschaft der dickleibigsten Männer der Welt reiste. Er hatte mehr Kinne als die Niagarafälle Fälle haben, und sie waren auch beinahe genauso nass. Er tupfte sich das Gesicht mit einem weißen Taschentuch ab, das selbst zusammengefaltet noch als Segel für ein kleineres Boot hätte herhalten können. Als er meinem Blick begegnete, sagte er: »Ich könnte einen Drink gebrauchen.« Ich drehte den Mund von der Sauerstoffmaske weg und schenkte auch ihm mein schiefes Lächeln. Ich sah, wie er den Rufknopf für die Stewardess drückte, doch niemand kam. Hatte sich denn die ganze Besatzung per Fallschirm in Sicherheit gebracht? Schließlich schaltete der Kapitän doch noch seine Sprechanlage an. Abgehacktes, röchelndes Atmen war zu hören. Hatte der gerade irgendeinen Anfall?

»Hier spricht der Kapitän. Wir sind …«, dann wieder röchelndes Atmen. Inzwischen füllte meine Vorstellungskraft bereits die Lücken aus. Schließlich bin ich Dramatikerin. Vielleicht eine diskreditierte und geschmähte, aber ich kann immer noch dramatisch sein. Ich stellte mir den Kapitän in seinen letzten Zügen, den Kopiloten bereits tot vor.

Der Flugkapitän schaffte es schließlich, sich wieder unter Kontrolle zu bringen. »Wir haben ein Problem mit dem Kabinendruck«, sagte er, »und auch mit der Sauerstoffversorgung.« Wir würden rasch auf 10000 Fuß sinken und über dem Meer entlangfliegen, um unseren Treibstoff abzulassen. »Für eine Notlandung«, stöhnte der dickste Mann Australiens. Der wacklige Sinkflug dauerte so lange, dass ich im Geiste einen dramatischen Abschiedsbrief an meine Familie schrieb und der dickste Mann Australiens sich aus seinem Sitz hochkämpfte und mir, dem Herrn im grauen Anzug und sich selbst zu einem Mini-Gin verhalf. Eis und Zitrone sparten wir uns diesmal. Nachdem das Flugzeug den Treibstoff abgelassen hatte, flogen wir auf wackligen Flügeln nach Melbourne zurück und landeten, eskortiert von Krankenwagen.

In der Transit-Lounge fragte ich eine Flughafenbedienstete, ob es nicht möglich wäre, einen kleinen Bereich mit einem Seil abzusperren, damit die circa dreißig Raucher auf diesem Flug sich eine Zigarette anzünden und ihre ramponierten Nerven pflegen könnten. »Nein«, sagte sie streng. »Wegen der Gesundheits- und Sicherheitsvorschriften.« Ich schenkte ihr ein schiefes Lächeln.

Bilderbuch-Oma

Ich behaupte nicht, eine gute Mutter zu sein. Ganz im Gegenteil. Ich habe viele Fehler gemacht, und mache immer noch welche. Das heißt, jetzt mache ich sie als Großmutter. Kürzlich versuchte ich doch tatsächlich meinen Enkel Niall fürs Briefmarkensammeln zu begeistern. Ich kaufte dem armen Jungen eine Tüte kunterbunter Briefmarken aus Australien. Unter meiner diktatorischen Aufsicht verbrachte er während eines kürzlichen Wochenendbesuchs bei mir einen Abend damit, die Briefmarken in kleine Stöße zu sortieren. Es gab einen Koalabär-Stoß, einen Känguru-Stoß und einen Stoß mit berühmten australischen Sportlern. Am nächsten Abend wurde er ermuntert, die Stöße in ein Briefmarkenalbum zu stecken – ich war ziemlich streng mit ihm, als es darum ging, wie sie genau eingeordnet werden sollten.

Der Junge tat wie ihm geheißen, doch ich konnte richtig sehen, wie ihm die Frage auf der Zunge brannte. »Warum? Was ist der Sinn und Zweck dieser geistlosen, monotonen Beschäftigung, Oma?« Er hielt ganz höflich den Mund, doch als ich vorschlug, dass es jetzt vielleicht genug wäre, sprang er schneller vom Stuhl und verschwand im anderen Zimmer zum Fernsehen, als man »Koala« sagen konnte. Seine Schwester, eine fünfjährige kesse Blondine, saß dort schon bei einem Cocktail und schaute sich *Lolita* im Fernsehen an. (Bevor Sie mich jetzt beim Jugendamt melden, lassen Sie mich noch erklären, dass

die Cocktails aus giftig gefärbter Limonade, Eis, einem Strohhalm, einer Plastikpalme, einem Spieß mit Äffchen und einem
Cocktailschirmchen bestanden. Und was *Lolita* angeht, da habe
ich schon mehr Erotik in *Skippy das Buschkänguru* gesehen.)

Es war schon ziemlich spät, als wir uns schlafen legten.
Die kesse Blondine wollte in meinem Bett schlafen, weil (so
ihre Version) in der Diele im ersten Stock meines Hauses ein
Geist wohnt. Ich war schon zu müde, um ihr einen Vortrag über
den Mangel an statistischem Beweismaterial hinsichtlich der
Existenz paranormaler Phänomene zu halten.

Am nächsten Morgen nutzten sie mich schamlos aus und
überredeten mich, sie zur *Muppet Schatzinsel* ins Kino auszuführen. Dann sah ich ihnen erst einmal dabei zu, wie sie voller
Enthusiasmus Frühstücksflocken in ihre Müslischalen kippten.
Ich stand mit Milchflasche und Zuckerdose einsatzbereit. »Wir
machen selber Milch und Zucker rein«, sagten sie beide ganz
entrüstet, also ließ ich sie. Als ich mich wieder umdrehte, hatten alle zwei einen kleinen Zuckerberg auf ihren Flocken. Der
Kilimandscharo war meine erste Assoziation.

»Wie könnt ihr nur?«, rief ich. »Ich habe doch gerade gesagt, nicht zu viel Zucker, oder nicht?«

»Aber für uns ist das nicht zu viel Zucker«, entgegneten sie,
ganz vernünftig, wie man zugeben muss.

Wir nahmen ein Taxi zum Kino. Unterwegs stellte mir
mein Enkelsohn mit vernehmlicher Stimme mehrere Fragen
über das Sonnensystem. Der Taxifahrer lachte auf eine widerlich herablassende Art über meine ungeschickten Antworten.
Er setzte uns vor einem dieser trostlosen Freizeit- und Ver-
gnügungskomplexe außerhalb der Stadt ab. Ich blickte auf die
tristen, flachen roten Ziegelbauten, und mit einem Mal befiel
mich ein tiefer Abscheu für die ganze Idee von formalisierter
Freizeitgestaltung und öffentlichem Unterhaltungsbetrieb. Ich
empfand plötzlich ein dringendes Bedürfnis, mit einem Buch
zu Hause zu sitzen. Vor dem Film gingen wir noch in ein Res-

taurant. Wobei ich den Begriff Restaurant hier in seiner aller-
weitesten Bedeutung verstanden wissen will.

Gehorsam standen wir neben einem Schild, das uns aufforderte zu warten, bis uns ein Tisch angewiesen wurde, doch
nachdem wir einige Minuten lang von dem jugendlichen Personal ignoriert worden waren, wurde uns langweilig und wir
suchten uns selbst einen Tisch. Wir studierten die Speisekarte.
Eine halbe Stunde später und nach vielfachem Umschwen-
ken und hitzigen Debatten zwischen uns dreien, kam schließlich einer von den jugendlichen Menschen mit einem kleinen Handcomputer, um unsere Bestellung aufzunehmen. Er
entschuldigte sich fröhlich, dass es so lange gedauert hatte.
»Hier weiß keiner, was er eigentlich zu tun hat, wir sind lauter Verrückte hier«, fügte er noch mit einem Nicken zu seinen Kollegen hinüber hinzu, die vor dem Fenster zur Küche
herumalberten.

Die kesse Blondine hatte eine Ofenkartoffel mit Käse ausgesucht, was ein Kopfschütteln seitens des jungen Mannes her-
vorrief. »Nicht mehr nach drei Uhr«, sagte er. Ich wunderte
mich kurz und fragte mich, ob wohl ein neues Gesetz erlassen
worden war, während ich außer Landes war? Gab es jetzt eine
Sperrstunde für Ofenkartoffeln?

Mein Enkelsohn bestellte sein Getränk. »Ein Schoko-
Milchshake bitte, extra dick, so dass der Strohhalm in der Mitte
stehen bleibt.« Ich war stolz auf seinen Sinn fürs Detail, und
voller Mitleid, als das Getränk dann kam und der Strohhalm
schon Hilfe beim Hinsetzen brauchte, geschweige denn allein
stehen konnte. Das Essen war unglaublich schlecht, und so verstand ich endlich auch, warum so viel davon auf dem Boden
des Restaurants verstreut lag.

Als der junge Mann kam, um unsere fast unberührten Teller abzuräumen, fragte er mit einem dämlichen Lächeln: »Hat's
geschmeckt?« »Nein, es war grauenhaft«, gab ich zuckersüß
zurück. Ebenso zuckersüß erwiderte er: »Sonntags ist hier

immer ziemlich viel los.« Immer noch zuckersüß sagte ich: »Wir werden auch an keinem anderen Wochentag wiederkommen.«

Wir aßen und tranken uns im Kino an Popcorn und Cola satt. In den folgenden neunzig Minuten sah ich säuerlich zu, wie Kermit und Miss Piggy auf der Schatzinsel herumturnten, doch hin und wieder wandte ich den Kopf und betrachtete die reizenden Gesichter meiner beiden Enkelkinder, die gebannt auf die Leinwand schauten. Ich war glücklich, mit ihnen hier sein zu können. Und ich schwor mir, in Zukunft eine bessere Großmutter zu sein. Ich würde ihnen Robert Louis Stevensons Meisterwerk, *Die Schatzinsel*, vorlesen, wenn wir nach Hause kamen. Ich würde das verdammte Briefmarkenalbum verräumen, den Geist von der Diele im ersten Stock verscheuchen und, zu guter Letzt, drei große Kartoffeln im Ofen backen.

Die Touristin

So starb er: Er ging in Marias Taverne, um wie üblich seinen Kaffee zu trinken. Dann ging er aufs Feld, um nach seinen Schafen zu sehen, schaute in seinem Laden vorbei, ging nach Hause, da er sich nicht wohl fühlte, setzte sich aufs Sofa und starb.

Das letzte Mal, als ich den Lebensmittelhändler lebend sah, war ich in seinem langen, dunklen Laden, um eines dieser blauen Plättchen zu kaufen, die man in einen elektrischen Mückenstecker einlegt, sowie eine Dose Milchpulver und eine knallige, rosa-und-weiße Strandmatte. Er fuhrwerkte im Laden herum, wie er es immer tat, und brummte dabei auf Griechisch vor sich hin. Er hatte eine Stimme wie rostige Nägel. Auf der Strandmatte stand kein Preis, und auch nicht auf den anderen, ähnlichen Matten im Laden. Er rief einer Frau im Hinterzimmer etwas zu, und die Frau rief zurück. Für englische Ohren klang es wie der ultimative Ehekrach, doch ich wusste, dass er wahrscheinlich nur gefragt hatte, was die rosa-und-weiße Badematte kostete. Und dass ihre Antwort vermutlich ein schlichtes, »Weiß auch nicht, Liebling« gewesen war.

Alles an ihm war knochig: die Nase, die Stirn und die Gliedmaßen – mit den Ellbogen hätte er Käse schneiden können. Ich spreche kein Griechisch, von den aller grundlegendsten Höflichkeitsfloskeln einmal abgesehen, und so signalisierte er mir mimisch seine Ratlosigkeit, indem er die Schulterblätter bis zu den Ohren hochzog. Ich signalisierte meinerseits, dass ich bereit war zu zahlen, was er verlangte: Auf der Insel Skyros gilt es als selbstverständlich, dass jeder ehrlich ist.

Er ging hinter den abgenutzten Ladentisch und zog ein dickes, eselsohriges Buch aus einem Regal. Er blätterte energisch darin herum. Schließlich fand er die gesuchte Seite und ließ seinen dürren, braunen Finger in einer Spalte nach unten gleiten. Mir fiel auf, ohne dass ich danach gesucht hätte, dass das Datum am oberen Rand der Seite auf 1991 endete. Er schüttelte den Kopf und schleuderte das Buch unter die Theke zurück. Dann nahm er die Strandmatte zur Hand und inspizierte sie eingehend. Im nächsten Augenblick war er plötzlich auf der Straße und fragte die Passanten, ob sie den Preis wüssten. Alte schwarzgekleidete Frauen stellten ihre mit Auberginen und Zwiebeln gefüllten Einkaufstaschen ab und begutachteten die Strandmatte. Im Nu versammelte sich eine kleine Menschenmenge, und jeder einzelne trug seinen Teil zur Diskussion bei. Zuletzt wurde ein kleiner Junge zum Krämerladen den Hügel hinunter geschickt. Er kam mit der Information zurück, dass die Matte 250 Drachmen kosten sollte. Der Lebensmittelhändler schrieb den Preis für mich auf eine braune Papiertüte und ich bezahlte, dankte ihm und ging.

Zwei Tage später sah ich ihn wieder, als er in einem offenen Sarg auf Schulterhöhe einer getragen wurde. Sein knochiger, edler Kopf war eingerahmt von frischen Blumen. Jemand hatte ihm das Gesicht rasiert, so dass die Haut ungewöhnlich weich und glatt aussah. Das Begräbnis des Lebensmittelhändlers war ein großes, öffentliches Ereignis im Städtchen Skyros. Er war ein sehr beliebter Mann gewesen, und so blieben Geschäfte und Läden an diesem Vormittag geschlossen. Seine Söhne und Töchter eilten von Athen herbei, um rechtzeitig für die Beerdigung da zu sein (auf Skyros müssen die Toten binnen vierundzwanzig Stunden beerdigt werden, da es keine Möglichkeit zur Aufbewahrung von Leichen gibt). Scharen trauernder Leute aus dem Ort säumten die Hauptstraße und warteten darauf, dass der Sarg an ihnen vorbei und den Berg hinunter zum Friedhof getragen wurde.

Auf einmal kamen drei Frauen und drei Männer, ganz offensichtlich Touristen, den Hügel herauf spaziert. Sie blickten sich neugierig um, anscheinend höchst vergnügt. Eine der Frauen war blond und trug Shorts und ein rosarot und weißes Bikini-Oberteil. Offensichtlich wollte sie sich um keinen Preis ihre nahtlose Bräune verderben, denn ihre Bikini-Träger hingen lose herunter, so dass ihre Brüste entblößt waren. Es war ein wirklich schockierender Anblick. Eine Freundin von mir, eine reizende Dame in ihren Sechzigern, ging quer über die Straße zu ihr hin und sagte in freundlichem Ton: »Hier findet gleich eine Beerdigung statt.« Die Blondine hatte ein T-Shirt am Gürtel hängen, und meine Freundin bedeutete ihr, sich doch damit zu bedecken. Doch die Blondine (eine Engländerin) rief nur aufgeregt ihren Begleitern zu, »Hier gibt's gleich eine Beerdigung«, und ging noch einen Schritt vor, um besser sehen zu können, wodurch sie selbst auch noch weiterhin sichtbar war.

Bis zum letztmöglichen Augenblick, als der Sarg in Sicht kam, dachte ich, sie würde sich vielleicht doch noch besinnen und ihr T-Shirt anziehen. Doch sie tat es nicht, und so gingen der Priester und die Jungen, die heilige Gegenstände trugen, die weinenden Söhne und Töchter des Lebensmittelhändlers und all die Freunde, die ihn geliebt und geschätzt hatten, an dieser Engländerin vorbei, die so wenig Respekt für ihre Toten zeigte. Ich sah, wie ihre Blicke erschrocken zu der entblößten rosaroten Haut hinüberwanderten, sah den Abscheu in ihren Augen, während mir hinter meiner Sonnenbrille die Tränen kamen und ich mich am liebsten bei den Angehörigen des Lebensmittelhändlers entschuldigt hätte für die fürchterliche Respektlosigkeit, die die Engländerin ihrem kleinen Ort gegenüber zeigte. Als sich die Menge verlaufen hatte, schlenderte die Frau die Straße entlang, ohne sich um die Beleidigung zu scheren, die sie den höflichen und freundlichen Menschen von

Skyros zugefügt hatte. Mein einziger Trost war der Anblick ihrer roten, sonnenverbrannten Haut, als sie sich entfernte: Wenn sie sich nicht bald etwas überzog, schoss es mir durch den Kopf, dann würde sie heute Abend einen äußerst schmerzhaften Sonnenbrand haben. Doch ich hatte nicht die Absicht, sie zu warnen. Ganz ehrlich, von mir aus sollte sie ruhig in der Hölle schmoren.

Mangel an Ideen

Ich bekomme immer wieder Briefe, in denen Leute mich fragen, wo ich meine Ideen herbekomme. Fast bin ich versucht, ihnen zu antworten (wie es John Cleese einmal gemacht hat): »Ich kaufe sie bei einer verschrumpelten alten Frau gleich um die Ecke.«

Wenn nur die verschrumpelte alte Frau existierte. Ich wäre da, würde vor ihrer Tür stehen, würde mich mit anderen verzweifelten Schriftstellern, denen die Ideen ausgegangen sind, ganz vorne in der Schlange drängeln. Weil ich nämlich – am besten mache ich gleich reinen Tisch – nicht die geringste Ahnung habe, worüber ich diesen Monat meine Kolumne schreiben soll. Es ist ein grauer Tag in einem faden Monat, und mir ist in letzter Zeit nichts Aufregendes widerfahren. Mir sind die Ideen ausgegangen und ich fühle mich in meiner eigenen Gesellschaft gelangweilt. Jemand hat einmal gesagt: »Schreiben ist ganz leicht. Man muss dazu nur so lange auf ein leeres Blatt Papier starren, bis einem die Stirn blutet.«

Sie denken jetzt vielleicht, das ist Unsinn, aber ich glaube, ich spüre schon den ersten Tropfen Blut. Es ist nicht so, dass ich durch irgendwelche Vorgaben meines Redakteurs eingeschränkt wäre. Wenn ich sagen wollte, dass John Major mich an Postman Pat erinnert, dass die Handelsbeschränkungen der USA gegen Kuba aufgehoben werden sollten, oder dass der Schulunterricht an die jungen Leute heutzutage verschwendet ist, dann dürfte ich das sagen. Der Redakteur ist kein Despot, der seine Kolumnisten dazu benutzt, seine extremen politischen Ansichten zu propagieren – »Heute das *Sainsbury*-Magazin, morgen die ganze Welt!«

Ich bin einmal nach Russland gefahren – das war noch bevor Kommunismus zum Schimpfwort wurde – und dort mit einer Gruppe regierungskonformer Schriftsteller zusammengetroffen. Das war vielleicht eine traurige Truppe. Es war vollkommen klar, dass keinem von ihnen je die Stirn geblutet hat. Ich frage mich, wie die wohl jetzt ihren Lebensunterhalt verdienen, in den Zeiten des Post-Kommunismus? Gut möglich, dass sie inzwischen Kriminelle sind, wo doch Kriminalität im Moment die Wachstumsbranche Nummer eins in der ehemaligen Sowjetunion ist.

Gute Schriftsteller und gute Kriminelle haben übrigens mehr gemeinsam, als man meinen könnte. (Mit guten Kriminellen meine ich jetzt natürlich solche, die gut sind in ihrem Job.) Beide sind gescheiterte Existenzen, beide geben zehn Prozent ihres Einkommens an einen Hehler ab (der Hehler eines Schriftstellers heißt »Agent«). Und beide studieren und erforschen menschliche Schwächen. Da ich selbst eine törichte, gutgläubige Natur bin, stehe ich mit je einem Bein in beiden Lagern. Ich hätte leicht auf diesen Betrug hereinfallen können, über den ich vor ein paar Jahren einmal gelesen habe. Es lief ungefähr so ab: In fetten schwarzen Lettern stand da:

Wollen Sie so reich werden, wie Sie es in Ihren kühnsten Träumen nie zu hoffen wagten? Aber natürlich wollen Sie!!!!!

Dann ging es, in etwas kleineren Buchstaben, wie folgt weiter:

Ich besitze ein Penthouse in London, eine Villa in Marbella, ein Motorboot, drei Autos der Spitzenklasse. Ich trinke jeden Tag Champagner. Ich kaufe meine Anzüge in der Savile Row …

Mit diesen Prahlereien ging es endlos so fort, bis schließlich, fast ganz am Ende, in großen Buchstaben stand:

Doch ich arbeite nur einen Tag die Woche!!!!!!

(Nur so am Rande bemerkt, ein Ausrufezeichen ist ja schon schlimm genug, doch wenn Sie sechs davon entdecken, dann ist dies ein untrügliches Zeichen dafür, dass entweder ein Teenager oder ein Krimineller dahintersteckt.) Ganz am unteren Rand hieß es dann, sinngemäß:

Senden Sie £ 5 ein. Genau! Nur £ 5! Und finden Sie heraus, wie ich meinen traumhaften Lebensstil finanziere. Adresse: Rikki Bauernfänger, Unit One, Kray Way, Maxwell Industrial Park, Bentchester.

Hunderte naiver Dummköpfe schickten Geld – in bar, als Scheck oder per Postanweisung – an Rikki Bauernfänger und warteten gespannt auf die Antwort. Und, das muss man Rikki zugute halten, das Antwortschreiben kam wenige Wochen später. Und was stand drin? Im Inneren der selbstadressierten Umschläge lag ein Blatt Papier mit einem einzigen, schlichten Satz darauf:

Machen Sie es wie ich.

Teuflisch gerissen, nicht wahr? Ich frage mich, wo Rikki seine Ideen herbekommt. Ich bin gerade von dem Tisch aufgestanden, an dem ich zu arbeiten versuche, und ein bisschen im Zimmer auf und ab gewandert, so wie man es von werdenden Vätern in Schwarzweißfilmen kennt. Mein Blick blieb an der Zeitschrift *Hello!* hängen (man beachte das Ausrufezeichen), die zufällig auf dem Tisch lag, weil ich sie vor kurzem an der Tankstelle gekauft hatte. Ich habe sie noch nie zuvor gekauft, ehrlich, ich schwör's, doch das Titelblatt war unwiderstehlich. Prince Ed-

ward steht darauf neben seiner Verlobten, Sophie. Er ist mit
einer Art Bettlaken bekleidet, sie als Ritter (obwohl ich jede
Wette eingehe, dass der graue Rolli, den sie unter ihrem Wams
trägt, von Marks & Spencer ist).

Eben habe ich beim Herumblättern zufällig entdeckt, dass
Edward und Sophie zu den tausend geladenen Gästen der
Kostümparty eines vulgären Aristokraten zählten (die Gratis-
werbung, seinen Namen zu nennen, bekommt er von mir nicht
geliefert). Es muss dem Blaublütigen ja ziemlich die Laune verdorben haben, dass sein hyperschrilles Kostüm es nicht auf die
Titelseite geschafft hat, wo es doch von einem Star aus der
Opernszene entworfen und in einer Kunstakademie zusam-
mengebastelt worden war. Bestimmt hat er getobt und gewütet
angesichts dieser redaktionellen Linie, nach der dröge, laken-
umhüllte Royals den Vorzug vor purer blaublütiger Selbstdar-
stellung erhalten.

Jedenfalls, falls es da draußen irgendwelche verschrumpelten alten Frauen gibt, die Ideen verkaufen, bin ich höchst
interessiert. Sie können aus dieser Kolumne ersehen, wie verzweifelt ich bin.

Die verlorene Tasche

Kürzlich wanderte ich, im schneidenden Wind fröstelnd, im Amsterdamer Rotlichtbezirk herum. (British Airways hatte es geschafft, die Tasche mit meinem warmen Pullover zu verlieren.) Die spärlich bekleideten Mädchen in den Schaufenstern hatten tragbare Heizgeräte neben sich auf dem Boden stehen, schienen aber auch damit noch zu frieren. Wie sie es schafften, dabei nach schwüler Erotik auszusehen, dass muss wohl eine berufliche Fertigkeit sein, die an jede neue Rekrutin weitergereicht wird.

Manchmal konnte man an den Mädchen vorbei einen Blick auf das Bett erhaschen, auf dem sie andere berufliche Fertigkeiten ausübten. Ich war ganz gerührt davon, wie nüchtern und sauber diese Betten wirkten, und ich wagte mir gar nicht erst vorzustellen, was die Mädchen wöchentlich fürs Wäschewaschen ausgeben mussten. Jedes Bett und Kopfkissen war mit weißen Laken bezogen. Die Mädchen sahen wie richtig nette Mädchen aus, solche, die man zu seinem lieben alten Onkel zum Tee mitbringen könnte, ohne dass es ihn zu sehr erregen würde.

Einige der Mädchen lasen Bücher (ich glaube, das Geschäft ging zäh an diesem Abend), andere hatten eine Näharbeit auf ihrem nackten Schoss. Eine in Latex gekleidete Sirene stützte sich auf einer mit Troddeln verzierten Peitsche ab und unterhielt sich lachend mit ihrer Freundin, die sich für Baby-doll-Look entschieden hatte (wobei ich erst noch den Spielzeugladen sehen will, der Babydolls mit weißen Strümpfen und Strumpfbändern verkauf). Es wirkte alles eigentümlich unschuldig.

Ein Schaufensterbummel im Rotlichtbezirk wird nach einiger Zeit ziemlich langweilig. Man sieht immer wieder die gleichen Waren in der Auslage: dieselben rosaroten Plastik-Phalli, dieselben Fläschchen mit Liebestrank zum Einnehmen oder Einreiben und dieselben schwarzen Lackleder-Stöckelschuhe mit Fünfzehn-Zentimeter-Absätzen. Ich war schon nahe daran, mir ein Paar dieser Schuhe zu kaufen (meine eigenen hochhackigen waren in derselben Tasche wie der warme Pulli, in der Obhut von BA). Ich hatte es satt, ständig meine plumpen turnschuhähnlichen Schuhe zu tragen. Doch ich kam noch rechtzeitig zur Besinnung. Dieses Kopfsteinpflaster, du meine Güte!

Am nächsten Tag erkundigte ich mich an der Hotelrezeption, ob meine verlorene Tasche abgeliefert worden sei. Ich blieb auf Distanz zu der Rezeptionistin, da mir sehr wohl bewusst war, dass ich nach drei Tagen in denselben Kleidern … nun ja, … riechen musste. »Nein«, entgegnete sie. Ich hatte mir inzwischen eine Zahnbürste und Zahnpasta vom Hotel unter den Nagel gerissen, doch es war zu bezweifeln, ob die auch eine Notfallgarderobe für Gäste anboten, denen ihr Gepäck abhanden gekommen war. Es gab nur einen Ausweg. Ich musste neue Kleider kaufen. Und es würde dieser ach so seltene Fall sein: ein Einkaufsbummel ohne schlechtes Gewissen!

Es folgte ein Augenblick reinsten Glücks. Ich sortierte aufgeregt meine Kreditkarten und machte mich auf den Weg zu den Kaufhäusern. Meine gute Laune erhielt einen leichten Dämpfer, als ich sah, dass die Gehsteige von Bettlern gesäumt waren. Ich verteilte großzügig meine Gulden, doch der Anblick von so viel menschlichem Elend setzte meiner Begeisterung ziemlich zu. Und so war eben doch wieder ein bisschen schlechtes Gewissen dabei, als ich durch die Drehtüre in die parfümierte Wärme eines Kaufhauses eintrat.

Ich ging auf die Damenabteilung im zweiten Stock und versank sogleich in einem Alptraum endloser Wahlmöglichkeiten. Ständer an Ständer vollgehängt mit reizenden Kleidern breiteten sich vor meinen Augen aus, und ich schwöre, verehrter Leser, dass ich mir jede Größe, jede Marke, jedes Preisschild eines jeden einzelnen Kleidungsstücks, das ich auch nur in Erwägung zog, angesehen habe. Als ich wieder auf die Uhr blickte, traute ich meinen Augen nicht. Ich war ganz offensichtlich in eine Art schwarzes Kaufhausloch gefallen, war in einer anderen Dimension umhergewandert: Zwei Stunden waren vergangen, und immer noch trug ich meine muffelnden, drei Tage alten Klamotten.

Erschöpft und verwirrt schlug ich mich zum Café auf derselben Etage durch. Es war voll von Frauen wie mir. Alle hatten wir diesen abwesenden Gesichtsausdruck, der besagt, dass wir gerade im Geiste das Inventar unseres Kleiderschranks durchgehen.

Ich spreche kein Holländisch, doch ich weiß, dass der erste Posten auf einer holländischen Speisekarte immer die Suppe ist. Also deutete ich, als die Bedienung kam, einfach auf das oberste Wort und versank dann wieder in meinem Denksport. Würde die ärmellose orange Steppjacke, die ich gesehen hatte, unter die schwarze Lederjacke passen? Usw., usf. …

Die Suppe kam in einer Schüssel so groß wie das gelbe Blinklicht an einem Zebrastreifen. Sie war voller Fleischklößchen und Knödel sowie sämtlicher Gemüse, die auf Erden wachsen. Dazu wurde ein halber Meter französisches Weißbrot serviert. Ich bedankte mich, doch die Bedienung war noch nicht fertig. Sie kam wieder, diesmal mit einem Teller voller Käseschnitze aus aller Herren Länder (ich könnte schwören, einer davon war ein Red Leicester) und dazu einer Schüssel Salat, die groß genug war, um ein Baby darin zu baden. Als nächstes kamen ein dreistöckiger Apfelkuchen und ein Kännchen Sahne. Zum Schluss kam der einzige Menüpunkt, den ich mit Freude zur Kenntnis nahm: ein Glas Champagner.

Als sie meinen erschreckten Blick bemerkte (Was kommt wohl als nächstes? Ein Schweinskopf? Ein Ochse am Spieß?), erklärte sie mir in gebrochenem Englisch, dass ich das Mittagsmenü bestellt hatte. Sobald sie mir den Rücken kehrte, ließ ich ein paar der Käsestücke in meiner Handtasche verschwinden, doch der Tisch ächzte noch immer unter der Last der aufgetragenen Speisen, und was eigentlich als ein zehnminütiges Päuschen geplant gewesen war, entwickelte sich zu einer einstündigen Zwangsernährung.

Dann ging ich zurück in die Damenabteilung und kaufte die orange Steppweste. Sie passt tatsächlich unter die Lederjacke, doch sie ist nicht besonders warm und reicht mir nicht über den Po, und als ich nach England zurückkam und aus dem Zugfenster blickte, sah ich eine ganze Horde von Gleisarbeitern der Bahn, die orange Westen ganz ähnlich der meinen trugen. Zu ähnlich. Und an allem ist British Airways Schuld.

Weihnachten in Tobago

Ich weiß, es ist erst April, aber ich habe Ihnen noch nicht von unserem Weihnachten in Tobago erzählt. Wir packten unsere Koffer während einer Weihnachtsfeier (nur der engste Familienkreis – niemand sonst hätte das Nebeneinander von Plätzchen und Insektenschutzmittel auf dem Tisch hingenommen).

In der vorhergehenden Woche hatte ich die Rohfassung eines neuen Buches abgeschlossen, ein Drehbuch für einen Film überarbeitet und Weihnachtseinkäufe gemacht, bis ich hirntot war. Es war eine eigenartige Weihnachtsfeier: Meine Schwester bügelte edelmütig meine Urlaubsgarderobe, während ich meine Weihnachtsgeschenke aufmachte – einen riesigen Strohhut von einer meiner Töchter, einen Sarong von einer anderen.

Die Abflughalle am Flughafen Gatwick erinnerte an mittelalterliche Darstellungen der Hölle, auf denen die armen Seelen in wildem Tohuwabohu in ewigen Folterqualen schmoren. Zwar stocherte niemand mit einer dreizackigen Gabel auf uns ein, doch man fütterte uns erst mit falschen und dann mit gar keinen Informationen, bis wir in einem Stadium völliger, hilfloser Abhängigkeit waren, wie die abgestumpfte Bevölkerung eines totalitären Staates. Wenn ich in Gatwick das Sagen hätte, dann würde ich an die Leute in den Check-in-Warteschlangen Gratisdrinks verteilen und irgendeine Art von Live-Unterhaltung bieten. Schauspieler könnten sich in die Schlangen ein-

reihen und nach festem Drehbuch einen Familienzwist auf-
führen – irgendetwas Deftiges, was unser aller Aufmerksamkeit bannen würde, bis wir plötzlich an die Reihe kämen und am
Check-in-Schalter entdeckten, dass unser Reisepass zu Hause
auf dem Kühlschrank lag.

Auf der Gangway standen wir in einem Wind, der so
beißend kalt war, dass es weh tat, die Augen aufzumachen. Als
ich es dennoch wagte, erwartete ich schon fast, vor mir einen vor
Kälte zitternden Eisbären zu sehen. Acht Stunden später stiegen wir in Tobago eine andere Gangway in warmem Sonnenschein wieder hinunter, während um uns herum *Jingle Bells* auf
Blechtrommeln erklang. Lächelnde einheimische Frauen
schenkten uns zur Begrüßung Karibik-Bier, das wir mit in die
Ankunftshalle nehmen durften. Biedere Briten, Frauen wie
Männer, ließen auf einmal ihre knirschenden Hüften schwingen,
und die Erinnerungen an Gatwick verblassten allmählich.

Ich war zum Arbeiten gekommen – um einen Kurs im
kreativen Schreiben zu leiten. Das Stundenpensum war nicht
allzu anstrengend – drei Stunden pro Vormittag an fünf Tagen
pro Woche, und die Kursteilnehmer waren äußerst nett und
talentiert, was die »Arbeit« sehr erleichterte. Der Unterricht lief
ausgesprochen entspannt ab. Ein paar von uns ließen sich auf
Liegen nieder, andere saßen auf diesen weißen Plastikstühlen,
die ganz allmählich die Welt erobern. Die Terrasse war schat-
tig, und anstelle einer Kaffeepause genehmigten wir uns ein
Bier und eine kurze Abkühlung im Swimmingpool. Wir brachten uns gegenseitig zum Lachen, und ich war wieder einmal
fasziniert und begeistert davon, was schreibende Menschen
mit ein klein wenig Ermunterung und trotz ganz knapper Zeit
zustande bringen konnten. An Material fehlte es nicht: Tobago
ist außerordentlich schön: bergig, mit einem Regenwald im
Landesinneren und einer verblüffenden Vielfalt an Bäumen.
Das Klima ist wunderbar abwechslungsreich: In einer halben
Stunde kann man heißen Sonnenschein, dicke Wolken und

sturzbachartigen Regen erleben. Und so hatten die Briten ausgiebig Gelegenheit, sich über ihr liebstes Thema, den Regen zu unterhalten.

Mein Mann mietete den übelsten Jeep auf der ganzen Insel: Der Boden hatte Löcher (Air-Conditioning, nannte mein Mann das), einen Gecko als Bewohner und eine nicht vorhandene Federung. Ich fragte meinen Mann, ob er beim Wegfahren von der Autovermietung schallendes Gelächter aus deren Büro vernommen hatte. »Nein«, sagte er. »Die lachten schon, als ich hinkam.« Das mag daran gelegen haben, dass sein Strohhut während des Flugs eine eigenartige Form angenommen hatte und jetzt aussah wie etwas, was sich Miss Marple auf den Kopf pflanzen würde, während sie beim Nachmittagstee eines Dorfpfarrers herumschnüffelte.

Wir machten ein paar herrliche Ausflüge auf den steilen, mit Schlaglöchern übersäten Straßen. Alle paar Sekunden erfreute wieder etwas Neues das Auge: verlassene Strände, eine hübsche Kuh, die an ein Schild angebunden war, auf dem stand, »Es ist verboten, Kühe hier anzubinden«, ein Kolibri, Pelikane, die nach Fischen tauchten, winkende Kinder.

Tobago ist ein Entwicklungsland, und Wasser aus Leitungen ist an manchen Orten noch immer ein Luxus. Viele Menschen füllten sich an Wasserhähnen am Straßenrand Container ab, die sie dann den Berg hinauf zu ihren Häusern schleppten. Überall ertönte Musik. Noch das abgelegenste Dorf schien über eine Soundanlage zu verfügen, die eher in die Royal Albert Hall gepasst hätte als in die kleinen Hütten, aus denen der Klang kam.

Im offiziellen Touristenführer wurde man gewarnt, keine Anhalter mitzunehmen, doch wir ignorierten diesen Ratschlag. Der allererste, den wir mitnahmen, war ein Mann mit feurigen Augen und einer Machete über der Schulter; er war unterwegs zu einer Kokosnuss-Farm. Ein anderer Anhalter war ein Feuerwehrmann auf dem Weg zur Arbeit, fünfzehn Meilen von seinem Dorf entfernt. Wir nahmen eine junge Mutter mit Baby nach Scarborough, in die Hauptstadt, mit, damit sie dem Vater ihres Kindes sagen konnte, dass er ihr entweder den Unterhalt zahlen oder zwei Wochen ins Gefängnis gehen könne.

Das Schönste an Tobago sind die Menschen. Ihre Freundlichkeit, ihr Humor und ihre wunderbar höflichen Umgangsformen haben mich so beeindruckt, dass ich zurück möchte – am liebsten gleich. Mit dem nächsten Flieger sozusagen.

Küche mit Mobiles

Die verdammte Küche ist daran Schuld, dass wir uns überlegen, ob wir umziehen sollen. Wir leben seit fünfzehn Jahren in dieser Küche, ohne sie je ganz fertiggestellt oder gar geschmückt zu haben. Und weil sie sich also in einem provisorischen Zwischenstadium befindet, ist sie allmählich zu einem Lagerraum für alte Möbel und kitschigen Wohnungsschmuck geworden. Der jüngste Zuwachs in dieser Sammlung ist ein aufblasbares, ein Meter hohes Modell von Munchs »Der Schrei«, das ich bei einer Tombola gewonnen habe. Dieses hässliche Ding erschreckte zunächst meine Enkelkinder, obwohl die sich rasch daran gewöhnt haben, und inzwischen grüßen es die Kleinen mit einem lässigen Winken. Fremde reagieren allerdings auch ziemlich verschreckt. Wir hatten kürzlich einen Polizisten im Haus (fragen Sie nicht), und ich sah, wie er zusammenzuckte, als er von seinem Notizblock aufsah und plötzlich »Der Schrei« drohend von der Wand über dem Kühlschrank zu ihm herabschaute.

Die Decke in der Küche hängt voller Mobiles, die die Kinder über die Jahre hinweg gekauft haben. Das letzte ist ein Mitbringsel aus Teneriffa vom August 1996 und besteht aus ungefähr dreißig Holzpapageien, alle in leuchtenden Farben. Außerdem stehen in der Küche ein übervolles Bücherregal, Spielzeugkisten, ein Sofa und zwei über und über vollgestellte Anrichten. Mein ältester Sohn blickte sich einmal in der Küche um und stellte fest: »Dieses Zimmer enthält mehr Gegenstände als der Menschheit bekannt sind.«

Heute Morgen entschloss ich mich, ein paar dieser Gegenstände wegzuschaffen. Ich spazierte mit einem leeren Karton in der Hand in der Küche umher, nahm eine kleine Flasche von einer der Anrichten, schraubte sie auf und roch daran. »Was dagegen, wenn ich das Aftershave hier wegwerfe?«, fragte ich meinen Mann. »Ja«, sagte er. »Das Aftershave ist ein Ingwerlikör, den ich aus Tobago mitgebracht habe.«

Das nahm mir ein wenig den Wind aus den Segeln und erinnerte mich daran, dass meine Sehkraft inzwischen rapide am Schwinden ist. Ich lache auch nicht mehr über die Cartoons von Mr Magoo, dem kurzsichtigen, reichen Alten, der immer überall anstößt. Ich selbst bin inzwischen Mrs Magoo, die sich fragt, warum das neue Shampoo nicht schäumen will, bis sie schließlich feststellt, dass es Festiger ist. Mit der Enthaarungscreme schlitterte ich auch nur haarscharf an einem Desaster vorbei. Ich hatte schon etwas aus der Tube auf meine Zahnbürste gequetscht und merkte meinen Fehler erst im letzten Augenblick. Zwar habe ich mir noch keine Zahnpaste unter die Arme geschmiert, aber ich bin mir sicher, der Tag wird kommen. Warum verwenden die Hersteller keine schwarzen, fettgedruckten Lettern auf ihren Döschen und Tuben? Und ist es nicht endlich mal an der Zeit, dass jemand eine Brille mit Scheibenwischer erfindet, damit man sie auch in der Badewanne tragen kann? Ich würde es ja selber machen, aber ich bin gerade ziemlich beschäftigt.

Doch zurück zu der verdammten Küche. Genau dort sitzen alle immer am liebsten. Die Leute mögen das gemütlich-exzentrische Durcheinander. Ich mag es allerdings nicht mehr. Ich bin seit neuestem eine Bewunderin des Minimalismus. Ich wünsche mir, in ein schönes, leeres Haus mit nur den allernötigsten Möbelstücken zu ziehen.

Die Küche dieses Hauses böte einen kargen Anblick. Der einzige erlaubte dekorative Gegenstand darin wäre ein großes modernes Gemälde. Sorgfältig ausgewählte Kochutensilien würden in strengen Linien im Regal stehen. Das einzige, was von der Decke hängen dürfte, wären Halogenstrahler, die die leere Arbeitsfläche beleuchten. Die dreißig grellbunten Papageien müssten woanders auf ihren Stäbchen hocken. Kinderspielzeug würde aus der Küche verbannt, ebenso wie modische Lampen, Elvis-Presley-Uhren, Plastiktulpen, der Sack mit den verwaisten Socken und das Sofa. Der Kater dürfte herein, allerdings nur, weil er ins Farbschema passen würde (er ist schwarz und weiß), doch sein Korb und sein Fressnapf müssten draußen bleiben.

Ich sehe mich vor mir, wie ich in diesem nüchtern-kahlen, weißen Raum hantiere, elegant schwarz oder weiß gekleidet, und einfache, aber nahrhafte Gerichte für meine Familie zubereite. Natürlich wäre die Familie selbst gar nicht da – wie sie pausenlos über *The Archers* im Radio schimpfen und lästern, Fruchteis am Stil auf den weißen Boden tropfen und ständig irgendwelches Obst aus der Obstschale essen. Nicht in dieser Küche. Sie wären längst geflohen und hätten die Elvis-Uhr und die Papageien mitgenommen.

Meine neue Küche hätte überhaupt keine Obstschale. Diese grellen Farben der Früchte – igitt! Also, wie gesagt, wir sind womöglich am Umziehen.

Mein Mann hat die Immobilienmakler der Gegend köstlich amüsiert, als er ihnen unsere Wünsche faxte. Ich zitiere: »Grundstück mit Wasser – See/Fluss/Flüsschen/Weiher/Bach – und von Mischwald umgeben«.

Ich muss jetzt raten, aber ich glaube, mein Mann hat sich vorgestellt, mit einem Boxer an seiner Seite durch den Mischwald zu wandern. Ich habe ihn kürzlich, als er gerade einmal einen Tiefpunkt hatte (das war um 3.30 Uhr morgens), gefragt, ob er wirklich, bei klarem Verstand und aus voller Seele, einen Hund wolle, und er wachte richtig auf und schwärmte von den Vorzügen des Boxers gegenüber anderen Rassen. Und so wandert er also in seiner Fantasie durch unseren Wald und genießt unseren See/Fluss/Flüsschen/Weiher/Bach, während ich in der weißen Küche in etwas Fahlem auf dem Hi-Tech-Herd rühre und auf seine Rückkehr warte. An diesem Punkt kollidieren unsere jeweiligen Vorstellungen, da ich auf keinen Fall erlauben könnte, dass ein sabbernder Hund mit schlammigen Pfoten in meine Fantasieküche getappt käme. Nein – der Boxer müsste draußen in einem minimalistischen Zwinger mit einem Designer-Fressnapf hausen.

Selbstverständlich wird nichts dergleichen je eintreten. Wir werden auch nächstes Jahr noch in derselben Küche sitzen, samt dem »Schrei« und der Elvis-Uhr und den dreißig hängenden Papageien.

Faulenzer

Ich musste irgendwohin, wo ich an der dritten Fassung meines Buchs, *A Man Walking His Dog*, arbeiten konnte. Ich habe ein Arbeitszimmer zu Hause und ein Büro etwa zwei Meilen von zu Hause weg, doch in beiden fällt es mir zunehmend schwerer zu arbeiten (immer öfter schauen Leute auf ein Schwätzchen herein). Ich musste allein an einen Ort, wo mich keiner kennt, wo ich draußen sitzen und zu jeder Unzeit arbeiten kann. So bin ich unlängst in Barbados gelandet.

Ich ging in ein Reisebüro und sagte, ich müsse für vierzehn Tage irgendwohin, wo es warm ist. Der Angestellte drückte ein paar Tasten auf seiner Computertastatur, und sofort tauchte Barbados auf dem Bildschirm auf. Der Preis für ein Flugticket hin und zurück betrug 300 Pfund. »Das nehme ich«, sagte ich. Es war eine Rekordtransaktion.

Noch Tage vorher hatte ich an Barbados kein gutes Haar gelassen. Mein Mann und ich saßen auf der Rückreise von Tobago nach einem Zwischenstop am Flughafen von Barbados im Transitbereich fest. Andere Passagiere verbrachten ihre Zeit damit, sich Smaragde zu kaufen und um Essen und Trinken anzustehen. Ich dagegen sehnte mich nur nach einer Zigarette (tausend Flüche auf diese Flughäfen, die uns Rauchern auch noch unsere eigene kleine verqualmte Ecke vorenthalten).

Ich war nicht gerade beeindruckt von den britischen Besuchern in Barbados. Zwar muss ich zugeben, dass ich sie nur

durch eine Glasscheibe hindurch sah, doch es schien unter ihnen
einen hohen Prozentsatz von Oberst-sowieso-mit-Gattin-Typen
zu geben. Ein Pärchen – er trotz der unerträglichen Hitze im
blauen Blazer, sie in einem Laura-Ashley-Kleid und Hut – trug
die Nasen ganz besonders hoch. Vielleicht litten sie ja beide
an einer seltenen Krankheit, die es erfordert, dass sie ihre
Nasenlöcher hoch in die Luft recken – falls ja, ist ihnen mein
Beileid sicher – doch der Eindruck, den sie erweckten, wie sie
so hinter dem Gepäckträger hermarschierten, der ihren enormen Gepäckberg schob, war der des hochnäsigen Briten im
Ausland.

Ich habe mir geschworen, nie dorthin zu reisen. Ich habe
einen Horror vor Orten, an denen sich solche Typen versammeln. Ich stelle mir vor, wie ich in ihrer Gesellschaft festsitze: Er
erzählt mir in der Hotelbar seine endlosen Geschichten von
der Armee, sie gesteht mir am Strand, dass er ein brutaler, ge-
fühlloser Macho ist und sie ihn am liebsten verlassen würde.
Selbstverständlich könnte nichts dergleichen wirklich passieren, da ich im Urlaub mit niemandem außer den Barkeepern
und den Kellnern spreche (und mit meinem Mann natürlich,
wenn er mit dabei ist).

Aber wie dem auch sei, ich flog jedenfalls zum Arbeiten
nach Barbados. Als ich zurückkam, fragten mich alle, wie es
denn war dort. »Ich weiß nicht«, musste ich gestehen. Ich sah
nur die unmittelbare Umgebung meines Hotels, des Shangri-
La, und vielleicht eine Meile herrlichen Strand, und das war's
auch schon. Jeden Abend war ich um halb sieben auf meinem
Zimmer, duckte mich vor den Moskitos und bereitete mir eine
Mahlzeit aus Corned Beef, Gemüsereis und Ananas. Den Rest
des Abends verbrachte ich sitzend im Bett und überarbeitete
mein Buch.

Jeden Morgen ging ich in dem kärglich bestückten Supermarkt in Sichtweite des Hotels Einkaufen und deckte
mich wieder mit Corned Beef, Gemüse etc. ein. Allerdings

war dies, trotz der relativ kurzen Distanz, alles andere als ein einfaches Unterfangen: Es gab allerlei Hindernisse auf dem Weg dorthin. Auf der gegenüberliegenden Straßenseite stand ein großer Baum mit breitem Stamm, auf den in weißer Farbe »Faulenzen verboten« geschrieben war. Im Schatten des Baums saßen, auf einer niedrigen Mauer, eine Sammlung von Faulenzern, tendenziell junge, gutaussehende Männer. Die Mauer war spitz und steinig, weshalb die Männer Schaumstoffstücke zum Draufsitzen dabei hatten, um das Faulenzen komfortabler zu machen. Sobald sie eine Frau entdeckten, die allein des Weges kam, zogen sie ein weiteres Schaumstoffstück hervor und luden sie ein, sich neben sie zu setzen. Wenn man das Sitzpolster ablehnte und einfach weiterging, rannten sie hinter einem her und riefen einem nach: »Relax mal 'ne Runde, Lady.«

Dabei schwenkten sie das übrige Sitzpolster verlockend in der Luft, als ob es sich um ein unbezahlbares Stück Goldbrokat handelte. Ich kann Ihnen sagen, dass manch eine britische Single-Frau dem reizvollen Angebot nicht widerstehen konnte und später gesehen wurde, wie sie den diversen Faulenzern im Hotel und am Strand Drinks und Essen kaufte. Ich kann nur spekulieren, was wohl des Nachts passierte, da ich ja, wie schon gesagt, zu dieser Zeit bei Corned Beef, Reis und Dosenananas auf meinem Zimmer saß (jawohl, alles auf einmal auf demselben Teller; die Sitten verlottern leicht, wenn man längere Zeit allein ist).

Es war schon verdammt ärgerlich damals, das ständige Spießrutenlaufen an den Faulenzern vorbei, doch sie wurden nie beleidigend, und ich muss gestehen, dass manche der Bemerkungen, die sie einem hinterherriefen, ganz nett waren.

»Hey, Susan!« (Ja, ich habe ihnen in einem schwachen Augenblick meinen Namen gesagt.)

»Hey, toller Gang, Lady.« Und: »Du hast echt Stil, Lady.«
Doch die Worte, die mir am deutlichsten in Erinnerung blieben, sind die vom Oberfaulenzer, Peter.

»Du solltest dich mal 'nen Augenblick hinsetzen und 'ne
Pause machen, Susan. Es gibt noch mehr im Leben als Arbeit,
weißt du.«

Vorführmodelle

Kürzlich habe ich mir im Fernsehen die Regional-Nachrichten angesehen (für gewöhnlich ein schauderhaft komisches Erlebnis). Es kam eine Sendung über Leicester, in der angeblich Passanten in der Fußgängerzone von Leicester befragt wurden. Doch Adlerauge Townsend entdeckte, dass es gar nicht die Innenstadt von Leicester war, die man da sah, sondern eine Straße in Nottingham. Unsere Stadtzentren sehen ja alle völlig gleich aus. Das einzige Erkennungszeichen, das Leicester von anderen Städten unterscheidet, ist sein Uhrturm, und ich erwarte im Grunde täglich, dass er in einen Sicherheits-Wachturm verwandelt wird, mit Wachtposten auf dem Wehrgang, die nur darauf lauern, jeden festzunehmen, der beim Singen, Rauchen oder lautem Lachen auf der Straße erwischt wird. Es ist schon ein freudloses Geschäft, das Dasein als Konsument – wo man doch weiß, dass man nur aus einem einzigen Grund in der Stadt erwünscht ist – seines Geldes wegen.

Meine Waschmaschine ist jetzt schon seit zwei Wochen kaputt. Die schmutzige Wäsche türmt sich wie die Flugzeuge über Heathrow. Doch ich bringe es einfach nicht fertig, in ein Geschäft zu gehen und mir wieder einmal sagen zu lassen, dass sie nur das Vorführmodell da haben. Und dass sie mir, obwohl Tausende Male die Tür der Waschtrommel aufgerissen und sämtliche Schalter gedrückt und das Waschmittelfach auf- und zugeschoben wurde, keinen Preisnachlass gewähren können. Ich möchte die Waren, die ich mir kaufe, gerne am selben Tag mit nach Hause nehmen und kann einfach nicht darauf warten, bis sie mir von einem Lagerhaus auf den Äußeren Hebriden geliefert werden. In den vergangenen Monaten habe ich einen Reiskocher, einen Toaster, einen Fernseher und ein Videogerät gekauft, alles Vorführmodelle. Ist dies ein ganz unglaublicher Zufall, oder haben die großen Elektronik-Einzelhandelsketten klammheimlich ihre Lagerhäuser abgeschafft?

Kürzlich wählte ich in einem großen Kaufhaus ein Mobiltelefon aus der Vitrine. Der Verkäufer sagte: »Ich sehe gleich nach, ob wir es auch vorrätig haben.« Mit einem liebenswürdigen Lächeln sagte ich: »Sie haben keines und werden gleich zurückkommen und mir sagen, dass ich das Vorführmodell kaufen muss.« In kürzester Zeit war er wieder da und sagte … Nun, Sie wissen ja, was er sagte, und ich habe keine Lust, es noch einmal auszuschreiben.

Also wasche ich meine Hände in Unschuld. Mein Mann hat heroische Anstrengungen unternommen, die Waschmaschine zu reparieren (die zwei Wochen nach Ablauf der Garantiezeit ihren Geist aufgab). Er hat sogar einen Bilderhaken aus Messing zu einer Unterlegscheibe für die Schraube umgebogen, die irgend so ein verdammtes Ding an dem Riemen festmacht, der die Trommel dreht. Doch trotz seiner Mühen weigerte sich die selbstgebastelte Unterlegscheibe, sich mit der Schraube zu verbünden. Die erwachsenen Kinder, die in diesem Haus wohnen, kommentierten es mit ausgiebigem zynischen Augenrollen, als mein Mann ein weiteres Mal zähneknirschend die Rückseite der Waschmaschine herunterriss. Sie leben im Zeitalter der Wegwerfgesellschaft.

Ich mache mir Vorwürfe, dass ich nicht mit besserem Beispiel vorangegangen bin – das letzte Mal, als ich eine Socke stopfte, muss ungefähr zur Zeit der Mondlandung gewesen sein. Dabei hat es durchaus etwas Befriedigendes, Wäsche von Hand zu waschen und im Garten zum Trocknen aufzuhängen. Es bereitet mir großes Vergnügen, die nasse Wäsche auf der Leine hängen und sich in der steifen Brise bauschen zu sehen. Wobei ich allerdings sagen muss, dass mir ein ordentlicher Wodka-Tonic noch mehr Vergnügen bereitet. Inzwischen stehe ich morgens auf und hoffe auf Wind, fast schon wie ein Segelschiffkapitän bei Flaute.

Als die Kinder klein waren, konnte ich mir keine Waschmaschine leisten. Damals ließ ich die Badewanne mit warmem Wasser voll laufen, gab Waschmittel dazu und ermunterte meine Kinderarbeiter, auf der Wäsche herumzustampfen. Die Szene hätte aus einem Dickens-Roman sein können. Doch die Kinder schienen Spaß daran zu haben (Fernseher hatten wir damals auch keinen), und ihre Füße wurden nicht einmal richtig sauber dabei. Wenn die Wäsche einmal auf der Leine hing, dann blieb sie da oft drei oder vier Tage lang. Schließlich wurde sie abgenommen und ins Haus gebracht und verwandelte sich dort umgehend in ein Monstrum namens Bügelwäsche. Ich frage mich, wie viele Leute wirklich je bis auf den Boden ihres Korbs mit der Bügelwäsche vorgedrungen sind. Ich zumindest weiß genau, dass es in meinem Korb ganz unten etwas gibt (eine Bluse oder etwas derartiges, mit Tupfen und Rüschen), was dort seit den Tagen liegt, als Cliff Richard den Grand Prix Schlagerwettbewerb gewann.

Ich stehe auf Kriegsfuß mit all meinen Haushaltsgeräten. Der Staubsauger bekommt schon einen Tobsuchtsanfall, wenn er etwas aufsaugen soll, was minimal größer als ein Fingernagelschnipsel eines Säuglings ist, und erstickt fast daran. Das Bügeleisen ist im Klimakterium und verbrennt mir mit seinen Hitzewallungen die Wäsche. Der Geschirrspüler überzieht alles heimtückisch mit einem Belag aus verwässertem Kartoffelbrei. Und der Trockner hat etwas gegen Luftaustausch mit seiner Umwelt, so dass nach stundenlangem Gerumpel die Wäsche genau so feucht herauskommt wie sie hineinkam.

Ich weiß, ich werde irgendwann nachgeben und mich doch wieder in einen trostlosen, windigen Industriepark schleppen, um eine neue Waschmaschine zu kaufen. Falls Sie etwas lesen von einem Verkäufer, der von einer Kundin reiferen Alters angegriffen wurde, weil er sagte, »Ich fürchte, wir haben nur das Vorführmodell hier, Madam«, dann wissen Sie, dass ich das war.

Gute Ratschläge

In Reichweite auf meinem Schreibtisch liegt, während ich hier schreibe, ein windschiefer Turm unbeantworteter Briefe. Mindestens die Hälfte davon stammt von Schulkindern, die von ihren Lehrern ermuntert wurden, einem Autor zu schreiben. Diese Kinder arbeiten an irgendwelchen Projekten und haben spezifische Fragen, auf die sie sich Antwort erhoffen. Die meisten ihrer Fragen sind ziemlich gängig: Wie lange haben Sie dafür gebraucht? Wo bekommen Sie Ihre Ideen her? usw. Doch hin und wieder werde ich auch gefragt: Haben Sie einen Rat für mich?

Ich selbst hasse es, wenn mir jemand einen Ratschlag erteilt. Wenn ich gerade dabei bin, mich an einem seltsamen Ort mit dubiosen, mir fremden Menschen in ein törichtes Abenteuer zu stürzen, dann ist das Letzte, was ich hören will, dass ich lieber zu Hause bleiben und vernünftig sein soll. Ich bemühe mich auch, selbst niemals wohlmeinende Ratschläge zu erteilen. Die Leute mögen das nicht. Ich weiß nicht mehr, wie oft ich schon Frauen gedrängt habe, ihre schwachsinnigen, machohaften, fiesen und faulen Ehemänner zu verlassen. Diese Frauen haben mir unter herzzerreißendem Schluchzen vom tagtäglichen Horror ihres Lebens mit der Bestie erzählt. Aber wenn ich dann sagte, »Verlass ihn«, haben sie mich vorwurfsvoll angesehen und erwidert: »Wie könnte ich? Ich liebe ihn doch!«, und sind nach Hause getrabt, um seine widerlichen Unterhosen zu bügeln.

Genauso nutzlos ist es, den eigenen Kindern Ratschläge zu erteilen: Ich vermute, es gibt da ein physiologisches Problem mit dem akustischen Wahrnehmungsapparat, das Kinder an ihrem dreizehnten Geburtstag befällt. Ich habe dieses Phänomen schon mehrmals beobachtet.

Es läuft folgendermaßen ab: Ein Elternteil redet, gibt dem Kind gute Ratschläge zu Bildung, Kleidung, den richtigen Freunden usw., und sofort fällt eine Vorrichtung – eine Hautfalte vielleicht – vor dem Innenohr herunter und sperrt sämtliche Geräusche aus. Der Erwachsene redet weiter (verantwortlicher Umgang mit Sex ... bla ... Kondom ... bla ... nein zu Drogen ... bla bla bla ...) und das Kind nickt und gibt vor zuzuhören, obwohl es in Wirklichkeit kein einziges Wort versteht.

Eine andere, gegen jegliche Ratschläge immune Gruppe sind kochende Männer, die Kräuter und Gewürze als Ersatz für Testosteron betrachten. Wenn in einem Rezept von einem Lorbeerblatt die Rede ist, dann werfen sie sechs davon hinein. Wenn Fernsehköchin Delia ein paar Rosmarinzweiglein empfiehlt, dann reißen sie den ganzen Busch aus und werfen ihn samt Wurzeln und Erdreich auf den Lammbraten. Einwände sind sinnlos. Man wird höchstens noch beschuldigt, sie in ihrem intuitiv-kreativen Kochstil zu hemmen, und wird aus der Küche verwiesen.

Auch an Gärtnern perlt ein vernünftiger Ratschlag meist chancenlos ab. Einmal hörte ich, wie eine Frau im Gartencenter einen runzeligen alten Gärtnerveteran fragte, ob sie Lavendel im tiefen Schatten pflanzen könne. »Oh nein«, sagte er und nannte ihr eine lange Liste von Pflanzen, für die Schatten der Himmel auf Erden ist. »Ich versuch's trotzdem«, entgegnete sie und lud sich für fünfzehn Pfund todgeweihten Lavendel in ihren Einkaufswagen.

Mir geben Leute ständig Ratschläge. Sie raten mir, langsamer zu machen und nicht so viel zu arbeiten. Im selben Atemzug versuchen sie dann paradoxerweise, mich dazu zu überreden, in ein Fitnessstudio zu gehen.

Ich habe einen Horror vor Turnhallen. Er stammt noch aus meiner Schulzeit, als wir stämmige Mädels, noch mit dem Babyspeck auf den Schenkeln, uns in hässlichen marineblauen Höschen über das Pferd hieven mussten – diese Turnhosen waren vermutlich das unvorteilhafteste Kleidungsstück, das je getragen wurde. Und Volkstanz fand auch in der Turnhalle statt.

Dabei mussten wir Mädchen zum knisternden Klang einer alten Schellackschallplatte mit Heißassa-Liedchen im Stil einer jungen Dorfmaid tanzen. Wenn auch die Musik unschuldig war, die meisten von uns Mädchen waren es nicht mehr. Wir schmolzen in glühender Verehrung für Elvis dahin, toupierten uns die Haare auf und hatten die einschlägigen Seiten in *Lady Chatterleys Liebhaber* gelesen.

Wenn damals die Abfolge der Tanzfiguren durcheinander geriet, dann war es unweigerlich meine Schuld. Ich hatte schon immer ein Problem damit, Anweisungen zu befolgen. Unsere Sportlehrerin – eine stämmige Frau in Turnhemd und ausgestellter kurzer Hose – rief mir im Kasernenton die Schrittfolgen zu, doch ich konnte meine Füße einfach nicht dazu bringen, sie richtig umzusetzen. Ich machte »heißa«, wenn es ein »hopsassa« sein sollte.

Daher werde ich auch keinem Fitnessclub beitreten. Ich werde mir auch weiterhin meine Bewegung so verschaffen, wie ich es immer getan habe. Es heißt Spazierengehen und bietet den wunderbaren Vorteil, dass man dabei die Vorgärten der Nachbarn bewundern und durch die Fenster in ihre Wohnzimmer spähen kann.

Einen Ratschlag habe ich allerdings immer schon bereitwillig erteilt und werde dies auch weiterhin tun: Lest Bücher. Bücher sind billig (gebrauchte besonders), unterhaltsam, erhellend, tragbar und brauchen keine Batterien.

William Brown

Mein Mann ist gerade von einer Reise nach Island zurückge-
kehrt. Er schwärmte uns von den Wundern des Landes vor,
den Naturwundern ebenso wie den menschengemachten: Gey-
sire, die in regelmäßigen Intervallen heißes Wasser in die Luft
speien; uralte Gletscher; die Tatsache, dass ein großes Glas Bier
zehn Pfund kostet. So richtig horchte ich allerdings erst auf, als
er mir erzählte, dass 99 Prozent der isländischen Bevölkerung
des Lesens und Schreibens mächtig sind. Wenn isländische Schulen solch spektakuläre Resultate erzielen können, warum dann
nicht auch unsere britischen? Laut einer Statistik der Basic
Skills Agency, die landesweit den Analphabetismus bekämpft,
hat jeder sechste Brite Lese- und Schreibschwierigkeiten.

Ich finde, es ist unser gutes Recht zu fragen, warum so
viele Kinder die Schule verlassen, ohne ihre eigene Sprache
richtig schreiben und lesen zu können (und das nach elf Jahren Pflichtunterricht). Einmal erklärte mir eine Dame – aus der
Mittelschicht und selbst höchst belesen: »Lesen und Schreiben
ist nicht alles. Wir sollten lernen, die Menschen um ihrer selbst
willen zu schätzen, schließlich haben sie noch andere Fähigkeiten.« Das war in einem Zentrum für Leute mit Lese- und
Schreibschwächen, in dem sich zahllose Erwachsene mit Hilfe
ihrer Tutoren abmühten, ihrer eigenen Sprache mächtig zu werden. Ein paar der Leute dort waren in ihren Siebzigern und
hatten ihr ganzes Leben lang zu verheimlichen versucht, dass sie

weder lesen noch schreiben konnten. Einige ihrer Ausflüchte waren genial. Ein Mann wickelte sich immer eine Bandage um die rechte Hand, wenn er ein Formular ausfüllen musste. Andere, gängigere Ausreden waren: »Ich habe meine Brille nicht dabei« oder »Ich habe meine Kontaktlinsen verloren« oder »Meine Schrift ist so unleserlich«.

Ich lernte selbst erst spät lesen und kann deshalb die Panik sehr gut nachempfinden, die einen befällt, wenn man auf eine Seite voller unverständlicher schwarzer Hieroglyphen starrt. Ich fürchtete mich immer ganz schrecklich davor, von meiner Grundschullehrerin zum Lesen aufgerufen zu werden. (Die Lehrerin war so gemein und sadistisch, dass mein Hirn sich schon bei ihrem bloßen Anblick schlagartig in Haferbrei verwandelte). Das Lesen lernte ich schließlich, als ich eine Zeit lang nicht in der Schule war. Ich musste drei Wochen wegen Mumps zu Hause bleiben (übrigens, was ist überhaupt aus Mumps geworden? Der scheint ausgemerzt worden zu sein, genau wie Eiterflechte und Wachstumsschmerzen). Meine Mutter brachte mir von einem Flohmarkt Richmal Cromptons William-Kinderbücher mit nach Hause, und ich war so fasziniert von den Zeichnungen, dass ich unbedingt wissen wollte, was darunter geschrieben stand. Meine Mutter las sie mir vor, und als ich schließlich wieder in die Schule zurück musste, konnte ich die Bücher auf einmal selbst lesen.

Für alle jene, die die William-Bücher nicht kennen, erkläre ich wohl besser, was so faszinierend an ihnen ist. Sie beginnen in den 1930er Jahren, als William Brown ein elfjähriger Junge ist (er wird auch nie älter, obwohl er ständig Geburtstag feiert). Er lebt mit seinen Eltern in einem Dorf auf dem Lande. Seine Mutter, Mrs Brown, ist eine langmütige Frau mit einer Neigung zu Kopfschmerzen. Mrs Brown bringt es einfach nicht fertig, Schlechtes von William zu denken, obwohl er weiß Gott täglich Beweis genug dafür liefert, dass er der Alptraum aller Eltern ist. Mr Brown ist ein ständig gereizter Mann. Jeden Tag fährt er mit dem Zug in die Stadt. Im Gegensatz zu seiner Frau ist er fest davon überzeugt, dass William eine Ausgeburt des Teufels ist. Oft wird Mr Brown, wenn er abends nach Hause kommt, vom Dorfpolizisten begrüßt.

William ist der Anführer einer Gang namens »The Outlaws«, die Gesetzlosen, aber er ist kein böser Junge. Obwohl man zugeben muss, dass er mit seinem Katalog an Vergehen – Einbruch, Kidnapping, Betrug, Brandstiftung – heutzutage in der Obhut der Jugendfürsorge landen würde. Ja, wahrscheinlich wäre er gar in einer Sicherheitseinrichtung für kriminelle, gestörte Kinder weggesperrt. Die Bücher sind wunderbar subversiv und haben ein reichhaltiges, schillerndes Vokabular. Der Leser sieht die Erwachsenenwelt durch die Augen von William und entlarvt sie, wie William selbst, als eine verwirrende, heuchlerische Welt.

William Brown hasste die Schule und bekam ständig Ärger. Und nach den Briefen zu urteilen, die er immer schrieb (meistens Lösegeldforderungen), hatte er ziemlich mit Rechtschreibung und Interpunktion zu kämpfen. Mein literarischer Held ist nie erwachsen geworden, doch ich hoffe, dass ein guter Lehrer da draußen in der fiktiven Welt der Romane und Geschichten Geduld mit ihm gehabt hat und er lesen und schreiben konnte, als er die Schule verließ. Denn ich fürchte, dass Williams »andere Fähigkeiten« – Aufrührertum, Faustkämpfe – ihn nicht ausreichend für das Erwachsenendasein ausgestattet hätten. Außer natürlich, er hatte die Absicht, der Fremdenlegion beizutreten, bei der die einzige Eingangsvoraussetzung ist, dass die Bewerber vier Gliedmaßen besitzen.

Gute Lehrer sollten von der Gesellschaft hoch geschätzt werden. Wir sollten ihnen mehr bezahlen und aufhören, ständig auf ihre langen Ferien eifersüchtig zu sein. Langweilige, unfähige Lehrer, sollten schon ausgesiebt werden, bevor sie die Lehrerausbildung beenden. Auf keinen Fall sollte man erlauben, dass sie mit ihrem üblen Einfluss kleinen Kindern das Leben schwer machen. Eine meiner Töchter weinte wochenlang jeden Abend, weil sie Angst vor der »schreienden« Lehrerin hatte.

Millionen von Jobs sind inzwischen unwiederbringlich verschwunden. Die arbeitslosen Menschen sind jedoch noch da, und es ist nur fair, dass sie, wenn sie schon in erzwungenem Nichtstun zu Hause sitzen müssen, wenigstens die Möglichkeit haben, ein Buch in die Hand zu nehmen und es zu lesen.

Stonehenge

Stonehenge hat mich schon immer fasziniert. Als ich es zum ersten Mal sah, war ich zwölf. Damals war es noch möglich, zwischen den Steinen herumzuwandern und sie, grusel, grusel, tatsächlich anzufassen. Leute machten Picknicks inmitten des Steinkreises, und nachts fanden, jedenfalls laut *News of the World*, auch noch andere, weniger unschuldige Aktivitäten dort statt.

Heute ist alles ganz anders. Stonehenge hat jetzt ein Besucherzentrum, das von der English-Heritage-Stiftung unterhalten wird. Alles ist sehr geschmackvoll und wohlorganisiert und unbefriedigend. Ein Maschendrahtzaun trennt den Steinkreis von der nahen Straße ab, so dass die einzige Möglichkeit, halbwegs dicht an die Hinkelsteine heranzukommen, darin besteht, einem gelangweilten Teenager in einem grünen Hüttchen £ 3,75 zu bezahlen und durch ein Drehkreuz und einen Tunnel unter der Straße hindurch zu gehen. Im Inneren des Tunnels lagen haufenweise Mobiltelefone – danach sah es jedenfalls aus – mit lauter bunten Flaggen aus der ganzen Welt dran herum. Mein Mann wühlte sich durch das Angebot und fand schließlich den Union Jack. Er drückt auf »Play«, und ein Gentleman mit diesem englischen Teeplantagenbesitzer-Akzent, den man heutzutage kaum noch hört, kläffte Wissenswertes über Stonehenge durch den Hörer, eingebettet in eine Geräuschkulisse aus Knistern und Rauschen.

Weiter drin im Tunnel kamen wir an einer Wandmalerei vorbei, auf der primitive Menschen Steine über eine Ebene zogen. Ich will mich ja nicht als Oberwandmaler aufspielen, aber ehrlich gesagt sah diese Wandmalerei aus, als ob die primitiven Menschen höchstpersönlich einen Stock in diverse Flüssigkeiten – Sumpfwasser, Schafsdung, Tierblut – getaucht hätten und sie, ähm … primitiv an die Wand gekleckst hätten. Schließlich kamen wir aus dem Tunnel hervor, und da lagen die Steine im Sonnenlicht schwimmend und Schatten werfend im saftig grünen Gras.

Sie waren mit einem niedrigen Seil ringsum abgesperrt, und ich verspürte einen unwiderstehlichen Drang, einfach über diese symbolische Barriere hinweg zu springen und zum Steinkreis zu laufen. Doch da ich nicht gerade vor einem internationalen, mit Kameras bewaffneten Publikum von Wächtern des English Heritage Fund weggeschleppt werden wollte, verkniff ich mir meinen Wunsch und tappte brav hinter den anderen Touristen drein. Den Teeplantagenbesitzer schalteten wir kurzerhand ab. Die meiste Zeit war er sowieso nicht zu verstehen, und wenn wir etwas aufschnappten, dann klang es, als ob Schundromanautorin Barbara Cartland und Shakespeare zusammen die Textvorlage verfasst hätten. Kein Wunder, dass die Amerikaner alle so verdattert aussahen.

Wir kamen nur langsam voran. Alle paar Meter mussten wir stehen bleiben, um nicht jemandem ins Foto oder in den Videofilm zu tappen. Ich nehme inzwischen meine Kamera kaum noch irgendwohin mit. Für mich ist sie nur noch ein verdammtes Ding mehr, das man verlieren oder das einem geklaut werden kann. Ich weiß, ich weiß, im hohen Alter werde ich es bereuen, dass ich nicht im Fotoalbum blättern und jene magischen Momente meines Lebens noch einmal heraufbeschwören kann. Aber ich baue darauf, dann noch ein Erinnerungsvermögen zu haben. Wenn ich jetzt die Augen schließe, dann sehe ich immer noch die herrlichen Steine vor mir (allerdings waren wir auch erst letzte Woche dort).

Wir gingen wieder durch den Tunnel zurück und am Souvenirladen vorbei. Mein Mann packte mich am Arm. »Geht es dir nicht gut?«, fragte er. »Du bist einfach am Souvenirladen vorbeigegangen.« Ich blickte ins Schaufenster und sah einen Stapel kleiner Teddybären, die Stofffetzen mit Leopardenmuster trugen und, so vermute ich, den primitiven Menschen darstellen sollten. In einem zweiten Fenster waren andere Bären in der Auslage, die English-Heritage-Sweatshirts samt gelbem Abzeichen trugen. Ich finde, es sollte einen Verein zum Schutz von Teddybären geben. Sie werden von der Tourismusindustrie rücksichtslos ausgebeutet. Sie müssen unter schockierenden Bedingungen arbeiten, mit dem Gestank von Potpourri-Duftkissen in ihren wolligen Nasen und dem Klingeln der elektronischen Kassen im Ohr.

Zögernd folgte ich meinem Mann in den Laden. Er war in großzügiger Stimmung. »Magst du ein Paar Stonehenge-Ohrringe?«, fragte er, eifrig um mich bemüht. Ich schenkte ihm ein eisiges Lächeln und schlug das freundliche Angebot aus. An den Kassen standen lange Schlangen. Eine Japanerin hatte anscheinend die Absicht, fünf Gläser englische Marmelade – Prädikat »Olde English« – nach Japan zurück zu schleppen. Ein dicker Amerikaner hatte sich einen riesigen Stonehenge-Lutscher ausgesucht, den er gierig betrachtete und wahrscheinlich im Laufe des Abends auf seinem Hotelzimmer verschlingen würde. Ich verließ den Laden mit leeren Händen, was ich für einen Meilenstein in meiner persönlichen Entwicklung hielt. Mein Lebensziel ist es, nur zu kaufen, was ich wirklich brauche. Leider nur brauche ich immer noch ziemlich viel.

Später saßen wir an einem Picknicktisch mit Blick auf ein eingezäuntes Feld mit Schafen. Ein Schaf rannte los, quer über das Feld, und alle anderen folgten – bis auf ein einziges, das den Kopf durch den Zaun steckte. Schafe sind unglaublich dumm, aber das hier sah völlig zurückgeblieben aus und noch dazu selten hässlich. Und noch ehe man »Schlaf Kindlein schlaf«

anfangen konnte, war der wollige Schafskopf auch schon von einer Phalanx von Touristen umrundet, die sein hässliches Konterfei auf Film und Fotos bannten. Ich schwöre, dieses Schaf hielt sich für Prinzessin Diana. Es war ganz eindeutig süchtig nach Ruhm, denn erst als die Touristen wieder in ihre Busse gestiegen waren, konnte es sich von dem Zaun losreißen und gesellte sich zu seinen Artgenossen am anderen Ende der Wiese.

Schrecklicher Supermarkt

Vor kurzem machte ein neuer Supermarkt (*nicht* Sainsbury's) bei uns in der Nähe auf. Ich war zu der Zeit nicht da, doch meine Kinder, die in Sachen Lebensmitteleinkauf immer top informiert sind, hatten ihm bereits einen Besuch abgestattet. Sie rieten mir, mich ja warm anzuziehen. Es war ein brütend heißer Tag, die Sonne ein auf Leicester gerichteter Schweißbrenner, doch ich gehorchte und zog mir brav eine lange Hose und eine Weste an. Meine zweijährige Enkelin Fin und ihr Vater begleiteten mich.

Wir stiegen aus dem Auto. Fin sagte: »Schau … Dinosaurier«, und zwar in vollkommen sachlichem Ton, als ob es ganz normal wäre, dass Dinosaurier samstagnachmittags auf Supermarkt-Parkplätzen herumlungerten. Doch das Kind hatte Recht. Da war ein Dinosaurier, angebunden an einem Fahrradständer, gerade so als ob sein prähistorischer Besitzer nur eben mal schnell in den Laden gesprungen wäre, um einen Fladen aus mit Mühlsteinen gemahlenem Getreide mitzunehmen.

Um die Ecke kam ein drei Meter sechzig großer Mann. Fin blickte ohne mit der Wimper zu zucken zu ihm hoch. »Hallo«, sagte er und grüßte sie mit einem Lüpfen seines Huts. »Hallo, Mann«, erwiderte sie ungerührt trotz seiner seltsamen Stelzenbeine. Ein kleiner weißer Hund mit karierter Fliege und Melone trank Wasser aus einer Schüssel neben den Eingangstüren. Fin schaute mit ernstem Blick zu. Inzwischen erwartete ich, dass die Regale von Marsmenschen eingeräumt würden oder Gorillas an der Kasse stünden, und fragte mich, ob Fin dies dann immer noch als Bestandteil eines ganz normalen Einkaufs hinnehmen würde. Dann fiel mir wieder ein, dass ja alle Zweijährigen verrückt sind. Es gehört zu ihrem eigenwilligen Charme. Fins wertvollstes Besitztum ist im Augenblick eine Postkarte mit einem grinsenden Schwein, das durch ein Fenster schaut.

Wir gingen nach drinnen und fanden uns in der Antarktis wieder: grelles, weißes Licht und niedrige Temperaturen. Wenn uns eine Horde Pinguine im Gang entgegengekommen wäre, hätte mich das auch nicht gewundert. Ich zog meine Strickjacke fester um mich und schaute mitleidig auf die anderen Kunden und Kundinnen, die größtenteils zitternd in ihren Shorts und ärmellosen T-Shirts umherwanderten. Ein paar verrückte Frauen trugen gar Bikinioberteile, als ob sie nur eben mal vom Strand hereinschauen würden.

Ich finde, ein Supermarkt steigt und fällt mit der Frische seiner Obst- und Gemüsewaren, und dieser hier fiel ziemlich tief. Es war ein wahrer Bungeesprung fauliger Tomaten und welker Maiskolben. Ich schnappte mir den letzten Bund trübe dreinblickender Frühlingszwiebel und lauschte mit gespitzten Ohren einer Unterhaltung zwischen zwei leitenden Angestellten in Anzügen, die sich zum Umsatz ihrer ersten Woche beglückwünschten. Sie standen mit dem Rücken zu einem Berg weicher Kartoffeln, aus denen ominöse grüne Triebe sprossen. Das sprichwörtliche Bild von Nero, der auf seiner Geige spielt, während Rom brennt, schoss mir durch den Kopf.

Meine Schläfen pochten inzwischen, was immer ein Zeichen ist, dass ich gleich *etwas sagen* werde. Meine Kinder fürchteten diese Momente. Eine meiner Töchter schaudert noch heute beim Gedanken daran, wie ich einmal in einem Bus ein paar Halbstarke aufforderte, nicht so herumzufluchen. (Es hat nichts geholfen. Ihre Sprache wurde nur noch ausfälliger, und die anderen Leute im Bus sahen mich vorwurfsvoll an, so als ob *ich* etwas Unverschämtes gesagt hätte.)

Ich schob meinen Einkaufswagen von den selbstgefälligen Filialleitern und dem Geruch fauligen Obsts und Gemüses weg und nahm mir stattdessen die Frischfleischtheke vor. Ich fragte einen freundlichen jungen Mann, ob sie Lammleber hätten. Er schien noch nie davon gehört zu haben. Ich wunderte mich schon, ob Lammleber wohl inzwischen abgeschafft worden war, so wie Halbe-Kronen-Münzen und Heißmangeln. Er bot mir Schweineleber als Ersatz an, doch die sah einfach *zu* sehr nach Innereien aus; zu sehr, als ob sie gerade eben erst frisch aus dem armen kleinen Schweinchen entnommen worden wäre. Ich schwöre, sie pulsierte noch auf der Platte da, und so lehnte ich ab. Inzwischen waren wir fünfzehn Minuten in dem Supermarkt, und meine Hände und Füße waren Eisklötze. Ich hatte nur noch den Wunsch, meinen Einkaufswagen abzugeben und in die Sonne hinaus zu laufen. Fins Bäckchen hatten ihre hübsche zartrosa Farbe verloren und einen blassblauen Schimmer angenommen.

Doch ich hielt durch. Wir schritten den Laden ab und gingen zur Kasse, vorbei an dem Mann auf Stelzen, der sich zu den Regalen herunterbücken musste, um seine Einkäufe zu erledigen. Sein Einkaufskorb erzählte von einer einsamen Existenz: Tiefkühl-Fertiggerichte für eine Person, ein kleiner Laib Brot, eine Packung Instant-Suppe.

Während Fin nun schon zum zweiten Mal zur Toilette begleitet wurde, half mir ein Junge beim Einpacken. Ich benötigte seine Hilfe auch dringend, da ich mich außerstande sah, die hauchdünnen Plastiktüten aufzumachen. Es war schon wieder ein Augenblick der pochenden Schläfen. Um ein wenig Konversation zu machen, fragte ich ihn, ob ihm nicht kalt sei in seinem kurzärmeligen Hemd. »Ich habe mich inzwischen daran gewöhnt«, entgegnete er mit der Tapferkeit eines Scott in der Antarktis. Doch die Frau an der Kasse vertraute mir an, dass sie eine langärmelige Thermojacke unter ihrer Angestelltenuniform trug. »Alle beklagen sich über die Kälte hier drinnen«, sagte sie hinter vorgehaltener Hand.

Ich dachte an die garstige Temperatur, die fauligen Tomaten, die selbstgefälligen Filialleiter und die nicht zu öffnenden Plastiktüten und erwog, mich auf den Fußboden zu werfen und einen Tobsuchtsanfall im Stil einer Zweijährigen zu bekommen, doch dann beherrschte ich mich. Fin kam gerade von der Toilette zurück, und sie hätte dies bestimmt nicht gutgeheißen.

Dumme Susan/Kluge Susan

NERVENZUSAMMENBRUCH ZU WEIHNACHTEN
(Ein Duolog)

Personen (in der Reihenfolge ihres Erscheinens):
DUMME SUSAN – eine Frau in ihren Fünfzigern
    (Raucherin)
KLUGE SUSAN – eine Frau in ihren Fünfzigern
    (Nichtraucherin)

[*Dumme Susan durchwühlt eine Schale mit Ohrringen nach
einem kompletten Paar – ein hoffnungsloses Unterfangen.*]
DUMME SUSAN [*zu sich selbst*]: So, dann bin ich also dieses Weihnachten zu Hause in Leicester und stopfe den Truthahn
aus. Heule womöglich noch über dem Scheißding [*sie
seufzt*], wenn ich an letztes Jahr denke, am Strand in Tobago. Hab ich tatsächlich im warmen, türkisfarbenen Meer
gestanden und Champagner getrunken? Hat mein Mann
tatsächlich doch noch gelernt, wie man zu einer Blech-
musikband mit Verstärkern tanzt, oder bilde ich mir nur
ein, dass wir zum ersten Mal seit zweiundzwanzig Jahren
in rhythmischer Harmonie zusammen über die Tanzfläche
schaukelten? Die Probleme mit dem Hotelzimmer sind
vergeben, wenn auch nicht vergessen. Die Dusche, die in
Flammen aufging, die Stromausfälle, die Wasserversor-

gung, die ihren eigenen Willen hatte. Diese ganzen Unannehmlichkeiten haben mir nichts ausgemacht, wobei ich allerdings zugeben muss, dass die Frau in der brennenden Dusche nicht ich war. Ihr fällt es vielleicht schwerer zu vergeben. Wer weiß, vielleicht hat unser Weihnachtstisch dieses Jahr doch noch ein karibisches Motiv.

[*Sie geht im Zimmer auf und ab und rutscht dabei aus ihren violetten Plateau-Sandalen.*]

Ja, ich sehe es schon vor mir. Wir setzen uns an einen Tisch, der mit tropischen Blüten dekoriert ist. Statt der weihnachtlichen Papierhüte tragen wir Sarongs und Blumengirlanden um den Hals. Wir trinken Rumpunsch und essen zum Klang des *Halleluja* auf Blechtrommeln. Ich könnte den Sandkasten der Enkelkinder ins Wohnzimmer schleppen, ein paar Muscheln hineinwerfen, mich reinsetzen, die Augen schließen und mich im Geiste nach Tobago versetzen.

[*Kluge Susan tritt auf*]

KLUGE SUSAN: Okay, okay. Das reicht jetzt wirklich. Hör auf damit und atme ein paar Mal tief durch. Halt! Ich meinte damit nicht, dass du noch tiefer an dieser Zigarette ziehen sollst – beruhige dich. Du versinkst nur gerade in deiner üblichen Weihnachtspanik und flüchtest dich in lächerliche Karibikfantasien.

DUMME SUSAN: Okay, Frau Superklug, warum hilfst du mir dann nicht mit Weihnachten und so? Warum hast du dann nicht bis zum 1. Oktober die Geschenke gekauft und eingepackt, rechtzeitig zum 1. November den Truthahn bestellt, und noch vor dem 1. Dezember die Briefmarken für die Weihnachtskarten gekauft? Das wäre doch der kluge Ansatz, oder?

KLUGE SUSAN: Hör bitte auf, mir mit dieser widerlichen Zigarette unter der Nase herumzufuchteln. Und warum trägst du bloß diese idiotischen Schuhe, dumme Susan? Du weißt

doch, dass die dir die Füße verkrüppeln, warum ziehst du
dann keine vernünftigen Schuhe an?

DUMME SUSAN [*mit herzlosem Lachen*]: Weil, du Klugscheiße-
rin, deine Schuhe wie gefüllte Pasteten mit Riemchen dran
aussehen.

KLUGE SUSAN [*schreiend*]: Wenigstens werde ich mit sechzig
noch gehen können, während du dann mit dem Gehgestell
daherkommst.

DUMME SUSAN [*schreiend*]: Wenigstens wird es ein Gehgestell
mit Stil sein. Ich werde mir eins bei Zandra Rhodes an-
fertigen lassen. Es wird Griffe aus Zebrafell haben und
einen eingebauten Aschenbecher …

KLUGE SUSAN: Da, du machst es schon wieder! Reg dich ab!

DUMME SUSAN [*schmollend*]: Also, was willst du nun zu Weihnachten?

KLUGE SUSAN: Eine graue Strickjacke, die man bis oben hin
zuknöpfen kann, sechs Baumwolltaschentücher und eine
Taschenlampe. Was willst du?

DUMME SUSAN: Einen Eimer Bodypainting-Schokolade, eine
Mitgliedschaft in Madam Jo-Jo's Club in Soho und eine
Flasche Parfum von Joy.

KLUGE SUSAN: Du solltest dir lieber einen Stoß Handtücher
wünschen, du Dumme, du hast nicht einen einzigen Satz
gleicher Handtücher im Haus. Ich weiß es, ich hab nämlich
gesucht.

DUMME SUSAN: Und du solltest dir Netzstrümpfe wünschen.
Kannst sie am Ende immer noch benutzen, um den Ro-
senkohl abzugießen.

KLUGE SUSAN: Können wir jetzt vielleicht mal vernünftig reden?
Ich bin vorbeigekommen, um nach deinen Plänen für
Weihnachten zu fragen. Komme ich zu dir oder du zu mir?
[*Sie macht ihre Aktentasche auf und holt ihren elektroni-
schen Terminkalender heraus. Sie drückt auf einen Knopf,
und auf dem Display erscheint »Weihnachtsplanung«.*]

DUMME SUSAN [*bettelnd*]: Mach du dieses Jahr Weihnachten, Klugchen. Ich vergesse sonst wieder, die Postkarten zu schreiben, lasse versehentlich die Innereien im Truthahn, und an meinen Plätzchen beißen sich die Leute die Zähne aus. Bitte! Ich mache es doch jedes Jahr. Jetzt bist du mal dran!

[*Doch es ist schon zu spät. Die Kluge ist schon unterwegs ins Reisebüro, in der Hoffnung, noch eine Last-Minute-Absage auf einem Flug nach Tobago zu ergattern. Sie ist ja nicht blöd.*]

Die Scheiben schreien »Raus!«

Ich habe Ischias und finde keine einzige, erträgliche Sitz-
position, in der ich schreiben könnte. Falls Sie dieses fürchterliche Leiden kennen, dann wissen Sie wovon ich spreche,
wenn ich sage, dass es mir das Wasser in die Augen und
wiederholtes Stöhnen über die Lippen treibt. Außerdem
hat es 1-Kilo-Beutel gefrorener Erbsen auf der Steißbeinge-
gend zur Folge. Ich falle inzwischen jedem mit meinem Rücken
auf die Nerven, und so werde ich nun auch Ihnen, ob Sie wollen oder nicht, die Leidensgeschichte meines kaputten Rückens
erzählen.

Susan Townsend, Arbeiterin auf dem Abenteuerspielplatz,
gibt ihren gesunden Job in frischer Luft auf – Lagerfeuer machen, Baumhäuser bauen, Steinen ausweichen, die von psy-
chisch unausgeglichenen Jugendlichen geschleudert werden –
und startet eine neue Karriere. In den nächsten zwölf Jahren
verbringt sie einen Teil des Tages und einen Großteil der Nacht
damit, sich über einen Schreibtisch zu krümmen und unter
ständigem Termindruck neurotisch vor sich hinzuschreiben.
Währenddessen rebelliert in ihrem Körperinneren, ohne dass
sie es wüsste, ihr Rückgrat. Es lehnt sich gegen die erzwungene
Haltung auf. Es beruft eine Versammlung ein, und nach einem
erbitterten Meinungsaustausch zwischen Wirbelsäule und Bandscheiben, verlassen die Bandscheiben die Versammlung mit
dem Ruf: »Raus! Raus! Raus!«

Townsend wird zum Chiropraktiker gebracht, wo ein Röntgenbild die Bestätigung bringt, dass ihre untere Wirbelsäule sich ganz und gar nicht als Modell eines gesunden Rückens für Medizinstudenten eignet. Nach Behandlungen und längerer Bettruhe als überhaupt erträglich, erlaubt ihre Wirbelsäule ihr, aufzustehen und wieder ihre gekrümmte Daseinshaltung einzunehmen. Townsend klemmt ihren Rücken in Economy-Class-Sitze auf Langstreckenflügen, beugt sich tief über Zugtischchen, um Texte zu überarbeiten, und beschränkt ihre Bewegung auf den kurzen Gang von der Wohnungstür zum Taxi. Inzwischen fängt sie auch ein neues Buch an …

Das Buch heißt *A Man Walking his Dog*. Es ist eine düstere Geschichte über Tod und Verlust. Es gibt absolut nichts zum Lachen darin. Townsends Wirbelsäule fängt an zu grummeln. Sie protestiert jedes Mal, wenn sie vom Stuhl aufsteht, aus einem Auto steigt oder sich bückt, um einen Aschenbecher auszuleeren. Townsend schreibt und redigiert, zerreißt Seiten, kämpft den Drang nieder, ein paar Witze einzustreuen. Abgabetermine für das Manuskript kommen und gehen. Der Verleger, Methuen, wird an Random House verkauft. Townsends Wirbelsäule beschwert sich jetzt lautstark. Townsend kommt zu dem Schluss, dass sie am Schreibtisch nicht arbeiten kann. Sie braucht Café- und Restauranttische zum Arbeiten, am besten in frischer Luft. Zu diesem Entschluss kommt sie im Februar, in England. Jetzt ist ihre Wirbelsäule nicht mehr nur verkrümmt, sondern friert auch noch. Wieder beschwert sie sich lautstark, also fährt Townsend mit ihr nach Barbados, wo die Wirbelsäule wieder einlenkt und Townsend weiterarbeiten lässt.

Das Buch heißt inzwischen nicht mehr *A Man Walking his Dog*. Es führt ein kurzes Dasein als *A Little Death*, doch der Verlag argumentiert, dass Tod zu negativ klingt (und wer könnte da schon widersprechen?) und so wird der Titel schließlich zu *Ghost Children* geändert. Endlich, nach einer wilden Überarbeitungsperiode, in der Tausende von Wörtern getilgt werden (es dauert ziemlich lange, ein kurzes Buch zu schreiben), ist *Ghost Children* fertig. Townsends Wirbelsäule verhält sich erstaunlich ruhig. Townsend fährt auf die griechische Insel Skyros, um im Skyros-Center kreatives Schreiben zu unterrichten, und wird am Ende von einem ihrer Schreibschüler (Alan Clark, gutaussehend und talentiert) durch die Hauptstraße des Dorfs getragen. Sie ist halb im Delirium. Sie wird in Marias Taverne auf drei aneinandergestellte Stühle gebettet, und drei Ärzte, einer für jeden Stuhl, werden gerufen.

Ein Arzt diagnostiziert Hexenschuss, einer eine Nierenentzündung, einer sagt gar nichts. Sie wird in ein Hotel neben dem Krankenhaus der Insel verfrachtet und von Emma, einer ungestümen Neuseeländerin, zu Bett gebracht und betreut.

Nach einer Woche kehrt sie, schwächlich und geschlagen, nach England zurück. Ihre unteren Wirbel winseln. Eigentlich sollte ein Monat für eine Generalüberholung des Hauses freigemacht werden. Förderbänder sollten angefordert werden, um den angestauten Townsend-Müll und Trödel vergangener Jahre und Jahrzehnte wegzubefördern. Altkleidersammlungssäcke sollten mit ihren hässlichen Kleiderfehlkäufen gefüllt werden. Handwerker sollten bestellt werden, um die vom Nikotin vergrauten Wände zu streichen. Ein Raubzug bei Ikea stand auf dem Programm. Doch, leider, es sollte nicht sein.

Townsend liegt den Großteil des Monats nur herum und fühlt sich unwohl. Sie bucht einen Urlaub in Portugal: eine Villa für zwei, mit Swimmingpool und Mietauto, an einer Straße voller Schlaglöcher (die man sich mit Sir Cliff Richard teilt – die Straße, nicht die Villa). Jedenfalls brachte die Straße für die Wirbelsäule das Fass zum Überlaufen, und nach einer weiteren Versammlung riefen die Bandscheiben: »Raus! Raus! Raus!« Wir gingen in den zwei Wochen ganze zweimal an den Strand.

Der Ischiasnerv ist entzündet. Townsend hütet ihr Bett. Der Schmerz ist gemein. Townsend ist nicht tapfer. Sie schreit

und schimpft. Als Invalide ist sie ein ziemlicher Versager. Die
Zeitungen würden nicht gerade von ihrer »Tapferkeit« berichten können. Ihr Mann, der ein ehrlicher Mensch ist, würde niemals sagen können: »Sie hat sich nie beklagt.« Weil ich es nämlich tue – vor allem wenn der Beutel mit den gefrorenen Erbsen auf meinen Rücken geklatscht wird, alle verfluchten zwanzig
Minuten …

Nachmittagsfernsehen

Ich bin immer noch Zuhause und kuriere meinen Rücken aus. Das Haus verlasse ich nur für Termine mit Leuten, die eine medizinische Qualifikation besitzen, oder um mich in einer Maschine, die aussieht, als gehöre sie zum Raumschiff Enterprise Inventar, mit Magnetpartikeln bombardieren zu lassen. Gott sei Dank gibt es Bücher. Meine Lektüre variiert drastisch – mal der neue Roman von Martin Amis, *Night Train* (unbedingt lesen!), mal die Broschüren des Nationalen Vereins für Rückenschmerzengeschädigte (absolut fesselnd).

Meine verschiedentlichen Verpflichtungen und Reisen wurden alle abgesagt. »Albanien? Im Februar?« Der Arzt schüttelte lächelnd den Kopf, und durch seine Augen sah ich ein tristes Szenario: Townsend in Ischias-Agonie in einem albanischen Null-Sterne-Hotelzimmer liegend, wie sie den Schneeflocken zusieht, die durch ein kaputtes Fenster hereinwehen, und nach einer Mini-Aspirin schreit. Andere Leute, meine Familie eingeschlossen, können es sich nur schwer vorstellen, doch ich habe mich tatsächlich darauf gefreut, über Albanien zu schreiben, und ich zog es vor, im Februar dorthin zu reisen, weil im Winter die Findigkeit der Menschen bis an ihre Grenzen beansprucht wird. Ich hatte die Reise auf Einladung einer neuen Hilfsorganisation geplant, »Write Aid«, was so was wie das Äquivalent der Schriftsteller zu »Comic Relief« und dem »Red Nose Day« der Komiker ist, obwohl die einzigen roten Nasen in Albanien wahrscheinlich eine Folge der Kälte gewesen wären.

Allerdings hege ich nicht die Absicht, mich schon als Fall fürs Altenteil abzuschreiben. Ein paar Tage, bevor meine Bandscheiben beschlossen, herauszurutschen und ein wenig an meiner Wirbelsäule entlang zu spazieren, hatte ich mir ein paar violette, samtene, vorne offene Plateausandalen gekauft, und ich habe auch vor, sie wieder zu tragen, und wenn es nur ganz privat bei mir zu Hause ist. Eigentlich, wenn ich mal ganz nüchtern darüber nachdenke, muss ich in diesen Dingern ausgesehen haben wie Schafsfleisch – billigste Ware – in einer Zubereitung als Lammbrust.

Mir fällt gerade etwas ein. Haben womöglich die Plateausandalen die Bandscheiben zu ihrem Spaziergang veranlasst? Ist meine Eitelkeit in Sachen Schuhe womöglich für meinen gegenwärtigen Zustand verantwortlich? Ich gestehe, dass ich zweimal mit den Schuhen umgeknickst bin. Einmal in aller Öffentlichkeit in St. Pancras Station, und einmal in der Umkleidekabine im Kaufhaus. Ist dies also vielleicht ein Fingerzeig der Natur, dass ich mir in Zukunft lieber solide Bequemschuhe kaufen soll? Schon möglich.

Ich war jetzt seit neun Wochen in keinem Geschäft mehr. Neun Wochen! Neun Wochen ohne die Droge Einkauf. Da soll mir noch einer was von Entzugserscheinungen erzählen! Da hat man eben noch ein Sortiment Kreditkarten in der Hand und die Londoner Kaufhäuser in Reichweite für einen Beutezug, und im nächsten Augenblick liegt man auf dem Rücken, unfähig die Seiten eines Ikeakatalogs umzublättern. Trotzdem, ich mache es wie andere Süchtige – in kleinen Etappen. Es ist noch viel zu früh, um meine Einkaufssucht schon als geheilt zu erklären. Genau weiß ich es erst, wenn ich den ultimativen Härtetest bestehe, den K2 des Einzelhandels: Bond Street in London.

In den frühen Tagen meiner Bettlägerigkeit, als selbst das Halten eines Buchs oder einer Zeitung schmerzhaft war, habe ich tagsüber viel ferngesehen. Richard und Judy sind mir dabei richtig ans Herz gewachsen, sie scheinen anständige Menschen zu sein. Doch allzu viele andere Fernsehshows scheinen allein auf der rituellen Demütigung von Mitgliedern der Öffentlichkeit zu beruhen, sei es nun, dass sie in einem Anfall von Gier um einen fingierten Supermarkt herumrennen oder sich von einem Profikoch beschimpfen lassen müssen, weil sie nicht gemäß seinen Ansprüchen kochen können.

Demütigungen gibt es im Überfluss im Nachmittagsprogramm, wenn drastisch übergewichtige Amerikaner mit nur noch tragisch zu nennenden Frisuren im Fernsehen schluchzen und sich in aller Öffentlichkeit erniedrigen. »Ich habe am Vorabend meiner Hochzeit mit dem Pfarrer geschlafen«, gesteht eine Frau. Während ihr Mann im Schock wie benommen dasitzt, kommt hinter den Stufen des Sets der Pfarrer hervor, oder genauer gesagt die Pfarrerin, eine biedere Frau reiferen Alters. Das Publikum japst und jault vor Lachen, die Pfarrerin und die Ehefrau umarmen sich, und die Moderatorin, schlank und adrett in einem auf Figur geschnittenen Kostüm, ruft: »Na gut, Leute, wir haben fünfunddreißig Sekunden, um das auf die Reihe zu kriegen.« Nach ein paar Wochen schaute ich es mir einfach nicht mehr an. (Ich hätte mir auch keine Eintrittskarte für das Kolosseum in Rom gekauft, um zuzusehen, wie die Christen von den Löwen gefressen werden.) Dann bin ich eben altmodisch, aber es macht mich nun einmal unfroh mit anzusehen, wie meine Mitmenschen ihre Würde verlieren. Deswegen mache ich auch ganz fest die Augen zu, wenn ich mit meinen Krücken zum Klo humple und dabei am Spiegel vorbeikomme.

Tischler auf der Flucht

Ich hatte schon immer eine Schwäche für Zimmerleute: Als Kind war Jesus mein großes Idol. Ich habe mir vorgestellt, wie er zusammen mit seinem Stiefvater Josef über einer Drehbank schuftet und mit Holzstückchen hantiert, während Maria nebenan in einem großen Topf irgendetwas Nahöstliches braut.

In der zwanzigjährigen Phase meines heimlichen Schreibens habe ich Hunderte von Kurzgeschichten verfasst. Viele davon handelten von Lehrern des Tischlerhandwerks, die sich mit analphabetischen, rowdyhaften Jungendlichen anfreunden, deren einziges Talent im Tischlern liegt. Der jugendliche Rowdy (sein Name war immer Pete) entpuppte sich dabei als ein wahres Naturtalent im Umgang mit Holz und baute eine exquisite, handgeschnitzte Wiege für das uneheliche Kind seiner Freundin. Die Wiege wurde bei Elternabenden ausgestellt, und alle, die es sahen, staunten und waren begeistert. Der Schuldirektor strich mit der Hand über die Schnitzarbeiten und murmelte mit Tränen in den Augen: »Wie falsch ich Pete doch eingeschätzt habe …«

Kürzlich entschloss ich mich im Rahmen meines großangelegten Plans, mein Leben zu vereinfachen, einen Tischler oder Möbelschreiner oder dergleichen zu engagieren. Er sollte auf dem Dachboden Planken auslegen, damit ich nicht mehr durch die Balken fiele und endlich all das Zeug, das ich einfach nicht wegwerfen konnte, dort verstauen könnte. Außer-

dem sollte er mir ein paar Regale und Schränke fürs Wohnzimmer bauen.

Ich möchte noch einmal ausdrücklich betonen, dass meine
Ansprüche ziemlich bescheiden waren. Ich verlangte keine
Bodenplanken aus seltenem Walnussholz, das man nur in
schwer zugänglichen Regionen des Amazonas-Regenwalds
auftreiben kann, und die Regale und Vitrinenschränke brauchten auch kein elegantes, dekoratives Finish im Versaille-Stil
zu bekommen.

Dennoch: Einer nach dem anderen kamen drei Tischler
vorbei, schauten sich die Arbeit an, schätzten den Aufwand,
verabschiedeten sich und wurden nie mehr gesehen. Warum?
Dieser Mangel an Interesse rief bei mir all meine alten Unsicherheiten wieder wach. Sah ich nach jemandem mit schlechter Zahlungsmoral aus? Fürchteten die Tischler, sie müssten
mich erst vor Gericht schleppen, bevor sie ihre Rechnung be-
glichen bekamen? Oder war es mein Auftreten? Machte ich
auf sie vielleicht den Eindruck, ich würde mich während des
Auftrags als schwieriger Arbeitgeber entpuppen, einer der
neben ihnen steht und ihnen beim Arbeiten auf die Finger
schaut und an ihrem Können herummäkelt?

Oder lag es womöglich an der Tasse Tee, die ich ihnen
anbot? Meine Schwester Barbara hat mir einmal einen seltsam
schmeckenden Tee vorgesetzt. Ich nippte höflich daran, und als
ich die Tasse geleert hatte, fand sich eine halbe rohe Zwiebel
darin, die sie anscheinend beim Kochen geistesabwesend in die
Tasse gesteckt hatte. Hatten die Tischler womöglich aus Tassen getrunken, in denen alte Knoblauchzehen oder Reiß-
zwecken steckten? Ich fürchte, das liegt leider durchaus im Bereich des Möglichen. Tassen geben nun einmal praktische
Behältnisse ab.

Oder hatte vielleicht eines der Enkelkinder die Gauner
abgeschreckt? Kinder sind in der Lage, Leuten niederschmet-
ternd ehrliche Sachen ins Gesicht zu sagen (bevor wir ihnen

beibringen, zu lügen). Erst letzte Woche hörte ich meine zweijährige Enkelin zum Milchmann sagen, während sie ihm den
Scheck reichte, den ich gerade ausgeschrieben hatte: »Bitte
sehr, Glatzenmann.« Hatte dasselbe Kind vielleicht den Tischlern ähnlich geartete Beobachtungen mündlich mitgeteilt, als
ich gerade nicht im Zimmer war? Waren sie vielleicht einge-
schnappt und sind deshalb abgezogen?

Vielleicht leben ja auch zu viele Menschen in diesem Haus
und es kommen zu viele Besucher. Womöglich gewannen die
Tischler den Eindruck, dass es irgendeine Einrichtung sein muss:
ein seltsamer religiöser Orden oder etwas ähnliches.

Irgendetwas hat sie jedenfalls abgeschreckt. Am Telefon
klangen sie nämlich noch ganz diensteifrig. Ist da irgendwas im
Dachboden, wovon ich nichts weiß? Ich war schon seit Jahren
nicht mehr dort oben. Stinkt da irgendwas? Ein verwesendes
Nagetier vielleicht? Ist ein Eichhörnchen eingestiegen und hat
eine Schweinerei angerichtet? Oder hängt ein Wespennest unterm Dachvorsprung? Pflegt jemand aus meiner Familie ein
zwielichtiges Hobby? Deutet irgendetwas darauf hin, dass da
oben zwischen den Dachsparren der Schwarzen Magie gehul-
digt wird? Und, falls ja, warum hat mir dann keiner der Tischler etwas davon gesagt? Sie sahen eigentlich alle ganz ruhig aus,
als sie die Dachbodenleiter wieder heruntergeklettert kamen.
Einer hat sogar gelächelt.

Haben sie Reißaus genommen, weil ich tagsüber barfuß
und im Schlafanzug im Haus umherging? Wenn sie lange
genug geblieben wären, hätte ich ihnen schon erklärt, dass ich
mich gerade von einer Rückenoperation erhole, und dass ein
Schlafanzug einfach bequemer ist, genau wie bloße Füße. Oder
sind sie ausgebüchst, weil dies ein Raucherhaushalt ist? Waren
sie womöglich alle drei fanatische Nichtraucher, die Angst hatten, sich die Lunge zu verschmutzen (obwohl es weiß Gott
auch nicht so gesund sein kann, den ganzen Tag Sägemehl ein-
zuatmen)?

Sie ahnen ja nicht, was ihnen entgeht. Sie hätten die Zeit während ihrer Arbeit in diesem Haus wirklich genießen können: Tee, Kekse, Kuchen; eine kritiklose Haltung zu laxem Umgang mit Uhrzeiten; Konversation, wenn gewünscht; genügend Parkplatz für ihren Lieferwagen … wie gesagt, mir ist es ein Rätsel. Obwohl mir doch noch ein Gedanke kommt. Vielleicht haben sie hier und da im Haus den einen oder anderen Hinweis auf meine Berufstätigkeit gesehen. Hat das sie vielleicht abgeschreckt? Dachten sie sich womöglich: Auf keinen Fall werde ich als Material für einen ihrer Artikel enden? Falls es das war, seien Sie versichert, liebe Schreiner: So etwas würde ich nie tun. Bitte kommen Sie zurück. Vertrauen Sie mir, ich bin doch Schriftstellerin.

Kabelfernsehen

Ich will mich eigentlich nicht groß über meine gegenwärtige physische Beeinträchtigung auslassen. Schließlich bin ich nicht weniger unerschütterlich als jeder x-beliebige meiner britischen Landsleute. Doch ich bin immer noch so sehr durch meine bröckelnden Bandscheiben lahmgelegt, dass ich den größten Teil des Tages in ruhender Position verbringe. Die Kleider aus meinem früheren Leben – darunter als Glanzlichter ein Nadelstreifenanzug von DKNY, ein Nadelstreifenanzug von Agnès B. und ein Nadelstreifenanzug von Ronit Zilkha – hängen ungetragen auf der Kleiderstange. Einen Schrank habe ich inzwischen nicht mehr im Zimmer: Ich habe ihn rausgeschafft (nicht persönlich – ich brauche ja schon den ganzen Tag dafür, die Seife in der Badewanne hin und her zu bewegen), da ich immer wieder diese morbide Zwangsvorstellung hatte, wie ich im Liegen von einem umkippenden skandinavischen Kleiderschrank so groß wie ein Gebäude plattgedrückt werde.

Nun bin ich also keine Frau mit Nadelstreifenanzügen und hochhackigen Schuhen mehr. Vielmehr gammle ich den ganzen Tag in der Erwachsenenversion von Baby-Klamotten herum – lauter Sachen, die flauschig, elastisch, bei 40° waschbar und trocknergeeignet sind. Schuhe trage ich nur zu den Besuchen bei Nita, meiner Physiotherapeutin, zweimal die Woche, und auch da nur hässliche, flache Schuhe von der Art, wie sie religiöse Fundamentalisten und Fußpfleger befürworten. Die restliche

Zeit, wenn ich im Haus bin, trage ich Wandersocken, die aussehen wie Babyschühchen. Auch meine Frisur erinnert stark an Babymoden: Mein Haar ist mit einem Haargummi zusammengerafft, so dass ich nun einen Haarbüschel oben auf dem Kopf in die Höhe stehen habe. Alles in allem sehe ich aus wie ein Teletubby reiferen Alters, allerdings leider ohne deren Charme und unschuldige Überschwänglichkeit.

Ich bringe den Tag damit zu, mit Armen und Beinen zu rudern und Nitas Übungen zu machen und auf meiner erhöhten Toilette samt Geländer zu sitzen (extra vom Roten Kreuz geliehen) – noch mehr Infantilisierung.

Vor ein paar Wochen ließen wir, in einem mitleidserregenden Versuch, auf dem Laufenden zu bleiben, Kabelfernsehen bei uns installieren. Ein zweifelhafter Entschluss, wenn man bedenkt, dass wir uns aus der Auswahl der fünf irdischen Sender schon bloß Channel Four ansehen. Ein kleines Männchen kam, um uns anzuschließen. Bitte denken Sie jetzt nicht, ich sei herablassend gegenüber der arbeitenden Klasse. Es war wirklich ein sehr kleiner Mann. Ein Meter vierzig inklusive schwerer Stiefel wäre schon eine großzügige Schätzung seiner Statur. Er sah ein wenig verunsichert aus, als ich in meinem Teletubby-Aufzug auf ihn zugeschlurft kam. Doch er erholte sich schnell wieder und hielt einen langen Vortrag darüber, wie er in die Gartenmauer ein Loch bohren, Bäume entwurzeln und die Vorderseite des Hauses entstellen müsste, wenn er das Kabel ins Schlafzimmer und ein Wohnzimmer verlegen sollte. Er war wie der alte Seemann aus Coleridges Gedicht, der Düsternis und Untergang prophezeit. »Aber«, hob ich stotternd an, »der Verkäufer …«

»Verkäufer!«, entfuhr es ihm verächtlich. Ja, er spie das Wort förmlich aus. Wie es scheint, tut sich zwischen den beredten Verkäufern und den pragmatischen Installateuren ein Grand-Canyon-großer Abgrund auf. Während die Unterschriftshand des Kunden in Richtung Vertrag gelenkt wird, ist von Löchern in der Mauer und dem Fällen von Bäumen oder Verunstalten von Rasen keine Rede. Natürlich hätte der Kunde sich über derlei praktische Dinge erkundigen sollen, doch der arme Tropf war ganz geblendet von den schönen Reden des Verkäufers, der natürlich auf Provision arbeitet und all seine List und Tücke aufbietet, um den Hausbesitzer zu überzeugen, dass sein tristes Leben auf magische Weise bereichert werden wird, sobald er achtundvierzig Fernsehprogramme zur Auswahl hat.

Das kleine Männchen wartete geduldig im Flur, während ich mir unter tausend Qualen den Kopf zermarterte, welchen Busch oder Strauch ich denn nun opfern sollte. Schließlich deutete ich auf den auserwählten. Ein »Bridal Bouquet«-Strauch, der im vergangenen Frühjahr weniger nach Hochzeitsstrauß als vielmehr nach welkem Witwenkraut ausgesehen hatte. Das kleine Männchen machte sich mit seinem Kollegen an die Arbeit, und sechs Tassen Tee später war das Kabel installiert. Es war eine tadellose Arbeit. Diese Männer sollten vom militärischen Abschirmdienst angeworben werden. Es gab keinerlei Spuren, dass sie auch nur in der Nähe meines Hauses gewesen waren. Ich kann nur mutmaßen, dass die düster klingende Eröffnungsrede des kleinen Männchens als eine Art verbale Versicherungspolice gedacht war, für den Fall, dass tatsächlich ein Schaden auftreten sollte.

Drei Wochen sind seither vergangen, und was sehen wir uns an, nun da wir uns die große weite Fernsehwelt auf Tastendruck ins Wohnzimmer holen können? Channel Four. Eine Woche lang sah ich mir QVC an, das Shopping-Programm. Es war wirklich amüsant – wenn auch auf eine hässliche Weise – mit anzusehen, wie die Verkäufer oder Präsentatoren sich bei der Vorführung ihres Backofenreinigers oder ihrer Friteuse beinahe bis zum Orgasmus ereiferten. In sechsunddreißig Stunden Zuschauen sah ich nicht ein einziges Ding, dass ich gewollt oder gebraucht hätte. Wenn sich meine Familienangehörigen während meines Shopping-Programm-Marathons über mich lustig machten, sagte ich ihnen einfach, dass ich vorhätte, etwas über Massenkultur zu schreiben. Doch insgeheim sehnte ich mich nur danach, endlich etwas Verlockendes zu sehen – Bücher oder elastische Babymode in Erwachsenengrößen oder gar, ich wage es kaum zu sagen, einen ordentlichen Nadelstreifen-Hosenanzug für Damen.

Das silberne Schlauchtop

Ich werde diesen Monat zweiundfünfzig Jahre alt, nicht mehr jung, noch nicht alt. Ich trage immer noch meine Lederjacke, die im Gegensatz zu mir ganz wundervoll altert. Allerdings habe ich meine Denimjeans nun garantiert zum letzten Mal getragen, und auf keinen Fall werde ich diese großen, runden Zigeunerohrringe ersetzen, in denen ich, wie mir jetzt klar wird, aussehe, als ob ich in einer Hütte am Ende des Piers die Zukunft voraussage. Ich weiß, ich habe an dieser Stelle schon öfter über Kleidung geschrieben, aber Kleider, und die Botschaft, die sie anderen Menschen vermitteln, sind nun einmal eine Leidenschaft von mir.

Mir läuft immer wieder eine wirklich nette Frau über den Weg, die in einer Fabrik arbeitet, sich allerdings im Stil einer Prostituierten aus einem Comic kleidet. Sie ist Anfang dreißig und Mutter eines Jungen im Grundschulalter. Einmal hörte ich, wie sie sich gegenüber ihrer konservativ gekleideten Mutter beklagte, dass der Vorarbeiter in der Fabrik ihr nahegelegt hatte, sich »anständiger« anzuziehen. Sie war ganz offensichtlich verletzt, beleidigt und überrascht.

»Was is' denn verkehrt dran wie ich mich anzieh'?«, fragte sie ihre grauhaarige, Pantoffeln tragende Mama. Ihr enormes Dekolleté schwappte fast aus dem silbernen Schlauchtop, während sie ihr Recht einforderte, zur Arbeit anzuziehen, was ihr gefiel. Offensichtlich ist sie eine verhinderte Akrobatin. Die Frau ist dazu geboren, auf einem Trapez durch die gespannte Atmosphäre eines Zirkuszelts zu fliegen. Hinter einer Werkbank in einer Fabrik zu sitzen, ist eine komplette Verschwendung ihrer hinreißenden, netzbestrumpften Schenkel.

Auch ihrem Mann liegt nichts an ihrem exhibitionistischen Outfit. Er hat sie kürzlich gebeten, ihren Stil doch ein bisschen »zurückschrauben«. Sie denkt, er sei nur eifersüchtig, weil andere Männer sie anstarren. Und natürlich starren andere Männer sie an, wie übrigens auch Frauen und Kinder. Bestimmt werfen ihr sogar Hunde hin und wieder einen Blick über die Schulter nach.

Ich habe die Frau nie kennen gelernt, und sie kennt mich auch nicht. Mir sind ihr Leben und ihre Sorgen nur deshalb geläufig, weil sie eine unglaublich laute Stimme besitzt (ältere Leser und Leserinnen denken jetzt an Gracie Fields, jüngere an Scary Spice). Sie führt Unterhaltungen, als ob sie auf den Kreidefelsen von Dover steht und sich mit jemandem im Hafen von Calais verständigen will. Sie würde einen exzellenten städtischen Ausrufer abgeben, wobei allerdings binnen kürzester Zeit der Saum ihrer Robe nach oben und der ihres Ausschnitts nach unten wandern würde. Ich hoffe ihren Nachbarn zuliebe, dass sie nicht in einem Reihenhaus wohnt. Nicht auszumalen, was man durch die Wände ihrer Wohnung alles hören würde.

Sie steht auf Rock'n'Roll der fünziger und sechziger Jahre, den sie extrem laut in ihrer Autostereoanlage laufen lässt. Man hört sie schon kommen, wenn sie noch mehrere Straßen weit weg ist. Ihr Auto hält sie nicht einfach am Straßenrand an, sondern legt eine Notfallbremsung mit quietschenden Reifen hin. Andere, weniger robuste Frauen würden von der ständigen Belastung des Nackens womöglich Schleudertraumata davontragen, doch sie wird man wohl kaum jemals mit Halskrause sehen, und wenn, dann hätte sie wahrscheinlich eine

Sonderanfertigung mit Pailletten und Cowboyfransen in Auftrag gegeben.

Ich schätze, sie ist ein Beispiel für das, was D. H. Lawrence »*Lebenskraft*« nannte. Sie ist ein lebendiges, atmendes Exponat ungenierter Performance-Kunst. Während sie ihren alltäglichen Verrichtungen nachgeht, muss sie bestimmt Hunderte von Leuten amüsieren oder wütend machen. Ganz sicher ist sie Gegenstand endloser Anekdoten. Nach allem, was ich gehört habe, liefert sie sich einen Dauerkrieg mit den Behörden.

Sie kennt ihre Rechte und stellt auch sicher, dass sie sie bekommt. Sie würde eine grandiose Abgeordnete abgeben (parteilos). Bestimmt muss es mitunter hochpeinlich sein, sie zur Mutter zu haben. Der Vorstellung von ihr beim Elternabend in der Schule ihres Sohnes treibt mir die Schamesröte ins Gesicht. Was wirklich lächerlich ist, denn wie gesagt, ich kenne die Frau ja nicht einmal, ja, ich weiß nicht einmal ihren Namen.

Ich hoffe, sie hat einen ihrem Aussehen und ihrer Persönlichkeit angemessenen Namen: Lola, zum Beispiel. Ich könnte es nicht ertragen, wenn sie Joan Smith hieße.

Als ich klein war, gab es eine Menge solcher individualistischer Charaktere. Da war der Mann im Leoparden-Turnanzug, der sich vor dem Eingang zu einem Kaufhaus in Ketten legte. Er kämpfte sich nur frei, wenn genügend Geld in seinen umgedrehten Hut geworfen wurde. Es ging das Gerücht, dass er Millionär war, doch ich sah ihn einmal am Ende seiner Karriere als Entfesselungskünstler mit den Ketten in der Plastiktüte an der Bushaltestelle stehen, und so glaube ich eher nicht, dass er ungeahnte Reichtümer besaß.

Dann gab es Cyril, den schwulen Barkeeper, der im wildesten Pub der Stadt in Stöckelschuhen hinter der Bar stand. Sämtliche Rowdys der Stadt lebten in permanenter Furcht vor seinem gnadenlosen Mundwerk. Sarkasmus kann zwar nicht töten, aber ziemlich tiefe Wunden reißen.

Heutzutage sind wir alle so viel konservativer, selbst die
Punks gehören irgendwie schon zum Establishment. Deshalb
ziehe ich vor der Frau mit der lauten Stimme und den schril-
len Kleidern meinen langweiligen schwarzen Hut. Auf dass ihre
Pailletten immer glänzen, ihre Netzstrümpfe nie Laufmaschen
bekommen und sie auch wirklich in kompletter Geschmack-
losigkeit alt werden kann.

Informationsflut

Erst letzte Woche habe ich mich gegenüber meinem Mann über die geradezu lächerlich hohe Zahl von Zeitungen und Zeitschriften beklagt, die wir ins Haus bekommen. Jeden Morgen liegt ein dicker Stoß davon auf dem Boden in der Diele. So viel Neuigkeiten, so viel Information, so viel Meinung. Seite um Seite, die darauf wartet, durchgeackert zu werden. Es bleibt kaum noch Zeit, sich zu waschen, anzuziehen und zu essen, ganz zu schweigen von der Arbeit.

Das Wochenende ist bereits voll und ganz mit Zeitunglesen verplant. Andere Leute gehen Einkaufen, machen Gartenarbeit oder treffen Freunde, doch auf mich warten über vierzig verschiedene Wochenendbeilagen, Hochglanz und andere, die gelesen sein wollen, wenn am Montagmorgen wieder eine frische Ladung von Pamphleten anrollt. In der Zwischenzeit stapeln sich die wöchentlichen, zweiwöchentlichen und monatlichen Sendungen ungelesen auf sämtlichen freien Flächen im Haus. Sobald ich ein Zimmer betrete, schreien sie »Lies mich, lies mich!«. Also, sie schreien vielleicht nicht wirklich, aber mir kommt es jedenfalls so vor.

Letzte Woche habe ich verkündet, dass ich die Zeitungen abbestellen werde, und zwar nicht nur für eine Woche während des Urlaubs, sondern für immer. Ich litte unter akuter Informationsüberflutung, erklärte ich, und mein Hirn könne einfach nicht mehr. Der kritische Punkt wurde gestern erreicht, als ich doch tatsächlich gleichzeitig ein Kricket-Match im Fernsehen anschaute, einem Kommentar auf Radio 4 lauschte und den Kricket-Bericht im *Daily Telegraph* las. Aber die verdammte Leg-before-wicket-Regel verstehe ich immer noch nicht.

»Wenn es eine große Schlagzeile gibt, dann gehe ich einfach zum Zeitungsladen und kaufe mir da ein Exemplar«, erklärte ich meinem Mann, der vermutlich gar nicht zuhörte, aber trotzdem nickte. Jedes Mal wenn ich an den überquellenden Papiermülleimern (man beachte die Mehrzahl) in unserer Wohnung vorbeikam, wollte ich schon beim Zeitungshändler anrufen und ihm die schlechte Nachricht unterbreiten, doch irgendwie habe ich es bis jetzt immer noch nicht gemacht.

Die ganze Zeit stellte ich mir sein Gesicht vor, wenn er in seinem Auftragsbuch einen dicken schwarzen Balken unter unser Mega-Abonnement malt. Bestimmt würde diese Kündigung einen massiven Einkommensverlust für seine Familie darstellen? Würde er womöglich eines seiner Kinder aus dem privaten Kindergarten nehmen müssen? Würde es eine Schuldenspirale bei ihm auslösen, die schließlich und endlich im Bankrott für ihn endete? Würde er zum Alkohol greifen, seine Ehe zerrütten und als Geschiedener seine Kinder nur noch jeden zweiten Sonntag sehen dürfen?

Ist schon okay, ich bin gerade aufgestanden und ein bisschen im Zimmer herumgegangen. Jetzt habe ich mich etwas beruhigt. Mein rationales Ich weiß schon, dass die Kündigung unserer Abonnements unseren Zeitungshändler nicht gleich in einen vorzeitigen Tod durch Leberzirrhose treiben wird. Aber trotzdem …

Heute Morgen verkündete mein Mann, dass er gerade einen aufregenden Brief von einer Frau namens Dorothy Addeo bekommen habe. Ich riss ihm den Brief aus der Hand. Sie hatte geschrieben: »Die gute Nachricht für Sie, Mr Broadway, lautet, dass Ihr Zuhause in Leicester als möglicher Schauplatz für ein außergewöhnliches zukünftiges Ereignis auserkoren wurde.«

Ich überlegte, was dieses außergewöhnliche Ereignis sein könnte. Eine Feier zur Jahrtausendwende vielleicht? Dorothys Brief ging weiter: »Es ist ein Wochentagsmorgen, Mr Broadway. Sie sind zu Hause und bereiten sich auf Ihren Tag vor. Überlegen vielleicht gerade, was Sie frühstücken oder was Sie anziehen sollen. Plötzlich merken Sie, dass sich draußen auf der Straße etwas rührt, und treten ans Fenster. Sie sehen den Wagen eines Sicherheitsdienstes vor ihrem Grundstück halten. Ein silberhaariger, gepflegter Mann steigt aus. Er trägt einen verschlossenen Kasten, der mit Handschellen an sein Handgelenk gefesselt ist. Flankiert von Wachtmännern schreitet er zielstrebig auf Ihre Haustür zu.«

»Es klingelt. Als Sie öffnen, grüßt Sie Dave Sayer von der Publisher's Clearing House Prize Patrol mit den Worten: ›Mr Broadway, Sie sind unser neuester Multimillionär. Und ich habe Ihnen Ihre Millionen gleich mitgebracht.‹ Damit öffnet er die Kiste und enthüllt 2 200 000 £ in bar – direkt vor Ihren Augen! Ich wette, Sie hätten sich nicht im Traum ausgemalt, je so viel Geld auf einem Fleck zu sehen – in bar!«

An den wild wuchernden Ausrufezeichen kann man schon ablesen, dass Dorothy inzwischen ganz aufgeregt ist, und insofern ist es vielleicht auch besser, dass jetzt Dave Sayer übernimmt. Er schreibt an meinen Mann: »Lieber Gewinn-Kandidat, wenn Sie unser 2 200 000 £-Gewinner sind, dann könnten wir schon bald vor Ihrer Tür stehen, in Begleitung eines Fernsehteams, das den Glücksmoment für das ganze Land auf Film aufzeichnen wird. Als Freund und zukünftiger Millionär verstehen Sie sicherlich, dass wir nur dadurch so viel Geld verschenken können, dass wir Zeitschriften verkaufen …«

An dieser Stelle legte ich Daves Brief beiseite und warf einen Blick auf einen Bogen mit perforierten, briefmarkengroßen Zeitschriften-Covers, die Dorothy uns praktischer Weise gleich mitgeschickt hatte. Neben *Chor und Orgel, Koi-Karp-fen, Muskel und Fitness* und dergleichen fand ich auch eine Marke der *London Review of Books*. Ich riss sie ab und klebte sie auf den Gewinncoupon. Von jetzt ab werde ich jeden Morgen an meinem Fenster Wache stehen und gespannt warten, ob sich draußen auf der Straße etwas rührt.

Volles-Nest-Syndrom

Sie sind weg. Ich wandere durch leere, hallende Zimmer. Manchmal nehme ich mir einen Stuhl mit, sitze in dem leeren Raum und lausche in die Stille hinein.

Wir haben vier inzwischen erwachsene Kinder zwischen einundzwanzig und zweiunddreißig Jahren. Ihre jeweiligen Abschiede und Auszüge aus dem Haus dehnten sich über einen Zeitraum von zehn Jahren, doch das wiederkehrende Muster war, dass immer, wenn ein Kind das Haus verließ, ein anderes wieder aufkreuzte und um Zuflucht bat. Sie flohen vor unglückseligen Liebesaffären und Finanzkrisen, oder beidem zusammen (genau gesagt, fast immer beidem zusammen). Keine vernünftige Mutter oder Vater kann dem eigenen Kind Unterschlupf vor dem Sturm verwehren, obwohl es schon stimmt, dass sie oft selbst übles Wetter mitbringen: Wolken der Depression und Nebel des Missverstehens verhüllen dann oft das Haus.

Die Sonne scheint nur selten, wenn sich ein erwachsenes Kind mit gebrochenem Herzen oben in seinem Zimmer verkrochen hat. Man kann sich das Kind ja nicht gut auf den Schoß setzen und versprechen, dass es, wenn es jetzt schön brav ist, nachher die Marmelade in die Marmeladentörtchen schmieren darf. Noch kann man es auffordern, sich gefälligst zu rasieren, sich die ekligen Haare zu waschen und zu einer vernünftigen Zeit ins Bett zu gehen. Sein gebrochenes Herz wird auch nicht schneller heilen, wenn man flapsig davon spricht, dass es ja noch

andere gibt auf der Welt – und wo wir gerade von guten Rat-
schlägen sprechen: Kritisieren Sie nie, aber auch wirklich niemals, den Herzensbrecher. Einmal hatte ich einen richtigen
Wutausbruch (ausgelöst nur durch massive Provokation, Euer
Ehren) und rief: »Soll sie doch unter einen Laster kommen!«
Ziemlich hartherzig, ich weiß, und obendrein dumm, da der
mit dem gebrochenen Herzen und die Herzensbrecherin schon
eine Woche später wieder in leidenschaftlicher Liebe vereint
waren, und er wieder auszog; zurück blieben nur sechs leere
Kellog's-Schachteln unterm Bett und der hartnäckige Dunst
von Trübsal, gegen den kein Duftspray ankommt.

Andere Leute behaupten, der hartnäckige Dunst von
Trübsal sei eine lächerliche, prätentiöse Vorstellung meinerseits, und es sei viel wahrscheinlicher, dass der Mief in dem nun
wieder leeren Zimmer von einem toten Nager stammt, der irgendwo unter den Dielen verendet ist und nun dort vor sich
hinrottet. Ich ziehe meine Trübsalstheorie vor: Wenn ich nur
an die Arbeit denke, all die Dielen herausreißen zu müssen …

Leute fragen mich manchmal: »Wie ist es denn so, wenn
die Kinder aus dem Haus sind?« Ich antworte dann: »Es ist,
wie wenn man Urlaub hat.« Obwohl es eigentlich genauer gesagt mehr wie Flitterwochen ist. Wir können auf dem Sofa he-
rumschmusen so viel wir wollen, ohne schuldbewusst auseinander zu springen, sobald die Schritte eines unserer erwachsenen Kinder vor der Tür vernehmbar sind.

Andere Frauen leiden darunter, wenn die Jungen das Nest
verlassen, und machen Kurse in Kfz-Mechanik oder schließen
sich Amateurtheatergruppen an, um die plötzliche Leere in
ihrem Leben zu füllen. Mir wird inzwischen klar, dass es bei
mir anders herum war. Ich habe gelitten, als das Nest noch voll
war. Ich fand die Verantwortung, die man als Eltern hat, zeitweise ziemlich erdrückend.

Ich war eine angespannte Mutter. Mein erstes Kind kam
zu früh und verbrachte den ersten Monat seines Lebens in

einem Brutkasten. Es wurde rund um die Uhr von bestens aus-
gebildeten Ärzten und Krankenschwestern betreut, wohingegen
ich selbst eine völlig unbedarfte, strohdumme Neunzehnjährige
war. Meine einzige Begegnung mit Babys war bis dato das Betrachten der Zeichnungen in Doktor Spocks Standardschinken
Säuglings- und Kinderpflege gewesen.

Übrigens verstehe ich bis heute nicht, weshalb der arme
Doktor Spock als ehemals größter Kinderpflege-Experte Ame-
rikas so verunglimpft wurde und auch heute noch wird. Erst
neulich hörte ich, wie einer seiner Kritiker im Radio seinen,
Spocks, Liberalismus für die heutigen Hooligans, Rowdys und
Vandalen verantwortlich machte.

Dabei sind meine Erinnerungen an Dr. Spocks Schriften
ganz anderes. Ich werde nie seinen gestrengen Rat vergessen,
wie man ein Kleinkind davon abhält, mehrmals pro Nacht aus
seinem Bettchen zu krabbeln. Er empfahl den unter Schlaf-
mangel leidenden Eltern des Kindes, ein Federballnetz über
das Bettchen zu werfen, es an allen vier Ecken sorgfältig fest-
zumachen und die eigenen Ohren gegen die Schreie des Kindes
zu verschließen. Solch harscher Pragmatismus hätte auch ge-
radewegs aus Maggie Thatchers Buch über angemessene Kin-
dererziehung stammen können.

Als das Baby aus dem Krankenhaus kam, wog es nur vier-
einhalb Pfund. Es war praktisch, dass es nur so klein war, da es
nämlich heimlich in die Wohnung bzw. wieder heraus ge-
schmuggelt werden musste. Der Vermieter gestattete keine
Babys in seinem Wohneigentum. Wenn ich nicht gerade mit
dem Baby unter meiner Jacke durch die Wohnungstür schlich,
saß ich über die Babytrage gebeugt und nahm den Puls des
Kleinen und prüfte, ob er auch nicht zu atmen aufgehört hatte.
Inzwischen weiß ich, dass das ein für die meisten Eltern normales Verhalten ist (das Pulsnehmen, nicht das Schmuggeln),
doch damals, mit neunzehn, war ich fest davon überzeugt, dass
ich es nicht schaffen würde dieses zerbrechliche kleine Wesen

am Leben zu halten. Jeden Morgen trat ich voller Furcht an das Bettchen heran, und wenn ich dann seine Augen offen oder ein Ärmchen winken sah, dann erschien es mir jedes Mal wie ein Wunder, und für kurze Zeit fühlte ich mich wie eine richtige Mutter.

Irgendwie schaffte ich es dann doch, sowohl ihn als auch noch drei andere über die Runden zu bringen. Heute sind sie gesund und gelegentlich auch munter, und jedes hat seine eigene Postleitzahl. Und vor allem haben sie nun alle andere Menschen um sich, die sie lieben und sich um sie kümmern. Vielleicht kann ich jetzt das Federballnetz endlich beruhigt wegpacken.

Sozialwohnungen

»Vor zwanzig Jahren war das einmal ein schöner Ort hier.« Wo ich auch hinging in der Sozialwohnungssiedlung Gipton in Leeds, hörte ich von älteren Menschen diesen Satz. Und wenn man die Augen zumachte und seine Vorstellungskraft einsetzte, dann sah man schon, dass Gipton einmal ein angenehmer Ort gewesen sein muss, um Kinder großzuziehen: breite Straßen, offene Plätze, auf denen Kinder spielen konnten, und geräumig angelegte Häuser. Sobald man allerdings die Augen wieder aufmacht, wird einem unweigerlich klar, dass dieser Ort in Elend verfallen ist.

In den Waffenarsenalen der Supermächte lagert eine Bombenart, die Menschen tötet, jedoch die Gebäude stehen lässt. Das Gegenteil davon ist hier passiert. Die Infrastruktur ist tot, doch die Menschen haben überlebt und wandern jetzt in den Ruinen herum.

Ich war vor einiger Zeit dort, und noch immer quälen mich die Gedanken an das, was ich sah. Mir gehen die Bilder der ausgebrannten Häuser, der kaputten Gehsteige und mit Brettern verrammelten Geschäfte einfach nicht mehr aus dem Kopf. Es fällt schwer, zu glauben, dass dies ein Ort in England sein soll, oder zu verstehen, dass das Stadtzentrum von Leeds mit seinem glitzernden Hi-Tech-Wohlstand nur eine 70-Pence-Busfahrt weit weg ist.

Außenstehende beschrieben die Bewohner von Gipton als »Tiere«. Dieses Wort wurde so oft benutzt, dass es mich nicht mehr gewundert hätte, in den unkrautüberwachsenen Gärten und verlassenen Häusern Giraffen und Elefanten weiden zu sehen. Menschen als Tiere zu bezeichnen entmenschlicht sie. Es raubt ihnen ihre Würde und suggeriert, dass sie keine Gefühl haben. Dass sie keinen Schmerz fühlen, wenn sie verletzt werden. Dass sie es verdient haben, wenn sie verarmt sind und Not leiden.

Die Menschen der Sozialwohnungssiedlung Gipton gehören natürlich genauso zum menschlichen Gemeinwesen. Als ich dort war, wurde ich kein einziges Mal in unfreundlichem Ton angesprochen und fühlte mich zu keiner Zeit gefährdet, obwohl ich allerlei schreckliche Geschichten gehört hatte, dass Leute sich aus Angst vor Einbruch oder Brandstiftung nicht trauten, ihre Häuser zu verlassen.

Die Jugendlichen suchen verzweifelt nach Geld für Drogen, vor allem für Crack, und der alte Kodex unter Kriminellen, wonach man nie seinesgleichen bestiehlt, gilt hier schon lange nicht mehr. In Gipton herrscht die Diktatur des männlichen Jugendlichen, genau wie in so vielen anderen Sozialwohnungssiedlungen, Innenstädten und Dörfern. Zukünftige Generationen werden einst auf unsere Sozialgeschichte zurückblicken und sich fragen, wie denn eine kleine Gruppe armer, machtloser Jungen so schlimme Auswirkungen auf so viele Gemeinden haben konnte.

Als ich ein Teenager war, kannte ich keinen Jugendlichen oder erwachsenen Mann, der keine Arbeit hatte, und in Gipton war das genauso. Die jungen Männer standen morgens auf und gingen zur Arbeit. Vor zwanzig Jahren gab es einen Schaffner im Bus, der auf dem oberen Deck nach dem Rechten sah. Ein Parkwächter gab acht auf die neu gepflanzten Baumschösslinge. Es gab genügend Hausmeister, um die öffentlichen Gebäude sauber zu halten. Die Stadtverwaltung stellte genug Arbeiter an, um Häuser zu renovieren, bevor sie zu einem Schandfleck verkamen. Die Geschäfte der Ortschaft blühten, weil es

Leute gab, die Löhne hatten und Geld ausgeben wollten. In Kneipen und Vereinen traf man sich mit seinen Nachbarn. Die Arbeit war oft sehr hart, doch es gab auch Dinge, die dafür entschädigten: Leute gingen auf Betriebsausflüge und warfen sich in Schale für den jährlichen Ballabend. Und vor allem hatten die älteren Männer und Frauen keine Angst, auch als Erwachsene aufzutreten: Sie hatten ein Auge auf die Jungen und wiesen sie in ihre Schranken.

Dann verschwand die Arbeit, und die Kürzungen bei der Verwaltung hatten zur Folge, dass nun weniger Geld für Reparaturen und Renovierungen da war. Die Busschaffner verschwanden. Die Parkwächter erhielten ein Moped und größere Zuständigkeitsbereiche. Die Hausmeister mussten mit weniger Personal zurecht kommen und meisterten nichts mehr. Währenddessen wurde den in die Armut abgesackten Menschen Abend für Abend im Fernsehen der Kauf von Dingen als unerlässlich suggeriert, die sie sich gar nicht mehr leisten konnten. Ist es da ein Wunder, dass sie sich von der Masse der Bevölkerung abgekoppelt fühlten? Und ehe man es sich versah, wurde aus diesen Menschen, die ihre Arbeit verloren hatten, die »Unterklasse«.

Es ist fast unmöglich, über Armut zu sprechen oder zu schreiben, ohne gleich wie eine Komik-Nummer des verstorbenen und arg vermissten Les Dawson zu klingen. Doch ich musste selbst Kinder vom Schulgang abhalten, weil sie keine Schuhe zum Anziehen hatten. Und ich wusste immer ganz genau, bis zur letzten Sultanine, was in meinem Vorratsschrank lag. Ein Schulausflug, ein verlorener Geldbeutel, ein Kindergeburtstag brachten auch bei noch so strenger finanzieller Zurückhaltung den Ruin. Die Katastrophe lauerte immer schon an der nächsten Ecke.

Freud soll einmal gesagt haben: »Zum Glücklichsein braucht ein Mensch zwei Dinge: Liebe und Arbeit.«

Liebe können sich die Menschen selber suchen, doch die Arbeit muss man für sie finden, und zwar dringend.

Wintergärten

Meine Obsession für Gartenarbeit hat eine Wendung zum Schlimmeren genommen. Letztes Wochenende wurde ein Zimmer in unserem Haus zerstört, damit ich mehr Platz zum Ziehen von Pflanzen habe. Das heißt, es ein Zimmer zu nennen ist vielleicht ein bisschen übertrieben, doch es hatte zumindest einen Boden, eine Tür und Fenster, und dazu war es im Sommer noch Heimstatt für mehrere Hundert Bienen, daher auch sein Spitzname – das Bienenhaus. Ein ziemlich hochtrabender Titel, wenn man bedenkt, dass es sich bei dem Zimmer um einen besseren Schuppen handelte.

Hin und wieder pflegte ein Besucher (unrichtiger Weise) zu bemerken: »Oh, Sie haben einen Wintergarten«, und man konnte richtig sehen, wie der dürftige Schuppen auf einmal ganz eingebildet wurde und affektiert tat und befand, dass ihm exotische Palmen und Orchideen viel besser stünden als die Waschpulverkartons, übriggebliebenen einzelnen Socken und toten Bienen seines prosaischen Alltags.

Ich wurde einmal von einer Frau interviewt, die mit dem Oberguru der Wintergartenwelt verheiratet war. Sie erklärte mir, es sei eine wohlbekannte Tatsache, dass Paare, die einen Wintergarten wollten, immer auch Eheprobleme hätten, und gerade so, wie manch unverbesserliche Eheleute glaubten, noch ein Kind könne ihre krankende Beziehung kitten (ha!), dächten andere, ein verglaster Raum mit Korbmöbeln und Pflanzen wäre die Lösung.

Übrigens wurde das Interview nach der Hälfte abrupt abgebrochen. Sie erhielt einen Telefonanruf, in dessen Verlauf ihre Hand zum Hals wanderte, sämtliche Farbe aus ihrem Gesicht wich und sie zu mir sagte: »Ich fürchte, Sie müssen gehen, jetzt gleich«. Ich rannte aus dem Haus und wurde auf dem Gehsteig von ihr, ebenfalls rennend, überholt. Ein paar Tage lang rätselte ich über die möglichen Gründe für den überstürzten Aufbruch. Eine Bombendrohung von einem unzufriedenen Wintergartenbesitzer? Ein Liebhaber, der drohte, sich von Canary Wharf zu stürzen? Ein Schulkind, dass vergessen worden war und nun vereinsamt am Schultor stand?

Um noch einmal auf das Thema Wintergarten zurückzukommen. Warum sind sie so beliebt? Eine Testumfrage bringt es ans Licht. Leute wollen aus folgenden Gründen einen Wintergarten:

a)   Man gewinnt zusätzlichen Platz.
b)   Man sieht mehr vom Garten.
c)   Man kann darin exotische Pflanzen und Früchte ziehen, zum Beispiel Pfirsiche und Nektarinen.
d)   (nur Frauen) Man kann sich gemütlich auf ein Korbsofa legen und am Wochenende ein Buch lesen.
e)   (nur Männer) Man hat einen trockenen Ort, an dem man am Wochenende in Ruhe an dem alten Automotor basteln kann.

Wohingegen eine weitere Testumfrage unter Wintergartenbesitzern folgendes ans Licht bringt:

a)   Man gewinnt überhaupt keinen Platz; der Wintergarten wird zur Abstellkammer für Haushaltsgerümpel.

b)   Man kann weder den Garten noch den Himmel noch die
     Baumwipfel sehen, wegen der Markisen, die man notge-
     drungen anbringen musste.

c)   Man kann gar keine exotischen Pflanzen ziehen, da alles
     völlig vertrocknet, während man im Urlaub ist; jungendli-
     che Kinder sind genetisch ungeeignet, irgendein lebendes
     Ding vernünftig zu bewässern (Cannabis ist wahrscheinlich
     die einzige Ausnahme).

d)   Im Sommer ist es unangenehm heiß, im Winter ungemüt-
     lich kalt im Wintergarten, und überhaupt, das ständige
     Knarren des Korbsofas, jedes Mal wenn man eine Seite
     umblättert, macht einen sowieso verrückt.

e)   Nein, es gibt zur Zeit keine Wundermittel gegen Motor-
     ölflecken auf Terrakottafliesen, PVC-Fenstern und Korb-
     geflecht.

Das Zimmer bzw. der Anbau bzw. das Bienenhaus und Bei-
nahe-Wintergarten ist also weg. Ein Ehemann, ein Sohn und
ein Schwiegersohn haben das Ding am Samstag niedergemacht.
Am Sonntag versammelten wir uns auf den Überresten – dem
Fußboden – und dabei tauchte der Begriff »Terrasse« als neuer
Name auf. Ich dachte eigentlich immer, eine Terrasse wäre der
Ort, an dem sich Aristokraten übergeben, wenn sie beim Ball
zu viel getrunken haben. Daher wird wohl noch ein anderer
Name gefunden werden müssen.

      Ich sollte allerdings meine Gärtnereigelüste ein wenig im
Zaum halten. Letzte Woche stand ich im Gartencenter in einer
Schlange vor der Kasse und rümpfte unverhohlen die Nase
über einen Kerl, der seinen Wagen mit rotem Feuersalbei voll-
geladen hatte. Kurz zuvor hatte ich einer Unterhaltung zwischen zwei Damen mittleren Alters gelauscht, die über eine
Azalee gebückt standen.

      Die erste: »Was ist denn das?« Die zweite (das Etikett le-
send): »Eine Azalee.« Die erste: »Nein, das kann nicht sein. Ich

habe letzte Woche eine Azalee gekauft, und die sah überhaupt nicht so aus. Sie hatte andere Blätter und die Blüten hatten eine andere Farbe.« Die zweite: »Dann ist wohl ein falsches Etikett dran. Was es wohl sein mag?«

Ich konnte mir gerade noch verkneifen, ihnen einen Vortrag über die Hunderte verschiedner Azaleensorten, die es gibt, zu halten, aber ich war wirklich nahe dran. Es half nur, mir in Erinnerung zu rufen, dass mein eigener Mangel an Kenntnissen zu Themen wie Computer, Autofahren und der Situation im Nahen Osten nicht minder tiefgreifend ist.

Wissenschaftliche Studien sind doof

Meine Skepsis gegenüber wissenschaftlichen Studien ist endgültig festgeschrieben, seit ich einen Bericht australischer Wissenschaftler las, wonach Äpfel schlecht für Kinder sind, weil sie den Zähnen schaden. Nachdem ich nun jahrelang meine Kinder mit Granny Smiths und Delicious zwangsernährt habe, in dem Glauben, ein Apfel pro Tag würde sie vor allerlei körperlichen Gebrechen schützen – Vitaminmangel, Verstopfung und, jawohl, auch Karies – hielt ich es für mein gutes Recht, über die Eierköpfe mehr als nur ein bisschen verstimmt zu sein.

Vor ein paar Jahren wurde mir gesagt, ich bräuchte dringend Vitamin B6. Inzwischen lese ich, dass B6 so unzuverlässig ist wie ein Arthur-Dailey-Essbesteck und im verschlungenen Zustand ungefähr genau so gesund wie dieses. Wo stehen wir eigentlich gerade hinsichtlich der gesundheitsfördernden Wirkung von Margarine? Ich habe den Überblick verloren. Ist Margarine nun gut für uns oder schlecht? Verstopft sie die Arterien oder nicht? Ist das Gesundheitsrisiko, wenn man ein nur leicht gekochtes Ei ist, genauso groß, wie wenn man sich vom Empire State Building abseilt? Ist britisches Rindfleisch sicher, oder käme der Verzehr eines T-Bone-Steaks dem tollkühnen, ja fahrlässigen Unterfangen gleich, sich in einem undichten Fass die Niagarafälle hinunterzustürzen?

Eine lange wissenschaftliche Studie kam zu dem Ergebnis, dass Delphine hoch intelligente Geschöpfe sind, die, wenn man ihnen die Möglichkeit gäbe, ihre Zeit mit dem Lesen der *New York Times Book Review* verbringen, sich Wagner anhören und in *Late Night Line Up* den Turner Prize diskutieren würden. Auch in diesem Fall traue ich den Herren Professoren nicht. So viel ich weiß ist die größte Errungenschaft in der Entwicklungsgeschichte der Delphine, dass sie in einem Meerespark aus dem Becken springen und einer Blondine im Tauchanzug einen Fisch aus der Hand schnappen, das Ganze unter dem Applaus der Zuschauer. Und wenn sie so clever sind, wieso verfangen sie sich dann immer noch in diesen japanischen Netzen? Warum schwimmen sie nicht einfach in die andere Richtung? Haben sie denn nun hochentwickelte Kommunikationsfähigkeiten oder nicht?

Doch die jüngste Studie hat bei mir das Skepsisfass nun endgültig zum Überlaufen gebracht. Dort hieß es: »Wissenschaftler haben herausgefunden, dass Giraffen, die bisher allgemein als dumm galten, miteinander kommunizieren können. Einige bedienen sich dabei sogar regionaler Dialekte.«

Ich bin eine große Bewunderin von Giraffen. Meine allererste Begegnung mit männlichen Genitalien verschaffte mir Barry, eine ausgestopfte Giraffe, die am oberen Ende einer Mahagonitreppe in einem Museum in Leicester stand. Barry setzte einen ziemlich hohen Standard. Generationen von Männern aus Leicester waren traumatisiert von Barrys üppig vorhandenen körperlichen Vorzügen und, ich kann Ihnen sagen, es hat einer ganzen Reihe von Frauen aus Leicester die Lust auf Männer kräftig verdorben.

Ich mag keine Zoos und Tierparks, welcher Art auch immer. Sie sind Gefängnisse für Tiere, Heartbreak-Hotels für Fell- und Federvieh. Trotzdem halte ich meine eigenen Gefangenen: vier Goldfische, die ein träges Leben im Luxus fristen. Sie verbringen ihre Tage in einem riesigen sechseckigen Becken mit japanisch-inspirierter Inneneinrichtung. Sie genießen den Anblick von Kieselsteinen, einem Kunstwerk aus Bambus und einem dekorativ platzierten Aststück. Ihr Wasser wird gefiltert, und sie werden mit einem bezaubernden violetten Licht wunderschön von oben beleuchtet. Gefüttert werden sie mit hauchzarten Fischflocken. Aber sehen sie glücklich aus? Nein, tun sie nicht. Sie blicken mich durch die Scheiben des Aquariums vorwurfsvoll an. Ich bin mir nicht sicher, ob sie sich nach der Freiheit des Chinesischen Meers verzehren oder bloß dumpf und dämlich auf mehr Fischflocken warten.

Hummer sind nach der Lektüre eines Abschnitts im *Rundbrief der Schalentierfreunde* nun definitiv von meiner Speisekarte gestrichen. Dr. Loren G. Horsely, Zoologin mit Fachgebiet Wirbellose, informiert darin die Liebhaber von Meeresfrüchten:

> Hummer besitzen ein hochfeines Nervensystem und empfinden Schmerz, wenn sie zerschnitten oder gekocht werden.
> Hummer tragen ihre Jungen neun Monate lang aus und durchleben eine lange Kindheit und schwierige Jugend.
> Einige Hummer sind rechtshändig, andere linkshändig.
> Hummer wurden dabei beobachtet, wie sie Hand in Hand gingen, wobei die alten die jungen führten.

Ich hoffe, dass nicht gerade ein Haufen von Professoren andere Mitglieder der Krustentiere untersucht. Ich will es nämlich nicht wissen, falls

> Garnelen Geburtstage feiern.
> Garnelen eine Art Hochzeitszeremonie abhalten.
> Garnelen ihren Jungen vorsingen.
> Krabben großen Spaß am Formationstanz haben.
> Krabben an gebrochenem Herzen sterben, wenn ihre Ehepartner fremdgehen.

Ich hasse die Angewohnheit, Tieren menschliche Eigenschaften zuzuschreiben. Warum nur verspüren wir den Drang, unsere menschliche Niederträchtigkeit auf die wilden Kreaturen zu übertragen, mit denen wir uns die Erde teilen? Ich habe ein paar Giraffen aus meinem Bekanntenkreis nach ihrer Meinung dazu gefragt.

Herr Hals aus Twycross meinte: »Ooch, Mädel, de Menschen mach`n doch nichts als Ärger. Entweder bewerfen se een' mit Doughnuts, oder se glotz'n dir off de Weechteele.«

Herr Langbein vom Windsor Safari Park wusste zu berichten: »Ach, wissen Sie, man amüsiert sich ja mitunter köstlich, nicht wahr, über diese Menschen, die da an einem vorbeiparadieren und einen durch die beschlagenen Scheiben ihrer fürchterlichen kleinen Autos ansehen.«

Frau G. McRaff vom Glasgower Zoo, die gerade Blätter von einem hohen Baum riss, hielt einen Augenblick inne und sagte: »Ach! Mir könn' die Menschen gestohlen bleiben, bloß die Wissenschaftler, die geh'n mir echt auf'n Sack.«

Weihnachtsversicherung

Sir Andrew Murdstone saß hinter dem großen, grauen Metallschreibtisch in seinem Büro im zwanzigsten Stock der Murdstone Towers. Es war Heilig Abend.

Murdstone Versicherungen GmbH (Motto: »Sie sind sicher in unseren Händen«) war die erfolgreichste Versicherungsgesellschaft des Landes. Das Geld strömte nur so herein, im Lastschriftverfahren, per Dauerauftrag, und sogar noch (wie niedlich) mittels altmodischer Versicherungsvertreter, die einmal wöchentlich Bargeld einsammelten.

Sir Andrew mochte Weihnachten nicht. Die Leute wurden dann immer so unachtsam. Sie tranken zu viel, blieben zu lange auf und wanderten in einem dumpfen Nebel der Erschöpfung umher. Sie verloren ihre Schlüssel und ihre Mäntel; sie ließen ihre Handtaschen im Bus liegen. Ihre Einkaufstüten, prallvoll mit Weihnachtsgeschenken, wurden auf den Autorücksitz geworfen und dort von bösen Jungen gestohlen, die ihr Glück gar nicht fassen konnten.

Weihnachten war keine gute Zeit für das Versicherungsgewerbe. Es brachte bizarre Unfälle mit sich. Sir Andrew schauderte beim Gedanken an die Statistiken.

Elftausend Personen hatten Ansprüche für Schadensfälle geltend gemacht, nachdem sie sich beim Geschenke verpacken an Tesafilmabrollern in den Finger geschnitten hatten. Fünfzehntausend Hunde hatten die Weihnachtsbäume ihrer Herrchen bzw. Frauchen zerstört.

Drei Kaninchen hatten (unabhängig voneinander) die Kabel von Weihnachtsbaumlichtern durchgeknabbert und in jedem der drei Fälle einen kleinen Kabelbrand ausgelöst. Zehntausend Frauen waren auf Truthahnfett ausgerutscht und hatten sich dabei ein Bein gebrochen. Fünf Frauen hatten ihre Männer mit dem Bratenmesser attackiert, nachdem sie kritisiert worden waren, weil die Röstkartoffeln »nicht knusprig genug« waren. Zwei dieser Frauen wurden in der Folge zu Gefängnisstrafen verurteilt.

Sir Andrew war irritiert von diesen Statistiken. Er trommelte mit den Fingern auf seinen Metallschreibtisch. Es machte ein unangenehmes, blechernes Geräusch. Einen Moment lang bereute er es, dass er seinen Eichenholzschreibtisch hinausgeworfen hatte, doch dann fielen ihm wieder die Zahlen für entzündete Finger infolge eingezogener Holzsplitter ein, und da wusste er, dass er richtig gehandelt hatte. Er lebte nach der Maxime »das Risiko minimieren«.

Diese Philosophie versuchte er in allen Lebensbereichen umzusetzen: Er hatte eine sehr vernünftige Frau namens Ann geheiratet. Sie hatten sich in einem Federballverein kennen gelernt und dort regelmäßig gespielt, bis Andrew (damals war er noch nicht Sir Andrew) herausfand, dass Augenverletzungen durch Federbälle jährlich um zwölf Prozent zunahmen.

Er hatte sich gegen Kinder entschieden. Zu seiner Frau hatte er gesagt: »Kinder bringen nur Unruhe ins Haus, Ann.« Sie hatte damals ein wenig nachdenklich ausgesehen, sich jedoch bald erholt. Sir Andrew trat an das Fenster mit der prächtigen Aussicht und schaute auf das Verkehrschaos hinunter. Er bemerkte, dass bei mehreren Autos Weihnachtsbäume auf dem Dachständer festgezurrt waren. Hoffentlich waren die nicht bei Murdstone versichert. Er hatte nämlich bereits 300 000 £ für

Schadensfälle auszahlen müssen, bei denen Weihnachtsbäume im fließenden Verkehr auf die Fahrbahn gestürzt waren.

Marcia, seine Sekretärin, kam in sein Büro. Ihm fiel auf, dass sie extrem hohe Plateausandalen trug. Er deutete auf ihre Füße und sagte: »Marcia, wissen Sie eigentlich, wie viele Frauen sich jährlich in solchen Dingern die Knöchel brechen?«

Marcia entgegnete, ziemlich trotzig, wie er fand: »Ja, Sir Andrew. Letztes Jahr hat Murdstone eine Dreiviertelmillion Pfund für Schadensfälle bezahlt, bei denen Frauen in ihren hochhackigen Schuhen gestolpert waren.« »Und warum tragen Sie sie dann?«, fragte er. »Das sind meine Party-Schuhe«, erwiderte sie. »Ich will Spaß darin haben.« Sie reichte ihm ein Geschenk und wünschte ihm frohe Weihnachten. Dann stöckelte sie in ihren gefährlichen roten Schuhen aus dem Büro.

Sir Andrew wickelte an seinem Schreibtisch sitzend das Geschenk aus. Es war eine Duftkerze in einer als Schneemann dekorierten Dose. Er war außer sich vor Entrüstung. War Marcia nun völlig verrückt geworden? Hatte sie denn in all den Jahren, die sie nun schon in der Versicherungsbranche arbeitete, gar nichts gelernt? Brennende Kerzen verursachten Hunderttausende von Zimmerbränden an Weihnachten. Er zitterte bei der bloßen Vorstellung, was ein Hochdrucklöschwasserschlauch und eine Gruppe enthusiastischer Feuerwehrleute in einem durchschnittlichen Wohnzimmer anrichten konnten. Er griff zum Telefon und rief seine Frau an. Es dauerte lange, bis sie den Hörer abnahm. »Was hat dich so lange aufgehalten?«, fragte er.

»Ich habe die Holzscheite im Kamin angezündet«, erwiderte sie.

Ihm schnürte sich die Kehle zu. Er konnte kaum sprechen. Die Statistik für Kaminfeuer blitzte vor seinem inneren Auge auf. Er liebte Ann wirklich, doch nun würde er sich von ihr scheiden lassen müssen. Er konnte einfach nicht mit einer Frau leben, die solche Risiken einging. Er griff nach seiner Aktentasche und knipste das Licht aus. Im Gehen rutschte er auf dem achtlos weggeworfenen Geschenkpapier aus. Er stürzte und schlug sich den Kopf an der scharfen Kante seines Metallschreibtischs an. Bevor er das Bewusstsein verlor, schrieb er noch mit Blut an die Seite seines Schreibtischs »Höhere Gewalt«.

Fremde im Zug

Dublin sonnte sich in einer herbstlichen Hitzewelle. Dubliner Bürger drängten sich auf den Straßen in genau den Kleidern, die sie erst vor kurzem weggepackt hatten. Ich war weit weg von Zuhause und ganz unpassend in mehrere Lagen Wolle gekleidet.

Ich kam mir vor wie ein Schaf mit Hitzewallungen, während ich meinen kleinen Rollkoffer den Bahnsteig von Connolly Station entlang zog. Ich hielt nach einem ruhigen Sitzplatz Ausschau, auf dem ich die vierstündige Bahnfahrt nach Sligo in Stille über mich ergehen lassen konnte. Die Marketingtour, auf der ich mich gerade befand, war erst zur Hälfte um, und mir war schon der Klang meiner eigenen quasselnden Stimme zuwider.

Ich fand einen Platz vorne im Zug. Neben mir, auf der anderen Seite des Gangs, befand sich ein leerer Tisch mit vier Plätzen. Ich betete, dass er leer bleiben möge. Konversation war mir einfach zu viel, vor allem irische Konversation, für die man einen wachen Verstand und eine schnelle Zunge braucht. Zwei Minuten bevor der Zug abfahren sollte, beglückwünschte ich mich schon dazu, dass ich meine Ruhe haben würde.

Dann gab es plötzlich Bewegung auf dem Bahnsteig. Ein Jugendlicher – ein Junge mit kahlgeschorenem Kopf – rannte auf die Tür des Waggons zu, in dem ich saß, und riss sie auf, während er über die Schulter rief: »Hier, Ma, hier gibt's noch Platz.«

Eine dicke Frau in Leggins und rosarotem T-Shirt kam auf die offene Tür zugerannt. Sie trug ein vierjähriges Mädchen auf dem Arm. Ein weiteres Mädchen, mittelgroß (vielleicht sieben Jahre alt), näherte sich wackeligen Schritts dem Wagon, behindert durch ihre hochhackigen Sandalen im Kindchenlook. Zuletzt kam noch ein großes, dickes Mädchen in einem Trainingsanzug.

Der Zug fuhr ächzend und stöhnend aus dem Bahnhof, und ich ächzte und stöhnte mit. Die lautstarke Familie kam polternd in den Wagen und belegte die vier Sitze auf der andren Gangseite neben mir.

Die Taschen wurden in den Gepäckfächern über den Sitzen verstaut, dann wurden sie alle wieder heruntergezerrt, weil Ma ihre Kippen wollte und vergessen hatte, in welcher Tasche sie waren.

Alle redeten gleichzeitig, und zwar schreiend, um sich über die anderen hinweg verständlich zu machen. Ich wandte mich ab und blickte starr aus dem Fenster.

Das Buch, für das ich gerade Werbung machte, handelte von Abtreibung und Kindern und gutem und schlechtem Elternverhalten, und ich hatte in zahllosen Radiosendungen und vielen Buchhandlungen endlos darüber gefaselt, was gute Eltern ausmacht. Nun sollte der Härtetest für meine Theorien folgen.

Etwa eine Viertelstunde nach dem Beginn der Reise sagte Ma ihren Kindern, sie sollten »spielen gehen«. Sie wollte Platz für sich. Die Kinder trollten sich sofort. Die Siebenjährige stellte sich auf Zehenspitzen ans Fenster und steckte den Kopf hinaus. Die Vierjährige versuchte verschiedene Gegenstände in die Öffnung eines Feuerlöschers zu stecken. Der Junge verkündete, er werde sich mal mit dem Zugführer unterhalten, und das große Mädchen bastelte sich aus Toilettenpapier ein Banner und winkte damit heftig aus dem Zugfenster.

Nach etwa einer halben Stunde machte sich Ma auf ins Zugrestaurant. Sie kam zurück mit zwei großen Flaschen Budweiser, fünf Jumbo-Marsriegeln und fünf Tütchen Chips. Nachdem sie den Kindern gerufen hatte, kamen diese sogleich herbei. Ma trank die eine Flasche Bier und sagte den Kinder, sie sollten sich die andere teilen. Das war vielleicht ein Anblick, wie die Kleinste den Schnuller aus dem Mund spuckte, einen Schluck Bier kippte, sich die Lippen leckte und dann den Schnuller wieder in den Mund steckte.

Als die Chipstüten und Marspapierchen leergegessen auf dem Boden lagen, sagte das große Mädchen: »Ich hab noch Hunger, Ma.«

Ma reichte dem Mädchen Geld, mit dem es auch gleich Richtung Zugrestaurant verschwand, um nach kurzem mit fünf weiteren Jumbo-Marsriegeln zurückzukommen. Ich kräuselte missbilligend meine schmalen englischen Lippen angesichts solch maßloser Kalorienaufnahme.

In halbstündigen Intervallen ging Ma ins Zugrestaurant und brachte zwei Flaschen Bier zurück, von denen sie eine selber trank und die andere an die Kinder weiterreichte, die diese mit, zugegeben, absoluter Fairness untereinander herumgehen ließen.

Als sie alle heiter (und betrunken) waren, bat Ma die Kinder, ihr vorzusingen. Und das taten sie. Auf den Ton genau, bis aufs Wort korrekt, angereichert mit Harmonien und Gesten. Die Vierjährige nahm ihren Schnuller heraus, stellte sich auf den Tisch und sang »Tomorrow« aus dem Musical *Annie*.

Ich war hingerissen, aber auch verärgert und verstört. Als sie aufstanden und an der Tür warteten, um auszusteigen, begegnete ich Mas Blick. »Reizende Kinder« sagte ich. Auf dem Bahnsteig erwartete sie ein Mann mit grimmigem Gesicht. Und allmählich wurden Ma und die Kinder ganz still, während sie seinem wenig einladenden Rücken folgten.

Dr. Strudel befragt Mrs Townsend

Neulich habe ich das Alphabet vergessen. Ich saß an meinem Schreibtisch (früherem Küchentisch) und versuchte krampfhaft, mich zu erinnern, welcher Buchstabe nach G kommt. Ich fing bei A an, blieb jedoch erneut bei G hängen. Ich schloss die Augen und konzentrierte mich ganz fest, doch der rechtsseitige Nachbar von G wollte sich einfach nicht einstellen. Schließlich sang ich das Alphabet, was ich seit meinen Kindergartentagen nicht mehr gemacht habe, doch der verfluchte Buchstabe weigerte sich einfach, die dunklen Abgründe meines Hirns zu verlassen und ans Licht zu kommen. Endlich kam dann irgendwann das H doch noch angeschlichen, mit erhobenen Händen und den Worten: »Okay, okay, da bin ich, ich geb mich geschlagen.«

Wird es Zeit für mich, mich in einer Tagesbetreuungsstätte anzumelden? Ich glaube, bevor die einen aufnehmen, muss man eine Art Test ablegen.

Die erste Frage, die sie stellen, ist meistens: »Wissen Sie, welcher Tag heute ist?«

Nun bilde ich mir ja einiges darauf ein, immer top auf dem Laufenden zu sein, was die interessanteren, dramatischen Tage der Woche angeht – Freitag, Samstag, Sonntag und Montag –, doch ich muss gestehen, dass ich die prosaischeren, langweiligeren Tage in der Wochenmitte des öfteren durcheinanderbringe. Dienstag, Mittwoch und Donnerstag besitzen einfach nicht die Energie, nicht den Reiz des Wochenend-Quartetts. Ich kann mir nicht vorstellen, dass jemand eine blutige Revolution an einem Mittwoch anzetteln würde. Und wer hat je von einem Staatsstreich an einem Donnerstag gehört? Und was den Dienstag betrifft, das ist sowieso ein schniefendes, elendes, jämmerliches Exemplar von einem Wochentag. Den sollte man am besten gleich vergessen.

Wenn ich also an einem Tag in der Mitte der Woche befragt werde, dann muss ich schon bei der ersten Testfrage passen.

Eine andere Frage lautet: »Wie heißt der Premierminister?«

Ich bin sehr zuversichtlich, wenn es darum geht, den Lenker unseres Landes zu benennen – das ist Peter Mandelson. Der Premierminister ist Tony Blair, und eine weitere Sache, die ich ganz sicher weiß, ist, dass er mit einer permanent lächelnden Frau namens Cherie Blair verheiratet ist, der es anscheinend für immer die Sprache verschlagen hat.

Mrs Blair sollte man auf keinen Fall mit Ms Cherie Booth verwechseln, die eine äußerst beredte Anwältin ist.

Andere diagnostische Tests für die kognitiven Funktionen bestehen in einfachen Arithmetikaufgaben. An denen würde ich garantiert scheitern.

Ein Beobachter notierte Folgendes:

Der Testleiter, Dr. Strudel, fragte in freundlichem Ton: »Mrs Townsend, was ist zwei plus zwei plus zwei?«

Mrs Townsend schien die Frage nicht verstanden zu haben. Sie bat darum, sie noch einmal hören zu dürfen.

Dr. Strudel formulierte die Frage vorsichtig um: »Mrs Townsend, was ist drei Mal zwei?«

Mrs Townsend wiederholte die Frage noch einmal leise für sich und bewegte dabei die Lippen. Sie schüttelte den Kopf und wurde sichtlich unruhig. Schweißperlen bildeten sich in ihrem Ausschnitt und im Nacken.

Mrs Townsend versuchte mehrmals bis sechs zu zählen, doch jedes Mal verlor sie den Überblick über ihre Finger und musste wieder von vorne anfangen.

Schließlich sagte Dr. Strudel mit einem Hauch von Mitleid in der Stimme: »Ich glaube, wir lassen das mit dem Rechnen lieber, in Ordnung?«

Mrs Townsend wischte sich die Handflächen ab und sagte: »Ich kann unter Testbedingungen einfach nicht rechnen, aber in südamerikanischen Hauptstädten bin ich richtig gut.« Dr. Strudel schüttelte traurig den Kopf und machte mit dem Fragebogen auf seinem Klemmbrett weiter.

DR. STRUDEL: Mrs Townsend, wie viele Wasserkessel haben Sie im vergangenen Monat auf der Kochstelle vergessen?

MRS TOWNSEND [*wütend*]: Wer hat da schon wieder gepetzt?

DR. STRUDEL: Wie viele?

MRS TOWNSEND: Vier! Ist das ein Verbrechen? Kein einziger davon ist ausgebrannt!

DR. STRUDEL: Besitzen Sie einen Regenschirm?

MRS TOWNSEND: Nein, ich glaube, ich habe ihn bei British Home Stores im Laden liegen lassen.

DR. STRUDEL: Sind Sie oft geistesabwesend?

MRS TOWNSEND: Da kann ich mich nicht erinnern. Aber wenn Sie die Hauptstadt von Guatemala wissen wollen …

DR. STRUDEL: Wie heiße ich, Mrs Townsend?

MRS TOWNSEND: Ähm, ich habe ein wirklich schlechtes Namensgedächtnis, aber lassen Sie mich einen Moment nachdenken. Es hatte irgendwas mit Äpfeln zu tun … äh, Dr. Streusel?

DR. STRUDEL: Nein. Nicht Streusel.

MRS TOWNSEND: Dr. G. Smith?

DR. STRUDEL: Nein.

MRS TOWNSEND: Dr. Cox!

DR. STRUDEL: Nein!

MRS TOWNSEND: Dr. Most? Dr. Boskop? Dr. Braeburn? [*Steht plötzlich auf*] Ich muss gehen.

Der Beobachter schreibt ins Protokoll:

Als Mrs Townsend aus dem Befragungsraum rannte, rief sie noch: »Ich muss nach Hause! Mir ist gerade eingefallen, dass ich einen Kessel auf dem Herd vergessen habe!«

DR. STRUDEL [*rufend*]: Ich würde gerne einen weiteren Termin mit Ihnen ausmachen.

Der Beobachter schreibt:

Ich wies Dr. Strudel darauf hin, dass Mrs Townsend sowieso zurückkommen müsse, da sie ihre Handtasche, ihren Mantel und ihre Geldbörse vergessen hatte.

Eine Schwester berichtete etwas später, dass sie eine Frau ohne Mantel im Regen umherirren sah, die die Namen südamerikanischer Hauptstädte vor sich hinmurmelte. Es wird vermutet, dass es sich bei der Frau um Mrs Townsend handelte.

Hunde

Hunde sind in mehreren meiner Romane vorgekommen. In den Adrian-Mole-Büchern hat der Familienhund der Moles keinen Namen und kein Geschlecht – er ist einfach nur als »der Hund« bekannt. Der Hund ist ein ewiges Ärgernis. Ständig muss er zum Tierarzt, wo ihm der Magen durchleuchtet wird, er läuft Adrian in die Schule hinterher und er steht immer direkt vor dem Fernseher.

Die Moles empfinden eine Art Hassliebe für ihren Köter, ebenso wie Christopher, eine Figur aus meinem jüngsten Buch, *Ghost Children*. Christophers Hund ist ein Bullterrier, und wiederum hat er weder Name noch Geschlecht. Die Hunde in diesen Büchern vertreten Anarchie und Chaos, dank ihnen überstürzt sich der Lauf der Dinge. Außerdem sind sie ein praktisches Stilmittel zum Geschichtenerzählen.

Hunde tun Dinge, die Menschen nicht tun können (außer Psychopathen oder Leute, die von Wölfen aufgezogen wurden). Hunde haben kein Gewissen. Sie leiden nicht unter Schuldgefühlen. Sie wachen nicht nachts mit dem Gedanken an ihren jüngsten Fauxpas schweißgebadet auf. Hunde leiden nicht unter existenzieller Angst.

Vor allem ist es ihnen völlig egal, welchen Namen man auf ihrer Hundemarke oder ihrem Halsband eingraviert hat. Rufen Sie mal ein Schoßhündchen von einem Pudel mit »Metzger«, und es wird fröhlich angetrottet kommen. Rufen Sie Ihren Doberman im Park mit »Fifi«, und er wird mit großen Freudensprüngen auf Sie zueilen. Hunde tragen nichts nach. Ich selbst hatte allerdings kein Glück mit Hunden, weshalb es bei den Townsends seit zwanzig Jahren hundelos zugeht.

Unser letzter hundemäßiger Anhang war ein verrücktes langhaariges Knäuel mit viel nervöser Energie, das auf den Namen Lola hörte. Wir fuhren viele Meilen, um sie von einem Züchter von Langhaar-Collies zu kaufen.

Lola war der letzte Welpe, den er zu verkaufen hatte. Offensichtlich war sie der Zwerg des Wurfs gewesen. Sie rannte in immer kleiner werdenden Kreisen im Garten des Züchters herum und versuchte, ihren buschigen Schwanz einzufangen. Sie kläffte am Stück und hatte einen irren Ausdruck in den Augen. Wir nahmen sie.

Mich schaudert immer noch, wenn ich an die Rückfahrt denke.

Im Verlauf der folgenden Monate traten mehrere unangenehme Charakterzüge zutage: Lola hasste Fahrräder und ging wütend auf jedes los, das ihr in die Quere kam. Auch gegen ältere Menschen schien sie etwas zu haben, was besonders unglücklich war, da wir damals gegenüber von einem Altenheim wohnten. Sie entwickelte eine Aversion gegen Polstermöbel, die sie Stück für Stück zerfetzte. Lola urinierte und defäkierte, wo immer sie sich gerade aufhielt, wobei allerdings ein neu verlegter Teppich ihr am liebsten war.

Ich weiß schon, was Sie jetzt denken: »Die Schuld liegt bei den Besitzern.« Und wahrscheinlich haben Sie Recht. Hunde sind doof, doch sie merken es, wenn ihre Besitzer ängstlich oder unsicher sind. Und ich muss sagen, dass ich vor zwanzig Jahren ein trauriges Geschöpf war und Lola dies einfach ausgenutzt hat.

Sie musste weg, und so geschah es. Die Einzelheiten sind undurchsichtig. Mein Mann packte sie ins Auto und kam eine Stunde später ohne sie zurück. Als die Kinder fragten, wo sie denn sei, murmelte er irgendetwas von »Bauernhof« und »freundlicher Bauer« und »Lola wird es da gut haben«. Man kennt das ja.

Ich hatte Anstand genug, nicht genauer nachzufragen. Er lief mit dem schuldbewussten Blick eines Mörders durch die Gegend. Es war nicht zum ersten Mal, dass er für mich die Drecksarbeit erledigt hatte.

Zwanzig Jahre später haben Herr und Frau Spalier, wie ich mich und meinen Mann inzwischen nenne (niemand hat so viel Spaliergitter im Garten wie wir) einen Hund. Jetzt sind wir also zu dritt: Herr, Frau und Billy Spalier.

Zum Zeitpunkt, da ich dies hier schreibe, ist Billy gerade mal seit einem Tag und einer Nacht bei uns. Bisher hat er sich absolut tadellos benommen. Das heißt, abgesehen davon, dass er Ausgaben sowohl von *Private Eye* als auch von *The Oldie* zerrissen hat. Vielleicht kann er ja Satire nicht ausstehen, oder er hat keinen Humor.

Ich bin fest entschlossen, Billy von Anfang an klar zu machen, dass mit Frau Spalier nicht zu spaßen ist. Nochmaliges zerkauen von Satirezeitschriften wird strengstens geahndet werden, ebenso wie jegliche Übertretung des Disziplinkodex der Spaliers.

Die Art der Ahndung muss erst noch festgelegt werden. Mir ist bekannt, dass das Schlagen auf eine Hundenase mit einer zusammengerollten Zeitung von den europäischen Gerichtshöfen geächtet wurde. King, ein Schäferhundmischling, brachte seinen Besitzern eine Zivilklage ein, nachdem er mit dem *Independent* verprügelt worden war und nun angeblich unter posttraumatischem Stresssyndrom litt. Es war ein aufsehenerregender Fall, der uns Hundebesitzer in große Verwirrung stürzte. Jetzt frage ich mich, wenn Billy mit seinen großen,

hellen Hundeaugen zu mir aufblickt: Sieht er mich mit vorbe-
haltloser Liebe an, oder plant er, mit seinem Anwalt zu reden,
wenn ich ihm versehentlich auf die Pfote trete? – Da, jetzt
mache ich es schon wieder: schreibe meinem Hund menschliche
Eigenschaften zu. Dabei ist er erst dreiunddreißig Stunden hier.
Er kann nicht wissen, wie man einen Anwalt anruft. Noch nicht.

Madame Wodka

Als ich in der Grundschule war, sollten wir einmal ausrechnen, wie alt wir im Jahr 2000 sein würden. In meinem Fall war die Antwort dreiundfünfzig. In meinem damaligen zarten Pferdeschwanzalter erschien dreiundfünfzig ein lächerlich hohes Alter. Kaum noch menschlich. Wenn ich mir mich selbst als Dreiundfünfzigjährige vorzustellen versuchte, dann sah ich mich als eine Art Weltraum-Wesen, das dem üblen Schurken Mekon mit seiner vorquellenden Stirn und seinen Glupschaugen ähnelte, jedoch einen silbrigen einteiligen Anzug mit den obligatorisch spitzen Schultern trug. Ich stellte mir vor, dass ich in einem Glasturm leben würde, der in den Himmel hinaufragte, und mich mit einer fliegenden Version des Morris Minor fortbewegte.

Wie Sie wahrscheinlich merken, war meine futuristische Phantasie stark von den Dan-Dare-Comics der fünfziger Jahre beeinflusst, die ich damals in aller Heimlichkeit las, weil ich dachte, sie seien nur für Jungen geschrieben. Als Kind war mein Kopf voll von solch unsinnigen Vorstellungen. Zum Beispiel missverstand ich immer das Verbotsschild »Für Unbefugte Zutritt verboten. Zuwiderhandlungen werden verfolgt.« Jahrelang glaubt ich fest, ich würde, wenn ich mich versehentlich auf Privatgrund verirrte, von dem erzürnten Besitzer persönlich verfolgt, gefangengenommen, weggebracht und gefoltert.

Comics aus den fünfziger Jahren waren voll von Geschichten über böse Erwachsene. Ich erinnere mich noch, dass Ballettlehrerinnen und Leuchtturmwärter besonders gemeine Figuren abgaben. Allerdings insistiert mein Mann, der mir gerade eine Tasse Tee gebracht und dabei einen Blick auf diese Seite geworfen hat, mit ziemlicher Vehemenz, dass die Leuchtturmwärter seiner Kindheitslektüren durch und durch gutmütige alte Gesellen mit weißem Bart, dicken Wollpullis und Gummistiefeln waren. Ich sage, dass er die gemeinen Leuchtturmwärter mit den vertrauenserweckenden Kapitänstypen verwechselt. Ich bleibe hartnäckig bei meiner Erinnerung an gemeine Leuchtturmwärter, woraufhin er mich auffordert, ein einziges Beispiel eines gemeinen Leuchtturmwärters aus der Kinderliteratur zu nennen. Ich stehe von meinem Tisch auf und mache mich zu dem Zimmer mit den Kinderbüchern auf. Vor der geschlossenen Tür bleibe ich dann aber stehen, da mir einfällt, dass ich meiner jüngsten Tochter versprochen habe, dieses Zimmer nicht zu betreten. Die Gründe sind hochkompliziert und haben unter anderem mit zwei Katzen und einem Katzenklo zu tun. Also mache ich kehrt und gehe wieder an meinen Schreibtisch zurück.

Mein Mann sitzt im Wohnzimmer und sieht sich meine amerikanische Lieblings-Sitcom an. Er lacht lauthals und hat offensichtlich die Auseinandersetzung um den Leuchtturmwärter vergessen, wohingegen ich nun geradezu besessen von dem Thema bin. Zweifel regen sich. Ich erwäge, bei Freunden anzurufen. Verwechsle ich weißbärtige Leuchtturmwärter mit schwarzbärtigen Schmugglern?

Ich gehe ins Wohnzimmer und treffe dort meinen Mann und Bill, den Hund, schlafend auf dem Sofa an. Er springt schuldbewusst herunter, als er meine Schritte hört: Er darf nämlich nicht aufs Sofa (der Hund, meine ich, nicht mein Mann. Mein Mann darf abends aufs Sofa, sofern er seine Haushaltspflichten erledigt hat).

Vielleicht bewege ich mich mit Ballettlehrerinnen auf sichererem Boden. Die waren auf jeden Fall gemein und kamen auch ständig in dem *Bunty*-Comic vor, den ich als Kind jede Woche verschlang. Die Ballettlehrerin hatte einen kurzen russischen Namen, dem natürlich immer ein »Madame« voranging. Nennen wir sie doch für die Dauer dieses Artikels einfach mal Madame Wodka.

Diese gnadenlos elegante Dame mit Dutt sah man immer nur in einem schmalen schwarzen Kleid und mit Stock. Nahezu jede Woche einmal geriet Madame Wodka so richtig außer sich und tobte, wobei sie mit ihrem Stock auf den Boden des Übungsraums hämmerte. »Varrum danst ihr nicht, Mädchen?«, schrie sie dann eine tapfere Ballerina mit einem geheimgehaltenen gebrochenen Knöchel an.

Hin und wieder sah man ein Bild von Madame Wodka in einem privaten Augenblick, wie sie still über dem Foto eines hübschen jungen Mädchens in Tutu und Schwanenkopfschmuck weinte. »Olga! Olga! Du varrst die Beste!«, schluchzte sie dann. War Olga ihre verlorene oder vielleicht verstorbene Tochter? Mein Schulmädchenherz begann schon weich zu werden vor Mitleid mit Madame Wodka, bis schließlich das letzte Bild kam und klar wurde, dass – herrje! – das Foto Madame Wodka selbst auf der Höhe ihres Triumphes zeigte, bevor ein gebrochener Knöchel ihre Karriere beim Bolschoi zu einem verhängnisvollen Ende brachte.

Das Jahr 2000 steht bevor, und ich bin froh, dass ich dem silbrigen Strampelanzug mit den spitzen Schultern, den ich in meiner Jugend vorausgesagt habe, entgangen bin. Allerdings wird das neue Jahrtausend doch einen gewissen Stilwandel erfordern. Ich denke, ich sollte schon jetzt, im Frühjahr, anfangen, mein neues Image zu planen, um rechtzeitig im neuen Jahr bereit zu sein.

Ich muss mein Haar für den Dutt wachsen lassen und färben. Das schwarze schmale Kleid kann ich mir unschwer zu-

legen, ebenso die klassischen schwarzen Pumps. Was den wütenden Gesichtsausdruck und den Stock angeht habe ich sowieso schon gute Karten. Ich frage mich, ob ich wohl meinen
Mann überreden kann, mich Madame Wodka zu nennen? Nur
das eine Mal.

Beim Spanier

Mein Mann und ich gingen neulich, samstagabends, in Leicester in ein Restaurant namens Costa Brava. Stierkampfposter zierten die Wände, das Dekor war eindeutig spanisch, und überall hingen spanische Kunstgegenstände herum. Ein spanischer Kellner nahm mir den Mantel ab. Der spanische Oberkellner führte uns an unseren Tisch, wo bereits zehn Verwandte von uns die nüchterne, englische Speisekarte studierten.

Als Hauptgerichte gab es Rindfleisch, Pute, Lamm, Steak, Scampi, Hühnchen, Gemüse-Curry. Als Vorspeisen waren Suppe, Grapefruit, Eier mit Mayonnaise geboten. (Das ist jetzt die abgekürzte Fassung, aber ich glaube, Sie merken, worauf es hinausläuft.) Als der Ober kam, um meine Bestellung aufzunehmen, fragte ich, ob ich die spanische Karte sehen könnte.

»Nein«, erwiderte er, »wir haben keine spanische Karte. Wir kochen schon seit fünfzehn Jahren nicht mehr spanisch.« (Ein Spion hat mir erzählt, dass sie einem eine Paella machen, wann man bittet und bettelt und verspricht, es niemandem weiterzuerzählen.) Ich entschuldigte mich für meinen Fauxpas – wie konnte ich nur mit solcher Selbstverständlichkeit annehmen, dass ein Restaurant namens Costa Brava, im Besitz von Spaniern, auch spanisches Essen servieren würde?

»Also, was möchten Sie nun?«, fragte er ungeduldig und zog seine buschigen Brauen zusammen. Es war offensichtlich, dass er mich schon in der Sparte »schwierige Kunden« abgelegt hatte. »Die Grapefruit und die Scampi«, stammelte ich. Ein weiterer Kellner erschien und räumte unerklärlicher Weise sämtliche Weingläser auf unserem Tisch ab. Sofort brach wilder Protest seitens der versammelten Verwandtschaft los, und die Weingläser wurden wieder aufgestellt.

Mein Mann bat um die Weinkarte. Die meisten der dort aufgeführten Weine waren mit schwarzem Filzstift durchgestrichen. Er wählte unter den wenigen verbliebenen Weinen einen aus, nur um gleich darauf von dem Señor mit den buschigen Brauen zu erfahren, dass dieser auch nicht erhältlich sei. Inzwischen fingen meine Schläfen leise zu pochen an. Mein Mann blieb jedoch gelassen, und schon wenig später tranken wir Wein von solcher Zartheit, dass ein Witzbold bemerkte: »Das muss der Wein sein, den Jesus aus Wasser verwandelt hat.« Diesen Wein hätte man beruhigt Pu dem Bär oder Po von den Teletubbies vorsetzen können, ohne dass eines von den delikaten Geschöpfen davon betrunken geworden wäre.

Die »Vorspeisen« kamen. Meine Grapefruit war ganz frisch – sie hatte erst kürzlich die Dose verlassen. Sie wurde in einer winzigen Edelstahlschale serviert, die dem Däumling als Badewanne hätte dienen können. Garniert war sie mit einer halben Kirsche aus dem Glas. Sie schmeckte durch und durch köstlich.

Ein Musiker-Duo betrat die erhöhte Plattform am anderen Ende des Saals (es eine Bühne zu nennen wäre eine große Übertreibung gewesen). Sie spielten sich ein. Die gefürchteten Klänge des elektronischen Synthesizers schallten durchs Land. Eine Glitzerkugel begann sich zu drehen, und die beiden Männer sangen schmachtend zu einem synthetischen Bossa-Nova-Rhythmus. Das Ganze war noch recht harmlos, doch die Zyniker unter uns verdrehten ein bisschen die Augen und tauschten ein paar »Oh-mein-Gott«-Blicke aus. Dann kam der Hauptgang.

Ich habe noch nie, nicht einmal in den USA, solche riesigen Fleischportionen gesehen. Die Steaks hingen lässig über den Rand der großen Teller hinunter. Rindfleisch, Truthahn und Lamm waren in dicke Scheiben geschnitten und wie die Etagen eines Parkhauses aufeinandergeschichtet. Die Hühnchenesser schienen komplette, vierbeinige und vierflüglige Vögel ganz für sich allein zu haben.

Dann kamen die Scampi, außen knusprig, innen feucht und vollgesogen vom Aroma des Meers. Übrigens, weiß zufällig jemand, wo Scampi gefangen werden? Ist irgendetwas über ihren Lebensraum oder ihre Gewohnheiten bekannt? Leben sie in tropischen oder in kalten Gewässern? Gibt es so etwas wie Scampi-Farmen? Handelt es sich um einen Fisch oder ein Schalentier? Schwimmen sie in Schwärmen umher oder sind sie Einzelgänger? Werden sie in noch 2000 Jahren Evolution so weit sein, dass sie gleich mit Panade heranwachsen?

Der Chef des Duos, ein Mann der eine faszinierende Ähnlichkeit mit dem Vater von Cartoonheld Dennis the Menace hatte, forderte uns zum Mitsingen auf. »Wir haben gerade den Mund voll«, riefen meine Verwandten und ich, Essensreste spuckend. Riesige Platten mit herrlichem, in Butter geschwenktem Gemüse wurden auf den Schultern aus der Küche getragen und eilfertig serviert. Dicke braune Pommes wurden verteilt und landeten geräuschvoll auf den Tellern, womit sie den Townsend-Pommes-Test bestanden hatten.

Später sangen wir dann doch noch und tanzten Walzer und Shake und Twist und »The Locomotion« und den Ententanz und Conga und feierten zusammen mit den anderen Gästen im Restaurant insgesamt drei Geburtstage und je ein bestandenes Examen in Geburtshilfe und Jura.

Im weitern Verlauf des Abends übertraf sich das Duo selbst, die Glitzerkugel schien sich immer schneller zu drehen, und ich schämte mich für meine anfängliche Kritik. Es war alles genau so, wie man sich einen Samstagabend wünscht. Ich will unbedingt mehr davon. Es ist auf jeden Fall besser, als abends im Bett Dostojewski zu lesen.

Termindruck

Wenn Sie das hier lesen, werde ich ein neues Buch fertig haben. Den Titel sage ich Ihnen nicht, weil ich diese Kolumne nicht dafür missbrauchen will, Ihnen etwas zu verkaufen, und überhaupt, das Buch kommt erst im Oktober 1999 in den Handel. Das heißt, ich arbeite mit Termindruck. Ich habe noch sechs Wochen. Es bleibt keine Zeit für Kranksein, keine Zeit für Nichtstun, keine Zeit für ein normales Leben. Leider weiß das normale Leben dies nicht und tippt mir ständig auf die Schulter und erinnert mich daran, dass es auch noch da ist und dass ich jetzt endlich zum Spielen mit nach draußen kommen soll.

Dieses Buch beherrscht jeden Augenblick, den ich wach bin. Morgens schlage ich die Augen auf, und sobald mein Gehirn aufwacht, ungefähr dreißig Sekunden später, macht es sich sofort daran, im Geiste die geschriebenen Seiten zu überfliegen und im Text nach Fehlern und verpassten Gelegenheiten zu suchen.

Ich führe parallel laufende Unterhaltungen. Manche davon sind richtige Unterhaltungen, mit Leuten aus Fleisch und Blut. Andere spielen sich nur in meinem Kopf ab und finden zwischen den fiktiven Figuren meines Buchs statt. Das ist keine akzeptable Daseinsform für eine erwachsene Frau.

Irgendwie muss die Anspannung abgeführt werden. Manche Autoren greifen zum Alkohol oder zu Drogen oder stürzen sich in wahllose sexuelle Beziehungen (oder alles zusammen). Die meisten – zumindest nach meiner eigenen privaten Umfrage – versuchen jedoch abzuschalten, indem sie mit dem Hund spazieren gehen, ein Vollbad nehmen und dabei BBC Radio 4 hören, sich heftige Streitereien mit ihren Liebsten liefern, zu viel rauchen oder in unkontrolliertes Schluchzen ausbrechen, wenn ein Fremder unerwartet freundlich zu ihnen ist. Es gibt nur eine Aktivität unter den fünf genannten, der ich mich nicht hingebe.

Natürlich gibt es auch noch eine andere Kategorie von Schriftstellern. Die, die ein wohlgeordnetes, bürgerliches Dasein führt. Diese Schriftsteller betreten um neun Uhr morgens ihr Arbeitszimmer, nachdem sie geduscht, gefrühstückt und die Zeitung gelesen haben. Um 9.05 Uhr sitzen sie an ihrem Computer und schreiben. Um 11.00 Uhr legen sie eine Pause ein und gönnen sich eine Tasse Kaffee und einen Keks dazu. Um 11.15 Uhr machen sie sich wieder an die Arbeit. Das einzige Geräusch, das hinter der geschlossenen Tür ihres Arbeitszimmers hervordringt, ist das Klackern der Tasten, während ihr Buch Gestalt annimmt. Um 1.00 Uhr nachmittags hören sie mit der Arbeit auf, vertreten sich ein bisschen die Beine und gehen dann in die Küche, um zu Mittag zu essen. Sie haben eine exzellente Verdauung, sie schlafen gut und nachmittags und abends genießen sie ein geselliges Sozialleben.

Die Leute, die zu dieser Kategorie von Schriftstellern gehören, heißen Männer. Ich würde gerne eines Tages die Ehrenmitgliedschaft erhalten. Die Eigenschaft, die ich an Männern am meisten bewundere, ist ihre Fähigkeit, sich zu einem gegebenen Zeitpunkt auf eine einzige Sache zu konzentrieren.

Frauen sind notorische Vertreter des Multitasking. Beobachten Sie nur mal eine Mutter von kleinen Kindern am Morgen eines Schultags, und Sie werden diese Fähigkeit voll in Aktion sehen. Mit einer Hand kämmt sie einem Kind die Haare, mit der anderen bindet sie einem Kind die Schnürsenkel zu. Ihr linker Fuß schiebt den Hund von den Pausebroten weg, ihr rechter schlüpft gerade in einen Schuh (hoffentlich den rechten). Mit einem Auge blickt sie auf die Uhr, mit dem anderen sucht sie nach dem Autoschlüssel. Währenddessen kreisen ihre Gedanken um die Fragen, ob sie nicht doch lieber mit Dirk, dem Hippie, nach Goa hätte gehen sollen, als er sie darum bat, anstatt Derek, den Inspektor bei der Baubehörde, zu heiraten und zwei Kinder zu bekommen. Ihr Verstand sagt ihr allerdings, dass Dirk wahrscheinlich inzwischen irgendwo in einem Drogenentzugsprogramm gelandet ist und sowohl seine Abenteuerlust als auch sein exotisches Aussehen verloren hat, und dass zwar das Leben mit Derek nicht gerade aufregend, aber immerhin wohlgeordnet ist. Schließlich wird er in drei Jahren endlich in der Lage sein, eine Anzahlung für den Caravan zu machen, auf den er seit 1997 spart.

Gott, wie ich meinen fiktionalen Derek in diesem Augenblick beneide. Ich sehe ihn vor meinem inneren Auge, wie er durch seinen Arbeitstag gleitet, tut, was Inspektoren der Baubehörde eben so tun, ruhig und gemessen von einer Aufgabe zur nächsten schreitet. Gehen ihm etwa auch Gedanken an Frau und Kinder durch den Kopf und behindern ihn bei der Arbeit? Nein. Und wenn er nach Hause kommt, dann lässt er die Welt der Baubehörde hinter sich. Er hat seinen Frieden.

Genau den kann ich in meinem gegenwärtigen Geisteszustand einfach nicht finden. Ich bin halb verrückt vor lauter Termin-Neurose. Soll der selbstgefällige Derek sein Leben ruhig noch einen Augenblick genießen. Ich werde ihn mit einem Fluch beladen, der seine Glückseligkeit für immer zerstören wird. Ich werde ihm die fixe Idee in den Kopf setzen, er hätte das Zeug dazu, ein Buch zu schreiben: einen Roman, der den Intrigensumpf in den Eingeweiden der Baubranche beschreibt. Und als ob das noch nicht genug des Verfluchtseins wäre, gebe ich dem armen Tropf auch noch eine dreimonatige Abgabefrist mit auf den Weg.

Wie ich zu Beginn schon sagte: Wenn Sie dies lesen, wird mein Buch fertig sein. Doch bis dahin wird es mir ein enormes Vergnügen bereiten und eine Menge Spannungsabfuhr bescheren, an den armen, unglückseligen Derek zu denken, der mit seinem Termindruck kämpft.

Pu der Bär

Letztes Jahr traf ich auf einer griechischen Insel eine Frau, die noch nie von Pu dem Bären gehört hatte. Sie war Engländerin, Mitte fünfzig, war gebildet und besaß sogar einen Universitätsabschluss.

Ich weiß, dass Sie sich jetzt genau wie ich baff vor Staunen fragen: »Wie kann das sein?« Doch es stimmt. Diese aufgeweckte, belesene Frau hatte von einer Ikone der britischen Literatur noch nie gehört. Das ist ungefähr so, wie wenn man über jemanden stolpert, der noch nie von Shakespeare oder Elvis oder dem Eiffelturm gehört hat. Mit all diesen Dingen wird man zwangsläufig konfrontiert, ob man es will oder nicht. Der blinde Fleck dieser Frau kam vor einer größeren Gruppe von Leuten ans Licht. Ich hatte von Pu-Stöcke erzählt, dem Spiel das Pu und seine Gefährten erfunden haben. (Man wirft dabei Stöcke auf der einen Seite einer Brücke in einen Fluss und rennt dann zur anderen Seite der Brücke, um zu sehen, wessen Stock als erstes wieder herauskommt.)

Die Frau unterbrach mich in meinem Vortrag. »Entschuldigen Sie«, sagte sie, »aber was ist Pu-Stöcke?«

Ich erklärte es ihr.

»Aber wer ist Pu?«, fragte sie.

»Pu der Bär«, sagte ich.

»Aber wer ist das?«, fragte sie.

»Ein Bär von sehr geringem Verstand«, sagte ich, aus einem der Pu-Bücher zitierend.

Die Gruppe, allesamt angehende Schriftsteller, versuchten, der Frau auf die Sprünge zu helfen, da sie ein momentanes Blackout vermuteten. Verschiedene Schlüsselbegriffe wurden geliefert: I-Ah, Ferkel, Känga, Klein-Ruh, Christopher Robin. Die Frau hatte noch immer keine Ahnung. Die Gruppe bemühte sich noch eifriger. Lieblingssätze aus dem Buch wurden zitiert. Eine skandinavische Ärztin war besonders gut darin. Die gebildete Engländerin hörte zu, als ob wir uns in der Sprache der Marsmenschen unterhielten. »Aber Sie haben doch Kinder«, bemerkte einer aus der Gruppe vorwurfsvoll. Darin schwang der Vorwurf mit, dass diese Frau ihren Kindern eines der essentiellsten Dinge des Lebens vorenthalten hatte, auf der gleichen Stufe angesiedelt wie Nahrung, Kleidung, Tageslicht.

Ich stellte im Geiste Spekulationen über das Leben dieser Frau an. War sie in einer hermetischen religiösen Gemeinschaft wie den Amischen aufgewachsen, aus der jegliche Hinweise auf die Außenwelt sorgfältig ferngehalten wurden? Offenbar nicht. Und selbst wenn, Pu der Bär konnte doch unmöglich irgendjemands Gefühle verletzen? Pu war der Inbegriff der Harmlosigkeit und doch wohl kaum die Art von Halbstarken-Bär, die sich à la Boyz'n'the Hood auf der Straße herumtreiben würde, oder?

Je heftiger die Frau ihre völlige Unkenntnis in Sachen Pu beteuerte, um so deutlicher wurde mir das Ausmaß der Pu-isierung unserer Kultur bewusst. Das Bildnis dieses dummen Bären ziert eine Kinder-Müslischale, die ich seit dreißig Jahren besitze. Sie ist das einzige Sammlerstück, das ich im Haus habe. Aber gehen Sie mal in die Läden in der Stadt, und Sie werden überall auf Pu stoßen: auf Bettbezügen, Schulmäppchen, Pausebrotdosen. In Buchläden. Als Autoaufkleber und als Luftballon. Im Fernsehen und im Kino. Als höchst amüsantes, rührendes Hörbuch, gelesen von Alan Bennett auf BBC

Radio 4. Er gibt einen prima Teddybär ab: knuddeliger als sein vielgereister Rivale Paddington. Doch vor allem ist er ein Teil unserer Kultur. Er wurde samt seinen Freunden in die englische Sprache assimiliert.

Es stimmt zwar, dass die tragende Basis für Pus Macht die Ober- und Mittelschicht und die aufstrebende Arbeiterklasse sind. Doch diese Frau gehörte zur Mittelschicht. Sie kaufte Bücher und las sie. Sie hörte Radio 4. Sie wusste alles über Opern und sonnengetrocknete Tomaten.

Sie hat selbst keinerlei Erklärung für ihren Mangel an Pu-Kenntnis. Um sie zu trösten, erzählte ich ihr, dass ich bis vor kurzem geglaubt hatte, dass Vögel – alle Vögel – nachts in ihren Nestern schliefen. Doch dies entpuppte sich als weniger tröstend als ich gehofft hatte. Wie sich herausstellte, befanden sich die meisten aus der Gruppe in demselben Irrtum, und manche waren richtiggehend entsetzt, als ich ihnen erklärte, dass Vögel auf den Zweigen von Bäumen schliefen. Rufe wie »Die armen Dinger!« und »Warum fallen sie nicht herunter?« wurden laut – eine Frage, die ich auch nicht beantworten konnte.

Mir war klar, dass die Frau, wenn sie nach England zurückkehrte, überall nur noch Pu-Bilder und Pu-Referenzen sehen würde. Ob sie sich wohl in eine infantilisierte Pu-Verehrerin verwandeln würde? Oder würde sie Pu wegen seiner Dämlichkeit abstoßend finden? Weil Pu nämlich unglaublich dumm ist, und dazu noch ein fauler Vielfraß *par excellence*. Er ist in vielerlei Hinsicht kein gutes Vorbild für die heutigen, von schulischer Disziplin verfolgten Spät-neunziger-Jahre-Kinder.

Dennoch, wenn aus mir einmal ein Bär von sehr geringem Verstand wird, wenn ich in einer Ecke einer Alteneinrichtung vor mich hin sabbere, dann hoffe ich, dass mir jemand einen Pu-Bären zum Knuddeln bringt. Er mag ja dumm sein, aber er ist lieb und nett, und letztendlich ist das das Einzige, was zählt.

Mir reichen drei Sterne

Ich bin gerade in Zypern und arbeite an der Fertigstellung eines humoristischen Romans. Eine Komödie zu schreiben ist ein grimmiges Geschäft, vor allem, wenn man wie ich in den grauen Morgenstunden zwischen Mitternacht und fünf schreibt. Ich wohne in einem Appartement-Hotel am Strand. Das Tosen der Brandung und das Geräusch der Kieselsteine, die vom Meer angeschwemmt und wieder zurückgesogen werden, bilden ein ständiges Hintergrundrauschen. In den ersten paar Tagen, als ich noch nicht an die Lautstärke des Meeres gewöhnt war, griff ich hin und wieder sogar instinktiv zur Fernbedienung des Fernsehers, in dem Versuch, das Rauschen etwas leiser zu drehen.

Ich hatte die Woche im Hotel nebenan begonnen, einem Fünf-Sterne-Hotel, war jedoch aufgebracht von dannen gezogen, nachdem ein junger Ober mich angehalten hatte, als ich mit meiner Tasse Kaffee das Frühstückszimmer verlassen wollte. »Ich werde meinen Kaffee draußen trinken«, erklärte ich und nickte in Richtung Terrasse, wo gerade die Sonne herausgekommen war und die Blumen blühten. »Nein, Sie können die Tasse nicht mit nach draußen nehmen«, sagte er. »Wenn ich sie kaputt mache, werde ich für den Schaden bezahlen«, gab ich lächelnd zurück, obwohl ich schon langsam vor Wut mit den Zähnen knirschte. Es war zwar nicht *High Noon*, doch dies war definitiv ein Duell – ich mit Tasse und Untertasse, er mit seinem voll beladenen Tablett.

»Schauen Sie«, sagte ich, »ich bin dreiundfünfzig Jahre alt und ich weiß, wie man eine Tasse mit Unterteller hält.«

»Es ist gegen die Vorschriften«, beharrte er.

Ich hatte mir bei denen sowieso schon den Ruf einer Querulantin eingehandelt. Kurz nach meiner Ankunft hatte ich um einen Wasserkocher auf meinem Zimmer gebeten und als Antwort ein Nein erhalten. Dann hatten sie doch noch eingelenkt, dabei allerdings verlangt, ich solle 20 Pfund Kaution hinterlegen – »als Schutz gegen Diebstahl«. Ich hatte darauf hingewiesen, dass ich mir für 17 Pfund einen nagelneuen Wasserkocher kaufen konnte und es also keinen Grund gäbe, warum ich einen von ihnen stehlen sollte.

Auch gegen den unverschämten laminierten Hinweiszettel neben der Minibar hatte ich protestiert. Darauf stand: »Es ist nicht erlaubt, die Minibar auszuräumen, um eigene Speisen und Getränke hineinzustellen. Für nicht konsumierte Waren, die aus der Minibar entfernt werden, wird eine Gebühr von 45 Cents pro Ware pro Tag erhoben.«

Zeigen Sie mir mal jemanden, der sich bei einem zweiwöchigen Urlaub ausschließlich an den Drinks aus der Minibar bedient, und ich zeige Ihnen einen kompletten Idioten. Eine Dose Coca-Cola, die im Supermarkt 35 Cents kostet, verwandelte sich im Inneren der Minibar auf wundersame Weise in eine Dose für lächerliche 2,50 £. Ich rief an der Rezeption an. »Könnte ich bitte meine Minibar ausräumen lassen?«, bat ich. »Ich bin Diabetikerin und brauche Platz für zuckerfreie Getränke.«

»Das kostet aber etwas«, sagte das Mädchen an der Rezeption.

Ich erklärte ihr, dass ich den Hinweis gelesen hatte, aber eben Diabetikerin sei. Ich bat darum, dass mein Kühlschrank aus gesundheitlichen Gründen geleert würde. Sie blieb absolut stur, so dass ich mich zu einer lächerlichen List gezwungen sah, nämlich meine Minibar auszuräumen, den Inhalt in meinem

Koffer zu verstauen, meine eigenen Lebensmittel und Getränke einzufüllen (Butter, Käse, ein Glas Haywards Picalili Pickle, Knäckebrot, Cola light und Sprite light) und diese Prozedur jedes Mal rückgängig zu machen, bevor jemand vom Personal mit Klemmbrett und Liste durchging, um den Inhalt der Minibar zu überprüfen. Das ist doch eine Zumutung für einen erwachsenen Menschen, oder?

Eine andere Sache, die mich an dem Hotel ärgerte, war, dass der für den Swimmingpool zuständige Mann ein Sadist war. Um zehn Uhr morgens hatten sich die meisten Familien auf ihren Liegen rund um den Pool niedergelassen: Die Väter lasen ihren zwei Tage alten *Daily Telegraph* (Preis im Hotel: 3 £), die Mütter schmierten sich Ambre Solaire auf ihre üppigen weißen Innenschenkel, die Kinder turnten in Badehosen und -anzügen am Rand des Schwimmbeckens herum, manche von ihnen mit ihrem aufblasbaren Badespielzeug in der Hand – Luftsessel, Dinosaurier, Schwimmreifen und so weiter.

»Warum turnten sie denn am Beckenrand herum?«, werden Sie sich ganz zu Recht fragen. »Warum waren sie nicht im Pool und planschten und lachten und lernten schwimmen?«

Die Antwort ist, weil der Bademeister erst um zehn Uhr mit dem Reinigen des Beckens begann. Und auch dann noch ging es ganz, ganz langsam, und manchmal, wenn er das Becken einmal gesäubert hatte, ging er mit seinem Netz und Stock herum und säuberte es ein zweites Mal. Jedes Kind, das auch nur eine kleine Zehe ins Wasser zu strecken wagte, zog sich sofort seinen Zorn zu. »Warte! Du sollst warten«, rief er dann.

Inzwischen war ich nahe daran, vor Wut über diese restriktiven Praktiken zu explodieren, was ich nur verhindern konnte, indem ich im Geiste einen Beschwerdebrief an den Hotelmanager schrieb. »Ist Ihnen eigentlich klar, dass Ihre Gäste den Hotel-Swimmingpool nicht vor elf Uhr benutzen können? Blablabla.«

Ich schickte den Brief dann doch nicht, da ich nicht wollte, dass der Bademeister gefeuert würde. Statt dessen checkte ich aus und zog in das Drei-Sterne-Appartement-Hotel um, in dem ich jetzt bin und wo ich einen leeren Kühlschrank und sogar noch einen Herd habe, auf dem ich mir meine mitternächtlichen Gelage kochen kann, und einen Pool, in dem zwar ein paar tote Insekten auf dem Grund liegen und jede Menge Blütenblätter auf der Wasseroberfläche treiben, der jedoch ab 8.30 Uhr morgens voll von fröhlichen Kindern ist, und wo der Bademeister sogar eine Fußpumpe hat, um die Badespielsachen aufzublasen.

Ich weiß, wo ich hingehöre, und da reichen drei Sterne.

Die Liste

Kürzlich wurde ich gefragt, ob ich nicht einen Beitrag für einen Ratgeber für junge Menschen schreiben wolle. Ich hatte Lust, den Leitern dieses Projekts mit dem guten Rat zu antworten, dass junge Leute keine Ratgeber lesen – sie glauben nämlich, sie wissen selbst alles am besten. Außerdem glauben sie, dass jemand, der Ratschläge verteilt, schon per Definition keine Person ist, der es sich zuzuhören lohnt. Aber wer könnte schon der Gelegenheit widerstehen, andere Leute – welchen Alters auch immer – in den Genuss der eigenen Weisheit und Erfahrung kommen zu lassen? Ich jedenfalls nicht, daher nachfolgend meine geballten Ratschläge. Übrigens nicht nach Wichtigkeit geordnet, wie unschwer erkennbar sein dürfte.

1   Tragen Sie weiße Socken nur zum Tennisspielen.
2   Seien Sie sich bewusst, dass das Wort »Kaffee« ein Codewort für Geschlechtsverkehr ist.
3   Wenn Sie Ihre Tochter Victoria oder Samantha nennen, wird sie sich selbst, sobald sie älter ist, Vic oder Sam nennen.
4   Alle jungen Frauen sollten ein Schweizer Messer besitzen – das mit Schraubenzieher, Pinzette, Nagelfeile, Dosenöffner und Korkenzieher. Sie sollten es immer in ihrer Handtasche haben.
5   Alle jungen Männer sollten ein Schweizer Messer besitzen, doch sie sollten es nicht mit aus dem Haus nehmen, da sie sonst wegen Waffenbesitzes festgenommen werden.

6   Hören Sie sofort auf, Alkohol zu trinken, wenn Sie nicht mehr in der Lage sind, das Wort »exzessiv« auszusprechen.

7   Wenn Sie sich gerne alles so schwer wie möglich machen – ob Arbeit, Studium, Ausgehen oder Reisen – dann werden Sie von einem unzuverlässigen jungen Mann schwanger und tragen das Kind aus.

8   Lesen Sie mindestens eine Stunde am Tag.

9   Vergessen Sie nie, dass alle Regierungen lügen.

10   Frauen sollten immer ein Paar schwarzer, flacher, leichter Sandalen in ihrer Handtasche haben.

11   Sparen Sie etwas Geld an (selbst wenn es zwei Jahre dauert) und kaufen Sie sich einen schlichten, schwarzen Kaschmirpullover mit V-Ausschnitt. Er wiegt so gut wie nichts, trägt nicht auf, ist warm und hält auch mangelnde Pflege und rauen Umgang aus.

12   Kaufen Sie sich keinen teuren Schmuck. Er wird Ihnen ja doch nur von irgendjemandem abgenommen.

13   Wenn Sie reisen, kaufen Sie sich immer eine Zeitung vor Ort (selbst wenn Sie die Sprache gar nicht verstehen). Sie können darauf sitzen oder liegen. Sie können sie als Teller benutzen. Sie können sie als Toilettenpapier benutzen. Sie können sich darunter vor dem Regen unterstellen und ihre Haare trocken halten. Sie können sie aufrollen und damit Insekten erschlagen. Sie können sich dahinter verstecken. Die Einsatzmöglichkeiten sind unerschöpflich.

14   Vergessen Sie nicht, dass die Feuerwehr sehr viel mehr zu tun hat, seit es Mode geworden ist, bei Kerzenlicht zu baden.

15   Ihre Umhängetasche oder Ihr Rucksack sollte so groß sein, dass man darin notfalls auch fünf Pfund Kartoffeln nach Hause tragen kann.

16   Essen Sie jeden Tag eine rohe Zwiebel und eine rohe Knoblauchzehe, wenn Sie es satt haben, von Männern belästigt zu werden.

17 Lassen Sie sich vor einer Reise zehn Ein-Dollar-Scheine in Ihren BH einnähen. Das wird für etwas zu Essen und zu Trinken reichen und für einen Anruf bei der britischen Botschaft, um den Diebstahl oder Verlust Ihres Geldes, Reisepasses, Ihrer Kreditkarten und Ihres Flugtickets zu melden.

18 Wenn Sie sich mit siebzehn einen kleinen Affen auf den Bauchnabel tätowieren lassen wollen, halten Sie einen Augenblick inne und machen Sie sich klar, dass er, wenn Sie einunddreißig und im neunten Monat schwanger sind, zu der Größe von King Kong ausgedehnt sein wird: kein schöner Anblick für die Hebamme.

19 Nasenstecker hinterlassen *immer* ein Loch im Nasenflügel. Fragen Sie meine Tochter Victoria.

20 Tragen Sie einen Stringtanga-ähnlichen Slip, wenn Sie Hosen tragen.

21 Stellen Sie Fragen. Und reden Sie mit Fremden.

22 Wählen Sie immer den Gangplatz im Flugzeug.

23 Suchen Sie sich einen Nebenjob als Kellner oder Kellnerin. Sie lernen dabei eine Reihe wertvoller Dinge: wie man mit Betrunkenen umgeht, die Geheimnisse professioneller Küchen, und wie man sich in Restaurants benimmt.

24 Wenn Ihre Eltern sich darüber beklagen, wie widerlich und dreckig Ihr Zimmer ist, kaufen Sie sich ein Vorhängeschloss und tragen Sie den Schlüssel immer bei sich.

25 Rasieren Sie sich ja nie die Augenbrauen ab. Sie wachsen in absolut lächerlichen, exzentrischen Formen nach.

26 Wenn Ihr Freund der Meinung ist, Valentinstag sei eine Verschwörung von Floristen und Grußkartenherstellern, geben Sie ihm sofort den Laufpass. (Wahrscheinlich hat er ja Recht, aber Sie sollten den elenden Mistkerl trotzdem zum Teufel jagen.)

27 Denken Sie immer daran, dass eine Dose Limonade oder dergleichen durchschnittlich sechs Löffel Zucker enthält.

28 Glauben Sie keiner Verkäuferin, die Ihnen sagt, dass Sie in dem schlammgrünen Zeltkleid, das Sie nur aus Jux anprobiert haben, »hinreißend« aussehen. Sie versucht nur ganz verzweifelt, ihr Verkaufssoll für diesen Monat noch zu erreichen.

29 Spielen Sie nie mit einem festen Zahlensatz Lotto.

30 Lesen Sie nie Ratgeber-Kolumnen. Sie stammen unweigerlich von Frauen reiferen Alters, die einen Groll gegen die Jugend hegen.

Mrs Magoo

Hallo *amigos*. Wegen diabetischer Retinopathie bin ich nun stark sehbehindert. Es ist ein interessanter Zustand, der zwangsläufig dazu führt, dass ich mich stolpernd und überall aneckend durch die Welt bewege und noch ein wenig mehr wie ein Idiot wirke als vorher schon.

Auf schleichendem Wege werde ich immer exzentrischer. Um meinen Hals hängen nun schon zwei Dinge: meine ärztlich verordnete getönte Brille und ein riesiges Vergrößerungsglas.

Ohne diese zwei Hilfsmittel kann ich weder Zeitungen noch normale Bücher lesen. Das ist teils Fluch, teils Segen. Seit meinem achten Lebensjahr bin ich süchtig nach Gedrucktem. Ich stellte mir zum Zähneputzen ein Buch auf das Waschbecken. Ich las in der Badewanne. Ich konnte nicht aufs Klo gehen, ohne zu lesen. Ich las auf dem Schulweg, in der Umkleidekabine für den Sportunterricht, bei Tisch. Ich konnte nicht essen, ohne dabei zu lesen.

In den Kreißsaal nahm ich ein Buch mit und las während der Wehen, bis ich zu laut schrie, um mich noch auf die Wörter konzentrieren zu können. Ich erinnere mich immer noch an eine fürchterliche Zugfahrt 1987 von London nach Leicester. Ich hatte mein Buch vergessen und zwei Stunden ohne jeglichen Lesestoff vor mir. Ich war wie ein Heroinabhängiger auf Entzug. Ich ging im Zug auf und ab und suchte nach irgendetwas Gedrucktem. Schließlich fand ich ein vierseitiges Pamphlet, das zwischen zwei Sitze gestopft war: *The Campanologist,* »Der Glockenläuter«. Ich stürzte mich auf die klingenden Nachrichten und den Klatsch wie ein verhungerter Hund auf einen Knochen.

Früher las ich mindestens vier Stunden am Tag. Die Retinopathie hat mich von dieser zeitraubenden Gewohnheit erlöst. Ich sage »erlöst«, da ich zugeben muss, dass nicht alles, was ich gelesen habe, das reine Vergnügen war. Ich war eine Print-Hure. Ich las einfach alles, egal was, egal wo und egal wann: den *Beano*-Comic, den *Spectator* und die Kellogspackung; die Anweisungen auf der Rückseite einer Packung Enthaarungswachs und das Kleingedruckte auf Versicherungspolicen. Wenn auf einer öffentlichen Toilette ein Graffiti stand, dann musste ich es Wort für Wort lesen und manchmal sogar noch Rechtschreibung und Interpunktion korrigieren.

Meine eigene Handschrift kann ich immer noch lesen, da ich mit einem dicken schwarzen Stift auf weißem Papier schreibe, allerdings kann ich die Linien auf dem Papier kaum noch erkennen. Aber wen kümmert das schon? Ich bin jetzt dreiundfünfzig, und keiner wird mir eins auf die Finger geben, weil ich über eine Zeile hinausgeschrieben habe.

Ich nenne mich inzwischen Mrs Magoo, nach der Komikfigur des kurzsichtigen Mr Magoo, der sich durch die Welt bewegt, indem er in Straßen- und Grubenschächte fällt.

Die Farce gehört allmählich zu meinem Alltag. Kürzlich warf ich ein Paar gelber Gummihandschuhe auf den Kompost, da ich sie für Kartoffelschalen hielt. In einem Geschäft in Leicester wollte ich eine Flasche Limonade mit zypriotischen Münzen bezahlen. Es besteht die Gefahr, dass ich aus dem Haus gehe und dabei aussehe wie Coco der Clown, da ich mein Gesicht nicht richtig im Spiegel erkennen kann, wenn ich das Make-up auflege. Erst neulich sagte mein Mann, als wir zum Bahnhof unterwegs waren: »Sue, ich glaube du hast ein bisschen zu viel Wangenrot aufgetragen.« (Er ist 1950 geboren und weiß nicht, dass es jetzt »Rouge« heißt.) Ich schaute mit meiner Brille-plus-Vergrößerungsglas-Kombo in den Spiegel und war entsetzt, als mir daraus unser bereits erwähnter Freund Coco entgegenblickte, startbereit, um sich gleich ins große Zirkusrund zu stürzen.

Der Zustand hat aber auch viele Vorteile. Man kann sich einen Hund halten, ohne die Hundehaare zu sehen. Der Küchenfußboden sieht immer sauber aus; erst wenn man die Brösel unter den Füssen spürt, wird einem klar, dass er mal Besen und Schrubber bräuchte. Auch der eigene Körper sieht angenehm weichgezeichnet aus: Die Unebenheiten und Narben und hässlichen Stellen sind gnädig ausgeblendet.

Da meine kosmetischen Bemühungen nun zum Roulettespiel werden, habe ich vor, in Zukunft Profis damit zu betrauen. Ich werde mich von jungen Frauen, die sehen, was sie tun, kämmen, maniküren, pediküren und mir die Augenbrauen zupfen lassen. Ich überlasse es meiner Familie und Freunden, mich darauf hinzuweisen, wenn ich Flecken auf der Kleidung habe. Ich hoffe, sie legen dabei keine falsche Höflichkeit an den Tag. Neulich spazierte ich eine Stunde lang mit einem über und über schwarzen Gesicht durch die Stadt, weil eine Lederjacke abgefärbt hatte. Ein freundlicher Verkäufer bei Boots wies mich schließlich darauf hin und reichte mir ein Wischtuch.

Tja, *amigos*, ein neues und aufregendes Leben tut sich vor mir auf. Ich bewohne jetzt eine Welt, die an den Rändern verschwommen ist. Ich kann die Einzelheiten von Gesichtern nicht mehr ausmachen, so dass meine Lieben für mich nie von Alter und Verfall gezeichnet sein werden. Für mich sehen alle schön aus. Menschen besitzen eine faszinierende Anpassungsfähigkeit an veränderte Bedingungen: Die Dinge, von denen ich glaubte, ich würde sie vermissen, habe ich bereits vergessen.

Wenn Sie also eine Frau auf sich zukommen sehen, die Flecken auf der Bluse, zu viel »Wangenrot« aufgelegt und eine Brille samt Vergrößerungsglas um den Hals hängen hat, dann bin ich das. Wenn Sie ein Bekannter oder eine Bekannte von mir sind und ich ignoriere Sie auf der Straße, Seien Sie nicht beleidigt. Ich bin immer noch Sue Townsend, aber ich bin auch diese andere Person, Mrs Magoo.

Millenniumfieber

Erinnern Sie sich noch an den Winter 1999? Das Millenniumfieber hatte das ganze Land erfasst. Alle hatten wir große Pläne, wo wir das Ende des abgelaufenen Jahrtausends feiern und das nächste begrüßen wollten. Dann meldete sich die raue Wirklichkeit, dieser elende Spielverderber, zu Wort: Irgendwelche Pedanten schrieben an Zeitungen und wiesen darauf hin, dass nach den antiken Kalendern und dem Zyklus des Mondes bla bla bla die Jahrtausendwende erst in zwei Jahren anstehen würde (oder längst vorbei war, je nachdem, welche Zeitung man las).

Einige unserer Pläne von damals waren hoffnungslos ehrgeizig. Gewöhnliche Briten sprachen davon, am Bondi Beach in Australien Cocktails schlürfen zu wollen. Andere redeten mit ekstatischem Blick (und angeregt von ein paar Drinks) davon, ein schottisches Herrenhaus anzumieten und die eisigen Zimmer mit 117 ihrer liebsten Freunde und Verwandten zu füllen – wobei sie vor lauter Millenniumsfieber geflissentlich übersahen, dass ihre Mutter sich wohl kaum mit den Freunden verbrüdern würde, die fast durch die Bank Drogen- und Alkoholentzugseinrichtungen von innen kennen gelernt hatten.

Manche von uns hatten eher Nervenkitzel und prickelnde Ferne im Visier: Bungeejumping von den Niagarafällen, mit Haien im Roten Meer schwimmen, unbewaffnet durch den so-

malischen Busch wandern. Dann merkten sie, dass die Flugge-
sellschaften ihre Preise bis zum Dreifachen des Normalen hoch-
geschraubt hatten, und sahen sich gezwungen, die Option vom
Zuhause Feiern in Betracht zu ziehen.

Nun weiß ich nicht wie es Ihnen geht, aber ich habe mich
jedenfalls schon viele Male über das britischen Hotelgewerbe
ärgern müssen. Meiner Meinung nach ging *Fawlty Towers* gar
nicht weit genug. Zu viele Stunden habe ich in Speisesälen von
Hotels verbracht, in denen man sich nur flüsternd verständigen durfte und von antiquierten Obern bedient wurde, die auf
blumig-ornamentalen Teppichen einher schlichen und silberne
Kuppeln mit verhutzelten Koteletts und matschigem Gemüse
darunter vor sich her trugen. Diese schauerlichen Speisen werden nach gutem englischen Service serviert – vom Ober persönlich mit Gabel und Löffel von der silbernen Platte herunter – und sind eiskalt, wenn sie auf den (ebenfalls kalten)
Teller plumpsen. Am Morgen wage ich es kaum, den Speisesaal zu betreten, aus lauter Angst vor dem Toast-Faktor beim
Frühstück. Nennen Sie mich ruhig kapriziös oder wählerisch,
aber ich mag nun einmal meinen Toast zusammen mit dem restlichen Frühstück und nicht als matschigen Nachschlag.

Die Briten sind ein äußerst cleveres, innovatives Völkchen.
Die Liste unserer Errungenschaften ist wirklich eindrucksvoll.
Wir haben Shakespeare hervorgebracht, das Düsentriebwerk
und die Beatles, warum kriegen wir es da nicht hin, frischen,
heißen Toast zu machen? In einem durchschnittlichen Hotel
wird der Toast gewöhnlich serviert, wenn man gerade vom Tisch
aufstehen will, um seine Koffer zu packen. Wenn ich die Treppen zum Speisesaal eines Hotels hinuntergehe, übe ich immer
meine kleine Ansprache … Ich (zu einem ältlichen Ober):
»Wäre es bitte möglich, dass ich den Toast gleichzeitig mit den
Eiern und dem Speck serviert bekomme?« Der ältliche Ober
(mit beunruhigtem Blick): »Das ist hier eigentlich nicht üblich,
Madam.« Ich: »Ja, das ist mir klar. Deshalb frage ich ja auch, ob

Sie bitte mit Ihren Traditionen brechen und mir Toast und Eier gleichzeitig servieren könnten.« Ältlicher Ober (kopfschüttelnd): »Da müssen Sie sich an den Manager wenden, Madam. Das übersteigt meine Zuständigkeit.«

Manche Leute meinen ja, dass die Jahrtausendwende nichts weiter als ein Marketing-Glücksfall ist und so aufgeblasen wird, dass wir irgendwann ganz hypnotisiert glauben, wir müssten uns T-Shirts, Tassen und Miniatur-Millennium-Domes als Souvenirs kaufen. Und natürlich stimmt das auch. Wir leben in einer Welt, die von den Kräften des Markts beherrscht wird. Wenn Jesus heute noch mal auf die Welt käme, dann würde das *Hello!*-Magazin garantiert eine fünfzehnseitige Bildreportage davon bringen. Josef würde sich Haare und Bart bei Bethlehems angesagtestem Friseur stylen lassen, und Maria würde eine Typberatung und einen persönlichen Fitnesstrainer erhalten, um ihr Äußeres per Generalüberholung *up to date* zu bringen. Brooklyn Beckham hat neue Standards in der Babybekleidung gesetzt, und die Windeln des Jesuskinds würden mit ziemlicher Sicherheit durch etwas Hipperes, Cooleres ersetzt, wären vielleicht aus Leder, oder aus Samt.

Kaum jemand, den ich kenne, will zum Millennium Dome gehen (mit Ausnahme von einigen Anwohnern Greenwichs, die so eine Art Besitzerstolz für das Bauwerk empfinden). Diese Zurückhaltung muss zumindest teilweise mit dem mangelnden Wissen darüber zusammenhängen, was denn in dem großen Zelt alles geboten ist. Ich bin ja ein vielseitig interessierter Mensch, aber ich könnte selbst unter Folter nicht sagen, was genau sich darin befindet und uns angeblich so begeistern und faszinieren soll, nachdem wir unsere zwanzig Pfund Eintrittsgeld geblecht haben. Dagegen finde ich das Riesenrad über der Themse ganz aufregend. Beleuchtet wird es ein prächtiger und feierlicher Anblick sein.

Was sind also meine eigenen Pläne für die Jahrtausendfeier? Die ehrliche Antwort lautet, dass ich keine habe. Viel-

leicht vollbringe ich das ultimative Opfer und mache Baby-
sitting für die Enkelkinder. Wir könnten draußen ein Mitter-
nachtspicknick mit Feuerwerk abhalten und über die Eltern
ablästern. Dann fahren wir nach Hause zu Eiern und Speck
und dem ersten gebutterten Toast einer neuen Morgendäm-
merung.

Parkplatz »Pink Elephant«

Mr und Mrs Broadway hatten acht Tage frei, in denen sie in Urlaub fahren wollten. Wir saßen an unserem Küchentisch in Leicester und sprachen darüber, wo wir gerne hin wollten. Keiner von uns beiden brachte es fertig, dem Hund ins Gesicht zu sehen. Er mag es nicht, wenn wir wegfahren, und straft uns jedes Mal bei unserer Rückkehr mit Liebesentzug – richtige Joan-Crawford-Allüren.

Ich weiß noch, dass Mr Broadway einmal, in den frühen Tagen unserer Bekanntschaft, sagte, er würde gerne Pompeji sehen. Allerdings erinnere ich mich auch daran, das er sich seither geschworen hat, sich nie wieder ein antikes Monument oder Kunstwerk anzusehen, so lange er lebt. Dabei ist er kein Kulturbanause. Haben Sie Erbarmen mit dem Mann: Er musste einmal 2000 Ikonen in zehn Tagen verkraften – selbst der gierigste Kulturgeier auf unserer Russlandreise fing schließlich vor Langeweile zu winseln an, als wir von dem herrischen Reiseführer in eine weitere muffige Kirche voll kostbarer Gemälde getrieben wurden. Einmal dachte ich schon, Mr Broadway wolle, auf dem absoluten Tiefpunkt angelangt, langsamen Selbstmord begehen, indem er sich Hut, Schal, Handschuhe und Mantel auszog und bei minus vierunddreißig Grad in den eisigen Schnee legte.

So taste ich mich also klammheimlich an das Thema Pompeji heran, indem ich ihm Wein nachgieße und erwähne, dass

Italien um diese Jahreszeit schön warm sei. Er pflichtet mir bei. »Wo in Italien?«, fragt er. Ich lege eine falsche Fährte. »Florenz?«, schlage ich vor. Er sagt nichts, doch ich weiß genau, was in seinem Kopf vorgeht: Er sieht sich schon mit einem ungenauen Stadtplan in der Hand über die höllisch heißen Pflastersteine von Florenz stapfen und nach einer Kirche, einem Museum oder einer Statue suchen.

»Nein, keine Stadt«, sagt er.

»Die Amalfiküste ist sehr schön«, sage ich.

»Amalfi«, wiederholt er. Wieder sehe ich, was sich in seinem Kopf abspielt: Er sieht sich auf einem Sonnenstuhl liegen und an seinem italienischen Bier nippen. Er ist umgeben von exotischen Pflanzen und italienischen Frauen. Er liest einen Bestseller-Roman über das Ende der Welt.

Ich schenke ihm erneut nach. »Ja, Amalfi«, sagt er versonnen.

Jetzt ist der richtige Augenblick. Ich schlage zu. »Und Pompeji ist auch nicht weit.«

»Ich wollte schon immer mal Pompeji sehen«, sagt er und vergisst dabei ganz offensichtlich seinen Horror vor historischen Stätten.

»Wir fliegen nach Neapel und übernachten in einem Hotel in Amalfi«, halte ich zuversichtlich fest. Wir vermeiden es, den Hund anzusehen, und gehen zu Bett.

Es gibt keine Flüge nach Neapel und auch keine Hotelbetten in Amalfi. Weshalb wir uns nun auf dem Parkplatz »Pink Elephant« am Flughafen Stansted wiederfinden und im Regen durch Abschnitt G fahren. Dies tun wir, weil es uns ein Computer befohlen hat. Abschnitt G ist offenbar voll. Wir fahren an einer Schlange wütender Flugreisender vorbei. Sie sind tropfnass, wie auch ihr Gepäck. Sie warten auf einen Pendelbus zum mehrere Meilen entfernten Flughafen. Wir widersetzen uns der computerlichen Anweisung und parken in Abschnitt H. Wie durch ein Wunder hält auch prompt ein leerer Pendelbus und

nimmt uns mit. Ich kann nicht hinsehen, als er an der Schlange
aufgebrachter Menschen in Abschnitt G vorbeifährt. Doch ihre
wütenden Aufschreie kann ich mir vorstellen. Wie zum Hohn
taucht ein Schild mit einem rosaroten Elefanten auf, als wir den
Parkplatz verlassen. Der Elefant tanzt auf den Hinterbeinen
und winkt grinsend mit dem Rüssel. Wenn ich in der Schlange
in Abschnitt G gestanden hätte, hätte ich große Lust verspürt,
dem rosaroten Elefanten mit seinem fröhlichen Gesicht ernsthaften Schaden zuzufügen.

Wir flogen nach Rom, mieteten ein wendiges, kleines Auto
und fuhren auf der halsbrecherischen Küstenstraße nach Ra-
vello, wo wir in einem Schloss aus dem zwölften Jahrhundert
abstiegen. An unserem ersten Abend begrüßten uns die Leute
der Ortschaft mit einem spektakulären Feuerwerk (das jedenfalls ist meine Interpretation; mein Mann glaubt, es war das
Ende einer religiösen Festlichkeit).

Nach sechs himmlischen Tagen fuhren wir nach Rom
zurück und schauten zwischendurch noch in Pompeji vorbei.
Als wir durch die grandiose Anlage mit ihren wunderschönen
Atriumhäusern, Amphitheatern, Brunnen und öffentlichen Bä-
dern wanderten, drängte sich mir der Gedanke auf, dass wir
seither in Sachen Stadtplanung nicht viel dazugelernt haben.
Damals schon hatten sie Einbahnstraßen für Fahrzeuge, Imbissbuden und Kneipen, die zur Straße hin offen waren. Und –
wer weiß? – wenn der Vesuv nicht die ganze Stadt in Lava und
Asche gelegt hätte, dann hätten sie vielleicht auch noch den
Cappuccino erfunden. Mr Broadway war hingerissen, und wir
haben vor, noch einmal hinzufahren.

Als wir aus dem Flugzeug ausstiegen, fanden wir den
Flughafen Stansted in ziemlichem Durcheinander vor. Kaum
irgendetwas schien zu funktionieren. Selbst die Handtuch-
abroller in den Damentoiletten lagen auf dem Boden. Auf
dem Parkplatz »Pink Elephant« herrschte ebenfalls wieder
Chaos aufgrund eines Zusammenbruchs des computerge-

steuerten Kreditkarten-Kassiersystems. Und zu allem Überfluss ließ sich noch nicht einmal ein Bargeldautomat mit Geld drin auftreiben.

Als wir endlich die nähere Umgebung des Flughafens verließen, betrachtete ich die platte Landschaft von Essex und dachte mir, dass wir hier dringend einen großen Vulkan bräuchten – einen aktiven mit genug Lava und Asche, um auch noch das Lächeln dieses tänzelnden rosaroten Elefanten zuzudecken.

Einsiedlertum

Schriftsteller verbringen einen Großteil ihres Lebens schwei-
gend. Wir sitzen tagelang allein in einem Zimmer, oder wie in
meinem Fall an einem Café-Tisch. Da man nämlich leider nicht
gleichzeitig reden und schreiben kann. Infolgedessen werden
unsere Stimmbänder kaum je voll beansprucht. Wir murmeln
vielleicht hie und da eine Dialogzeile vor uns hin oder es rutscht
uns gelegentlich ein Fluch heraus, Ausdruck von Sorge oder
Frustration, doch meistens sitzen wir den ganzen Tag in voll-
kommenem Schweigen da. Ich selbst bin ein Extremfall.

Wenn ich zu Hause bin, gehe ich nur selten ans Telefon. Ich
erschrecke richtig, wenn es klingelt, und starre es dann bebend
an, bis es wieder aufgehört hat. Die meisten Anrufer geben
nach fünfundzwanzig Mal Klingeln auf. Nur Familienangehörige
oder Leute, die mich sehr gut kennen, bleiben hartnäckig.
Manchmal, wenn die Sonne scheint und ich mich gut fühle, gehe
ich ran, aber im Allgemeinen nicht.

Das macht Leute rasend, die in meinem persönlichen und
beruflichen Leben eine wichtige Rolle spielen, doch ich habe
mich ihren Beschwörungen, doch endlich einen Anrufbeant-
worter anzuschließen, bisher hartnäckig widersetzt. Ich könnte
es nicht ertragen, ihre angespannten Stimmen vom Band zu
hören, mit der Bitte, sie doch »dringend« zurückzurufen.

Wenn mein Mann nicht da ist, halte ich es gut drei Tage
lang aus, ohne mit einer Menschenseele zu sprechen. Die ein-

zige Ausnahme ist der Hund, der zwar ein sehr intelligentes
Wesen ist, dabei aber ein Tier der wenigen – das heißt, um
genau zu sein, gar keiner – Worte.

Allerdings unterhalte ich mich mit den *Archers* auf BBC
Radio 4. Diese fiktiven, nur im Äther existierenden Figuren
schreie ich sieben Tage die Woche an. »Ach ja, sonst noch
was«, donnere ich das Radio an, wenn wieder einmal ein neuer,
höchst lächerlicher Handlungsfaden in das sowieso schon
schauderhaft melodramatische Dorfleben von Ambridge eingeführt wird.

»Geh zurück an die Schauspielschule!«, kommandiere ich,
als ein englischer Schauspieler sich an einem kanadischen Akzent versucht – und dabei klingt wie Dick Van Dyke in *Mary
Poppins*.

Doch diese Hund- und Radio-Unterhaltungen hinterlassen
kaum eine Spur auf den Stimmbändern. Würde Inspektor
Morse meine Leiche untersuchen, so fiele ihm sofort die of-
fensichtliche Nichtbeanspruchung meiner Stimmbänder auf.
»Lewis«, würde er zu seinem Kollegen sagen, »schauen Sie sich
das mal an. Diese Frau hat kaum je gesprochen. Sie muss
Schriftstellerin gewesen sein. Das ist unser erster Hinweis.«

»Aber«, würde Lewis stammelnd einwenden, »nur weil
sie ihre Stimmbänder nicht beansprucht hat, muss sie doch noch
keine Schriftstellerin gewesen sein, oder? Sie könnte doch auch
eine Nonne mit einem Schweigegelübde gewesen sein?«

»Nonne?«, würde Morse barsch zurückfragen. »Schauen
Sie sich mal ihre Finger an, Lewis. Was sehen Sie da?«

Lewis würde rot anlaufen und murmeln: »Nikotinflecken.
Entschuldigung, Sir, ja, sie muss Schriftstellerin gewesen sein.«

Wie dem auch sei, ich glaube, ich habe deutlich gemacht,
was ich meine – dass ich nicht gerade der redseligste Mensch auf
Erden bin. Fragen Sie mal meine Kinder. Mit denen habe ich
immer durch Seufzer, Grunzen, Augenrollen oder verächtli-
ches Schnauben kommuniziert. Es war hart für sie, doch es hat

sie auch angestachelt, es selbst anders zu machen – heute schätzen sie eine gute Unterhaltung.

Gerade habe ich überhaupt keine Stimme mehr. Sie ist mir vor drei Tagen abhanden gekommen. Sie fing schon an zu grummeln, als ich bei einer Signierstunde zu über 150 Leuten sprach. (Bitte glauben Sie jetzt nicht, das sei immer so. Ich habe schon oft in einer Buchhandlung gesessen und habe zu niemandem gesprochen, außer dem peinlich berührten Ladeninhaber, und vielleicht einem Kunden, der mich nach der Schreibwarenabteilung fragte.)

Am nächsten Tag wurde ich mehrmals interviewt, meine Stimme wurde immer krächzender, und irgendwann klang es eher nach einer Krähe als nach einem menschlichen Wesen. Ein surreal anmutender Moment ergab sich, als ich Meat Loaf, dem Sänger von »Bat out of Hell« mit der dröhnenden Stimme vorgestellt wurde.

Sein Sicherheitsmann sagte: »Mr Loaf, darf ich Ihnen Susan Townsend vorstellen.«

»Hallo, Mr Loaf«, flüsterte ich mit nur noch dem Hauch einer Stimme.

»Hallo Susan!«, gab er schallend zurück.

Anscheinend darf ihn nur seine Frau »Meat« nennen.

Nachdem er mit seiner Entourage den Korridor hinunter gerauscht war, war ich an der Reihe, das Studio zu betreten.

Ich erhielt eine heiße Zitrone und trank sie in kleinen Schlucken, während die Verkehrsmeldungen vorgelesen wurden. Da war ich noch zuversichtlich, dass ich einen vernünftigen Laut zustande bringen würde. Als das rote Licht an meinem Mikrofon anging, stellte mir die Moderatorin eine Frage. Ich öffnete den Mund, um zu antworten, doch nichts kam.

Sie reagierte sehr gut und improvisierte hervorragend, atmete dann einmal tief durch und stellte eine weitere Frage. Meine Stimme krächzte und brummte und ließ sich einfach

nicht kontrollieren. Wir starrten uns entsetzt an. Die Hörer von
Radio 5 schoben es wahrscheinlich auf schlechten Empfang.

So mühten wir uns ab. Sie war äußerst erfindungsreich und
beredt. Das war ich auch, nur hörte mich niemand. Die Quiek-
ser, die aus meiner Kehle kamen, waren nicht von dieser Welt,
und – Mr. Loaf möge mir verzeihen – ich klang wie eine sehr
alte »Fledermaus aus der Hölle«.

Es ist eine eindrucksvolle Bilanz: genügend Handschuhe, um eine Familie von Kraken warm zu halten; genügend Regenschirme, um die Bevölkerung von Borneo trocken zu halten; genügend Kugelschreiber und Feuerzeuge und Schals und Sonnenbrillen und Kosmetika, um einen Hotel-Shop auszustatten.

Nur komisch, dass sich in diesem Moment nicht auch noch irgendwelche Familiendramen abspielen. Oder vielleicht tun sie's ja doch? Man weiß ja nie bei erwachsenen Kindern. Sie halten schlechte Nachrichten von einem fern. »Ich wollte nicht, dass du dir Sorgen machst, Mum«, sagen Sie dann, wenn man zufällig herausfindet, dass vor zwei Wochen ihr Haus abgebrannt ist und sie vergessen hatten, die Versicherung zu verlängern.

Am nächsten Tag
Das Wetter zieht immer noch ein langes Gesicht, doch meine Stimmung hat sich gehoben.

Der Hund ist von der Untersuchung beim Tierarzt zurück. Ein Röntgenbild hat gezeigt, dass es absolut keinen Grund zum Lahmen gibt. Der Tierarzt glaubt, er schauspielert nur. Wie kommt der Hund dazu, derart um Aufmerksamkeit zu betteln? Er wird die ganze Zeit mit Liebe, Zärtlichkeiten und Knochen überschüttet. Ich weiß, dass er lieber ein Mensch wäre, aber er muss sich nun mal mit seiner Rolle im Leben arrangieren. Vielleicht sollte er mal zum Tieranalytiker gehen, damit der ihm hilft, mit seinem inneren Hund in Berührung zu kommen.

Der Tag danach
Vergessen Sie, dass ich je diese ellenlange Jammerlitanei geschrieben habe. Ich bin eine einigermaßen gesunde Frau, lebe in einem Land, in dem Frieden herrscht und Strom, sauberes Wasser und Nahrung vorhanden sind, und habe einen Mann, der seinen fairen Anteil an der Hausarbeit übernimmt. Ich habe gerade erst mit jedem meiner Kinder gesprochen. Sie

haben mir versichert, dass ihre Häuser nicht abgebrannt sind, und ich glaube ihnen. Mein Leben ist reich gesegnet und ich bin voller Optimismus. Und hiermit beschließe ich, nun auch die neuen Technologien anzupacken. Allerdings werde ich es langsam angehen lassen. Es hat ja keinen Sinn, schon gleich rennen zu wollen, bevor man gehen kann, oder? Bevor ich also im Netz surfe, werde ich wohl erst einmal mit diesem Aquariumsfilter anfangen.

Unsere Krankenhäuser

Etwas, was mir schon seit einiger Zeit auf der Seele brennt, ist die rücksichtslose Behandlung, die alten Menschen mitunter in unseren Krankenhäusern zuteil wird. Das ist immer noch fast so etwas wie ein Tabuthema, da medizinisches Personal, vor allem Krankenschwestern, gemeinhin als Engel gelten und als solche über jegliche Kritik erhaben sind. Die meisten Krankenschwestern arbeiten hart und machen ihre Arbeit professionell und freundlich, doch es gibt auch ein paar, auf die das nicht zutrifft, und diese Individuen können ihren Kollegen und Kolleginnen das Leben schwer und den hilfsbedürftigen Menschen in ihrer Obhut das Dasein zur Qual machen.

Unter Leuten meiner Generation gilt es als allgemein anerkannte Tatsache, dass die Pflegestandards in staatlichen Krankenhäusern heute niedriger sind als früher. Ich bin kein Freund des Ausspruchs »Die guten alten Zeiten«. Das tägliche Leben ist heutzutage für die meisten Menschen um ein Vielfaches besser als früher. Allerdings gab es die guten alten Zeiten für Krankenhauspatienten. Ich weiß das, weil ich es am eigenen Leib erlebt habe. In meiner Jungend war ich wegen verschiedener Krankheiten immer wieder im Krankenhaus. Und all jenen, die heute jung sind, möchte ich gerne einen Eindruck davon geben, wie es früher auf einer typischen Kassenpatientenstation zuging.

Die Station selbst war meist ein langer Raum, in dem nebeneinander aufgereiht die Betten standen. Es gab große Fens-

ter, durch die Tageslicht hereinkam und die einen Ausblick
boten. Patienten, die zu krank waren, um zu lesen oder sich
sonst irgendwie zu unterhalten, konnten im Bett liegend zusehen, wie sich das Wetter oder das Licht änderte. Auch den
immerzu regen Betrieb auf der Station konnte man beobachten:
das Reinigungspersonal bei der Arbeit, die Visite der Ärzte,
die Wägelchen mit den Getränken und Medikamenten und
dem Essen, die herumgeschoben wurden, das Kommen und
gehen der Schwestern … Damals war es möglich, alles zu sehen
und zu hören.

Wenn die Patienten in der Lage waren aufzustehen, wurden sie ermuntert, beim Austeilen der Getränke zu helfen oder
in der Stationsküche auszuhelfen, wodurch den Schwestern
mehr Zeit für ihre eigentliche Arbeit blieb, für die sie ausge-
bildet waren – das Pflegen.

Unter dem Pflegepersonal der Station herrschte eine feste
Hierarchie. Ganz oben stand die Oberschwester. Diese furcht-
erregenden Frauen trugen eine besondere Uniform mit einem
gestärkten weißen Häubchen, das in jedem Krankenhaus anders
war und jeden Tag gewaschen und neu gefaltet werden musste.
Diese Oberschwestern hatten absolut das Sagen. Das Leben
auf ihrer Station gehorchte einem strengen Zeitplan und folgte
einer genau festgelegten Pflegeroutine. Jeden Morgen wurden
alle Patienten im Bett gewaschen und Talkumpuder auf druck-
empfindliche Stellen aufgetragen. Unsere Zähne wurden gereinigt, unser Haar gekämmt und wir bekamen ein sauberes
Nachthemd angezogen. Nachdem unser Bettzeug gewechselt
worden war, sanken wir in unsere schneeweißen Kissen, um-
hegt und umsorgte wie Könige und Königinnen.

Die Schwestern hielten ständig nach wundgelegenen Stellen, postoperativen Infektionen und Schmutz Ausschau. All
dies galt als schmachvolles Vorkommnis. Ältere Patienten wurden zu den Essenszeiten im Bett aufgesetzt und gefüttert und
durften erst nach Hause entlassen werden, wenn sie ordentlich

aßen. Es war ein sicheres und offenes Umfeld. Unfreundliches Verhalten einer Schwester gegenüber einem Patienten wäre sofort bemerkt und ebenso schnell unterbunden worden.

Mein letzter Krankenhausaufenthalt war eine zutiefst deprimierende und beunruhigende Erfahrung. Die Station, auf der es fast nur künstliches Licht gab, war in einzelne Nischen unterteilt, die ein Gefühl von Isolation erzeugten. Es mangelte an ausreichend Bettbezügen und gab nicht genug Kissen. Niemand schien verantwortlich zu sein, und oft herrschte Verwirrung über die verschriebenen Medikamente. Manchmal wurde auch mehrfach behandelt. Mehrmals kam es vor, das Patienten am Abend fasten mussten, für ihren großen Tag vorbereitet wurden und dann informiert wurden, dass ihre Operation verschoben worden war.

Am bedrückendsten war jedoch, wie die älteren Leute auf der Station teilweise behandelt wurden. Ich beobachtete eine sehr gebrechliche alte Dame, die von einem Altenpflegeheim aus der Umgebung ins Krankenhaus eingeliefert worden war, nachdem sie sich bei einem Sturz die Hüfte gebrochen hatte. Nennen wir sie einfach Mrs Young. Sie lag auf dem Rücken und konnte nur die triste Zimmerdecke sehen. Hin und wieder rief sie den Namen ihres längst verstorbenen Ehemanns aus. Das Essen wurde auf dem Nachttisch neben ihrem Bett abgestellt und blieb dort, bis es kalt war und wieder mitgenommen wurde. Auch die Getränke wurden außer ihrer Reichweite hingestellt. Sie musste mehrmals um eine Bettpfanne bitten. Oft kam die dann zu spät, und die Frau musste in ihrem verunreinigten Bett liegen. Ihr wurde das Gesicht nicht gewaschen und das Haar nicht gebürstet. Niemand kam sie besuchen. Und die »zuständige Schwester« redete auch noch respektlos und abfällig über sie und andere ältere Patienten.

Ich wies ein paar Mal auf Mrs Youngs Situation hin, konnte aber, da ich selbst ans Bett gefesselt war, nicht direkt helfen. Es gab viele Mrs Youngs auf dieser Station, und ich schäme

mich noch heute, dass ich keine offizielle Beschwerde einge-
reicht habe.

Nachdem ich das Krankenhaus verlassen hatte, musste ich
einmal auf die Station zurück, um einen Krankenbericht für
meinen Hausarzt abzuholen. Der Bericht war nicht aufzufin-
den, ebenso wenig wie die Rezepte für die Medikamente, die
mir verschrieben worden waren. Mrs Young lag immer noch
da mit ihrem klebrigen, wirren Haar und blickte zur Decke. Ich
würde gerne berichten, dass ich zurückkehrte und mich um sie
kümmerte, doch leider habe ich es nicht getan.

Das Leid mit dem Aufhören

Glauben Sie jetzt bitte nicht, dass ich den Großteil meiner Zeit im Krankenhaus verbringe, aber kürzlich war ich schon wieder dort. Sagt Ihnen die Sydney-Grippe noch etwas? Mich hat sie am 11. Januar um zwei Uhr nachmittags niedergestreckt. Ja, ich kann es so genau festmachen, da ich nämlich um fünf vor zwei noch putzmunter war und 300 Sekunden später so krank, dass ich kaum noch den Kopf heben konnte. Am nächsten Tag wurde der Arzt gerufen. Er sah selbst ein wenig angeschlagen aus.

»Ich hatte die Grippe«, sagte er, »und musste fünf Tage das Bett hüten.« Er schaute mitfühlend auf mich nieder und fügte hinzu: »Ich habe mich noch nie so elend gefühlt.«

»Fünf Tage!«, dachte ich und sank in die Kissen zurück. »Ich habe keine fünf Tage. Ich muss Termine einhalten, Leute treffen, Drehbücher überarbeiten.« Ich bin ständig am Überarbeiten von Drehbüchern. Ich vergleiche mich immer mit Sisyphus, der sein Leben lang einen Felsbrocken den Berg hinauf rollen musste, nur um dann mit anzusehen, wie der Fels prompt wieder hinunterrollte. Wie sich herausstellte, sollten aus den fünf Tagen drei Wochen werden. Ich war eine der vielen, bei denen sich Komplikationen (Lungenentzündung) einstellten, und nach einer furchtbaren Zeit zu Hause wurde ich schließlich in ein angenehmes weißes Krankenhausbett verfrachtet und durfte den wohltuenden Segen einer Salzlösungsinfusion und

einer Sauerstoffmaske erfahren. Ganz offensichtlich besitze ich
eine suchtgefährdete Persönlichkeit, da ich mich von der Sauerstoffmaske gar nicht mehr trennen wollte und mir die Schläu-
che am Tag vor meiner Entlassung praktisch aus den Nasen-
löchern gerissen werden mussten.

Drei Wochen ist für mich die längste Zeit ohne Zigarette,
seit ich vierzehn war. Wie ich so in meinem wunderbar beque-
men Krankenhausbett lag, versuchte ich mir auszumalen, wie
mein Leben als Nichtraucherin aussehen würde. Ein Horror-
trip! In Gedanken versuchte ich durchzuspielen, wie ich ein
Restaurant betrete und den Kellner um einen Platz im – ich
bringe es kaum fertig, das Wort auszuschreiben – Nichtrau-
cherbereich bitte.

Mein ganzes Erwachsenendasein hindurch habe ich Nicht-
raucher immer ein wenig bemitleidet und mich gefragt, wie
sie sich bloß eine der größten Freuden des Lebens verwehren
können. Der Raucherbereich im Restaurant schien immer eine
fröhlichere und angeregtere Klientel zu haben. Hier gab es
mehr Gelächter, wurde mehr getrunken, gab es einfach mehr
von allem. Was würde ich empfinden, wenn ich von den Leuten
meines Schlags getrennt würde? Das Motto einer Hälfte meiner gespaltenen Persönlichkeit (der Sue-Hälfte) lautet »zu viel
ist nie genug«; würde ich nun die puritanische, missbilligende
(Susan)-Seite meiner Persönlichkeit bewohnen müssen, deren
Motto heißt: »Zu viel ist sündig und schlecht«?

Heute Morgen las ich in der Zeitung, dass Zigaretten dasselbe Suchtpotential besitzen wie Heroin und Kokain. Dort
wird vorgeschlagen, dass Hausärzte süchtige Raucher genauso
behandeln sollten wie Alkoholiker oder Drogenabhängige.
Eine Therapie mit Nikotinersatz sollte auf Krankenkassen-
kosten erhältlich sein, findet Professor Martin Jarvis, ein Mit-
glied der Tobacco Advisory Group, die im Auftrag der Ärzte-
vereinigung einen Bericht zur Problematik des Rauchens erstellt hat.

Ich kann Professor Jarvis versichern, dass ich gerade unter ernsthaften Entzugssymptomen leide. Möglicherweise werde ich bald in eine Zwangsjacke gesteckt werden müssen wie Jack Lemmon als Alkoholiker in *Stärker als alle Vernunft*, bevor ich von meiner Sucht geheilt bin.

Kummer und schwere Prüfungen liegen vor mir. Zuhause, wo ich schreibe und die meiste Zeit verbringe, geht es ganz gut, was an sich schon ein Triumph ist: Früher musste ich mir schon eine Zigarette anstecken, wenn ich nur dem Milchmann eine Notiz schreiben wollte, und wie soll ich bloß ohne meine Zigarette in der Hand im Garten umherwandern? Und was ist mit diesen langen Autofahrten, auf denen Zigaretten immer so ein Trost waren? Wie werde ich in Straßencafés in Paris zurechtkommen? Wie soll man diesen exquisiten Kaffee genießen, ohne ihn mit einer Zigarette krönen zu dürfen?

Der Bericht von Professor Jarvis regt an, den Zugriff auf Zigaretten wie bei anderen Drogen zu reglementieren. Dies würde nur zu einer riesigen, von der Gesellschaft abgespaltenen Subkultur führen, in der Tabaksüchtige mit allen Mitteln ihrem Stoff nachjagen. Die Tabakhändler wären die neuen Verbrecherbarone der Unterwelt. Zwielichtige Clubs würden aus dem Boden schießen. Sie hätten Namen wie »Inhale« oder »Die Kippe«, oder »Röchler« für die ganz harten Süchtigen.

Was würde mit Rauchern passieren, die mit einer Packung Silk Cut ertappt werden? Bewährung für Ersttäter, Gefängnis ab dem dritten Mal? Was würde wohl als nächstes reglementiert (sprich: verboten) werden? Zucker? Fett? Sonnenbaden? Das Steigen auf Trittleitern? Aus-dem-Bett-fallen? Silvesterraketen im eigenen Garten abzuschießen? Das Überqueren der Straße? Autofahren? Alkohol? Alle Regierungen sollten sich hüten, Verbote auszusprechen. Wir, die Öffentlichkeit, brauchen unsere kleinen Freiheiten, unsere kleinen Rebellionen hie und da.

Es macht uns keinen Spaß, wie Kinder unter der Aufsicht eines Gouvernanten-Staats behandelt zu werden. Überstrenge Erziehung bewirkt bei Kindern allzu oft, dass sie sich schlecht benehmen, sobald ihnen das Kindermädchen den Rücken zudreht. Entschuldigen Sie, wenn ich langsam etwas gereizt klinge, aber ich sehne mich höllisch nach einer Kippe.

Figur und Fitness

Ich habe eine Personenwaage, die das Gewicht nicht anzeigt, sondern laut ausspricht. Man stellt sich darauf, und eine autoritäre, männliche Stimme mit Upper-Class-Akzent kommandiert »Bitte zurücktreten« und knurrt einem sein Gewicht entgegen. In jüngster Zeit hat sie so entsetzliches Zahlenmaterial geknurrt wie: »Ihr Gewicht beträgt zweiundsiebzig Kilo.«

Ich habe der knurrenden Waage keinen Namen gegeben. Ich halte nichts davon, leblosen Gegenständen Namen zu geben. Ich finde es überhaupt nicht niedlich, wenn mich Leute in einem Auto mitnehmen, das Lydia heißt oder ihre Waschmaschine Mavis nennen. So etwas finde ich kitschig und irritierend. Meiner eigenen Erfahrung nach, gehen Lydias und Mavises immer kaputt. Ich kann mir schon das Gefluche vorstellen, wenn die Servicetechniker am Telefon erfahren, dass Lydia nicht richtig in Gang kommt oder dass Mavis nicht mehr schleudert.

Auch traue ich meiner sprechenden Waage nicht. Ich glaube, sie lügt mich an. Wie kann es sein, dass ich morgens zweiundsiebzig und vor dem Zubettgehen vierundsiebzig Kilo wiege? Und überhaupt, wie kann es sein, dass ich plötzlich um die siebzig Kilo wiege – der Kleinkram sei geschenkt – obwohl ich jahrelang immer dreiundsechzig Kilo gewogen habe?

Meine sämtlichen Kleider sind für eine Um-die-dreiundsechzig-Kilo-Frau gekauft. Größe 40 passte garantiert immer. Doch erst neulich habe ich ein Hemdblusenkleid anprobiert und kam nicht einmal in den Ärmel. Es musste ganz offensichtlich ein Fabrikationsfehler sein, nahm ich an. Eine Näherin an ihrer Maschine irgendwo in Taiwan war wohl mit den Gedanken sonst wo gewesen, als sie das Armloch nähte.

Ich zog mich wieder an, ging aus der Kabine und schnappte mir ein anderes Kleid Größe 40. Es passierte genau dasselbe. Ich zog mich wieder an, ging aus der Kabine und durchsuchte die Kleiderstange nach einer Größe 42. Zurück in der Kabine kämpfte ich damit, bis ich es schließlich anhatte. Es spannte am Rücken, die Knopflöcher waren so auseinander gezerrt, dass man hindurchschauen konnte, und es klebte an meinen Schenkeln wie Klarsichtfolie an einem Mikrowellenhühnchen.

Ich zog mich an und verließ die Kabine. Ein Kaufhausdetektiv beobachtete mich, als ich nach Größe 44 suchte. Ich werde immer von Kaufhausdetektiven beschattet. Ich bin inzwischen daran gewöhnt. Irgendwas an mir und meinem Verhalten weckt ihren Verdacht. Meine stark eingeschränkte Sehkraft macht es auch nicht gerade besser. Dadurch wirke ich irgendwie dämlich und außerdem tapsig, so als ob ich betrunken wäre.

Es gab kein Hemdblusenkleid Größe 44. Insgeheim war ich erleichtert, und auf der Heimfahrt schwor ich mir, nicht mehr ständig diese Fischpasten-Sandwiches zu essen. Ja, ich weiß, andere Frauen auf Diät schwören den Schoko-Eclairs, dem Bier und ähnlichen Freuden ab, aber ich bin nun einmal süchtig nach Fischpaste: Krabbenpaste, Lachs- und Shrimppaste, Sardinen- und Tomatenpaste. Ich putze sie alle weg. Mein Mann kauft sie für mich in Zwölferpacks an der Tankstelle, die zu so was wie unserem Tante-Emma-Laden um die Ecke mutiert ist. Er kauft so viele Gläser davon, dass das Mädchen an der Kasse ihm inzwischen einen Rabatt gewährt.

»Ist Ihre Frau schwanger?«, hat sie einmal gefragt. »Nein«, hat er erwidert, »sie hat mit dem Rauchen aufgehört.« Das Mädchen verstand sofort – sie ist selbst Raucherin und erkannte den Zusammenhang zwischen Nikotin und Fischpaste. Ein

Nicht-Raucher hätte vermutlich gedacht, dass zwischen den zwei Substanzen nur eine dürftige Verbindung besteht. Also hat der Konsum von Fischpasten-Sandwiches dazu geführt, dass ich wie ein Ballon aufgegangen bin. Die einzigen Kleidungsstücke, in die ich passe, sind die schwarzen Pluderhosen und die losen Tunika-Oberteile, unter denen man üppige Hüften und dicke Hintern versteckt, die aber in Wirklichkeit geradezu herausschreien: »Schaut her, schaut mich alle an, schaut nur, wie fett ich unter meinen Sackklamotten bin!«

Ich werde mich in einem Fitnessstudio anmelden, sage ich zu meinem Mann. Ich werde jeden Morgen um sechs aufstehen und, nach einem gesunden Frühstück aus Nüssen und Körnern und Obst, werde ich zu Fuß zum Studio gehen, eine Stunde Sport treiben und danach wieder nach Hause marschieren. Er sieht mich mit mitleidigem Blick an und macht sich gar nicht erst die Mühe, mir zu antworten. Als ich allerdings später mein anvisiertes Fitnessprogramm etwas modifiziere und ihn frage, ob er mich zum Studio fährt, lächelt er und sagt ja.

Es stimmt, dass ich den Besuch im Fitnessstudio bis heute noch vor mir habe, ebenso wie den Telefonanruf, um mich über die Einzelheiten einer Mitgliedschaft zu erkundigen, doch eines Tages werde ich all das tun. Wenn ich dünner und fitter bin und mehr Energie habe und mein Atem nicht mehr nach Fischpaste stinkt.

Seit ich mit dem Rauchen aufgehört habe, zünde ich ständig andere Dinge an wie Kerzen und Feuer. Das ist natürlich ein jämmerlicher Versuch der Kompensation, ich weiß, aber ich mag nun mal das heimelige Knistern des Feuers im Kamin, und Kerzenlicht schmeichelt natürlich einer Person aufs Höchste, der gerade von einer in herrischem Tonfall sprechenden Waage mitgeteilt wurde, dass sie vierundsiebzig Kilo wiegt.

Wasserapparaturen

Ich war einigermaßen beschämt, als ich in meinem Terminkalender unter »Samstag« eine Notiz meines Mannes vorfand:
»freier Tag mit meinem Mann«. Schon seit Monaten arbeite
ich die Nächte und Wochenenden durch. Mein Filmdrehbuch
(*Adios*) ist jetzt in seiner dreiundzwanzigsten Fassung. Ein fran-
zösischer Regisseur sagte einmal in Bezug auf *Adios* zu mir:
»Suzanne, du bist entwedör einö Genie oder einö Idiotte.« Das
war vor ein paar Jahren, als ich als Vertreterin meiner Zunft an
einem Workshop für Drehbuchschreiben in einem Schloss in
Bordeaux teilnahm.

Damals war mir die Genie-Option lieber, doch heute weiß
ich sicher, dass ich »einö Idiotte« bin. Das Problem beim Drehbuchschreiben ist folgendes: Wenn man einmal anfängt, an
einem Drehbuch herumzudoktern, dann beginnt sich das ganze
Ding aufzulösen wie eine selbstgestrickte Weste und man muss
es wieder komplett neu stricken, nur um schließlich festzustellen, dass die Wolle ganz kraus und verzwirbelt ist. Der Film ist
inzwischen so mit mir verwachsen, dass ich auch den Titel als
Tattoo auf der Stirn tragen könnte.

Am Morgen meines freien Samstags wachte ich auf und es
schien die Sonne. Unser Plan war, nach dem Frühstück und den
Zeitungen über Land zu fahren und ein Gartenbau-Center auf-
zusuchen, das in den Gelben Seiten vollmundig »das größte Angebot an Wasserapparaturen in den East Midlands« versprach.

Lachen Sie jetzt nicht. Wir leben hier in Leicester fernab vom Meer und hätten nun einmal gerne ein bisschen Wasser um uns herum. In der Tat haben wir beschlossen, das grünliche Ding, das wir lachend unseren Rasen nennen, in einen großen Gartenteich zu verwandeln.

Eigentlich liegt die Schuld bei Bill, unserem Hund. Manchmal vergisst er, wer er eigentlich ist (ein Labradorhund) und schlüpft in die Identität eines Weltmeister-Windhunds. Er rennt im Garten herum, als ob er in White City beim Windhundrennen wäre, und hat mit der Zeit eine tiefe, kreisrunde Spur im Rasen gezogen.

Das ländliche England schien an diesem Morgen von zahllosen Schwarzen bevölkert zu sein. Ich war ganz angetan von solch multikulturellem Miteinander und tat dies auch meinem Mann kund. Er blickte sich verblüfft um. »Ich kann hier keinen einzigen Schwarzen entdecken«, entgegnete er schließlich, als wir durch ein Dorf fuhren. Etwas Eigenartiges war mit mir passiert – eine Kombination aus Sonnenlicht und diabetischer Retinopathie schien allen Menschen eine dunkle Hautfarbe zu verleihen. Mein Traum von Rassenintegration entpuppte sich als pure optische Täuschung.

Wir erreichten das Gartenbau-Center und stießen zu allererst auf Sicherheitszäune und eine Videoüberwachungsanlage. Überall auf dem Parkplatz starrten uns Schilder entgegen, die uns warnten, bloß keine Plastikplanen zum Auslegen von Gartenteichen zu stehlen. Die Tür zum Laden war mit einer unglaublich nervtötenden Glocke ausgestattet, die sechsmal läutete, wenn jemand den Laden betrat oder verließ.

Es gab zahlreiche Wasserapparaturen zu besichtigen. Mehrfach war versucht worden, die Natur in groben Formen nachzubauen. Plastikreiher steckten ihre Schnäbel in Flussimitationen aus Kieselsteinen. Ein Dachs aus Gips saß auf einem Hügel aus Kunstrasen neben einem Glasfaserbach. Er schien die künstlichen Seerosenblätter zu beobachten, die in der heftigen Strömung herumschaukelten, welche durch eine übereifrige Wasserpumpe verursacht wurde. Es war zutiefst deprimierend. Ich dachte liebevoll an den kleinen Bach, an dem ich als Kind immer gespielt hatte, und wie köstlich das Wasser geschmeckt hatte, wenn wir uns an einem heißen Sommertag auf den Bauch legten und daraus tranken.

Inzwischen war es Zeit zum Mittagessen. Wir kauften uns Fish & Chips im Imbissladen auf dem Parkplatz. Den Großteil davon warfen wir weg. Die Fischpanade war matschig, die Pommes ohne Biss und der Essig auch nicht das Wahre – er sah aus wie die braune Brühe, die sie aus recyceltem Altöl herstellen und dann als »naturidentisches Würzmittel« deklarieren.

Wir fuhren weiter zu einem Bauernhofladen, der ökologisch angebaute Produkte feilbot; nennen wir ihn einfach mal »Wachsende Unruh«. Mein Traum, die Früchte der Erde mit nach Hause zu bringen, verwelkte rasch, genau wie das Gemüse, das schon eher faulig als verschrumpelt zu nennen war. Ein Mann in fröhlicher Verkäuferuniform geriet beinahe in Wechselgeld-Panik, als wir ihm einen Fünf-Pfund-Schein für die zwei Vollkornbrotlaibe reichten (von denen einer schon nach zwei Tagen ganz spektakulär schimmelte).

Wir verließen den Bauernhofladen mit inzwischen knurrenden Mägen. Mein Mann stillte seinen Hunger schließlich mit einem Straußenfleisch-Burger auf einem Bauernmarkt, der auf einem Landgut stattfand. Beim Essen sahen wir einem Puppentheater zu. Ein Mann in Freizeitkleidung à la Marks & Spencer hatte zwei schwarze Filzkreise als Augen auf eine gelbe Socke genäht. Er zog sich die Socke über die linke Hand und nannte sie Jeffrey. Er sprach mit der Socke und die Socke antwortete in derselben Stimme wie der Mann. Irgendwann war es unmöglich, noch zu sagen, wo der Mann aufhörte und die Socke anfing. Eine kleine Menschenmenge sah in betretenem Schweigen zu.

Ein Höhepunkt des Tages war der Besuch bei einem Brennholzverkauf, wo wir sechs Sack Holzscheite mitnahmen. Doch trotz Zeitungspapier, Reisig und Holzanzündern weigerten sich die Scheite zu brennen. Es scheint fast, als ob draußen auf dem Land sogar die Bäume entmutigt sind und von allem die Nase voll haben

Flohmarkt

Ich bin gerade mit einem Filmdrehbuch fertig geworden, das so schwierig war, dass ich dachte, mir explodiert noch das Hirn vor Anstrengung. Ein jüngerer, frischerer Drehbuchschreiber hätte es bestimmt in angemessener Frist und zu normalen Arbeitszeiten durchziehen können, doch ich in meinem gegenwärtig geschwächten Zustand musste Tag und Nacht daran arbeiten.

Wochenenden gab es keine mehr. Feiertage kamen und gingen. Meine Enkelkinder wurden während meiner Abwesenheit groß. Meine erwachsenen Kinder scheinen auf alarmierende Weise gealtert zu sein. Nicht einmal das Fitnessstudio habe ich besucht, dem ich schon vor Monaten beitreten wollte. Genau genommen habe ich seit Monaten kaum das Haus verlassen. Seit Monaten!

Nur einmal Ausgehen habe ich mir erlaubt, einen Besuch im Kino, um *American Beauty* zu sehen, doch selbst dieser kurze Streifzug in die Welt hinaus musste spät nachts stattfinden, als das restliche England längst ans Bettgehen dachte. Ich heische nicht um Mitleid. Ich habe es mir ja selbst ausgesucht, in einem berüchtigt schwierigen Metier zu arbeiten – dem Drehbuchschreiben.

Kürzlich hieß es irgendwo über Filme, sie würden von wahnsinnigen Perfektionisten gemacht, und so manches Mal hat diese Beschreibung schon perfekt auf mich gepasst. Es soll schon vorgekommen sein, dass ich stundenlang dasaß und auf ein Blatt Papier starrte, nur weil ich an einer einzigen Dialogzeile festhing.

Wie dem auch sei, *amigos*, um vier Uhr morgens wurde meine jüngste Fassung eines Films fertig, ich ging endlich zu Bett, nachdem ich mir mit meinem Mann und meinem Arbeitspartner (zwei verschiedene Männer) ein Glas Sekt genehmigt hatte.

Am nächsten Morgen, Samstag, wurde das Skript noch einmal korrekturgelesen und dann per E-Mail an diverse interessierte Parteien verschickt. Und ich saß im Garten und schaute blinzelnd in die Sonne, wie ein Tier, das gerade aus dem Winterschlaf erwacht ist. Langsam erholte ich mich wieder. Ich tat Dinge, die normale Menschen auch tun: Bürstete mir die Haare, sah mir die Jerry-Springer-Show im Fernsehen an, goss die Blumen, fütterte die Fische und schlief. Dann, am Sonntagmorgen, lockte mich der Geruch von gebratenem Speck nach unten, und mein Mann verkündete, dass er mit mir zu einem Flohmarkt fahren würde.

Ich suchte die verstreuten Münzen zusammen, die ich in kleinen Töpfen im Haus sammle, und los ging's – Töpfe und Abtropfteller für Pflanzen kaufen. Wir waren nicht wählerisch, was die Form dieser Blumentöpfe anging: Praktisch alles, was groß genug war, um Stangenbohnen darin zu ziehen, würde schon passen. Allerdings wären mir alte verzinkte Eimer am liebsten gewesen.

Zwei große Felder waren dicht an dicht mit dem Müll menschlicher Existenzen vollgestellt. Einige Leute verkauften aus dem Kofferraum ihrer Autos heraus, doch die meisten hatten Tapeziertische aufgestellt. Ein paar ganz Überhebliche saßen in ihren Wohnwägen und überließen ihren Kindern das schmutzige Geschäft des Verkaufens.

Regelmäßige Leser dieser Kolumne erinnern sich wahrscheinlich noch, dass ich wegen diabetischer Retinopathie inzwischen Mrs Magoo bin. Ich kann winzige Details nicht mehr erkennen. Kürzlich habe ich einem Freund ein Stück Kuchen serviert, auf dem Ameisen herumkrabbelten. Er sagte ganz großzügig, dass er sowieso seine Eiweißzufuhr erhöhen wollte. Aber Sie sehen jedenfalls daran, wie es um mich steht.

Den Großteil der zum Verkauf angebotenen Sachen konnte ich nur sehen, wenn ich sie aus allerkürzester Entfernung, einige Zentimeter oder so, begutachtete. Das verunsicherte einige der Verkäufer. Vielleicht sah ich aus wie ein Kripobeamter, der Diebesgut zu identifizieren versucht. Übrigens gab es eine überproportional hohe Zahl von Jugendlichen, die Rasenmäher und Gartenwerkzeug verkauften; sie trugen Baseballkappen und dunkle Sonnenbrillen und rauchten Zigaretten in einem Stil, wie man ihn nur von Leuten kennt, die des öfteren mit Gefängnissen Bekanntschaft machen. Es waren nicht gerade die munteren jungen Burschen mit gesundem Teint, die man normalerweise mit viel frischer Luft und Gartenarbeit in Verbindung bringt. Ich konnte mir einen gewissen, winzig kleinen Verdacht nicht verkneifen, dass die häufigen Diebstähle von Gartengeräten und diese Reihen von Rasenmähern auf dem Flohmarkt in irgendeiner Weise in Zusammenhang standen.

Aus Imbisswägen heraus wurde billiges Fast Food verkauft. Es gab einen Toiletten-Block, vor dem ständig eine Schlange stand, doch ansonsten ging alles wundervoll chaotisch zu. Es gab keine Verantwortlichen, die uns herumkommandierten, und natürlich benahmen wir, die Öffentlichkeit, uns tadellos, wie üblich, wenn wir ganz uns selbst überlassen bleiben. Ich hoffe, der Tag wird nie kommen, an dem eine spielverderberische Regierung ein Gesetz zur Regelung von Flohmärkten erlässt. Die meisten Leuten müssen sowieso schon sechs Tage die Woche den Spielregeln folgen, also lasst uns doch bitte auch weiterhin am Sonntag eine kleine Verschnaufpause.

Hier nun unsere Beuteliste: ein Puppenwagen ohne Matratze, aber mit nackter Bewohnerin – einer Puppe mit verfilz-

ten Haaren; ein tragbares Radio mit neuen Batterien; eine Spiel-
zeug-Frisierkommode mit intakten Lichtern rund um den Spiegel, dazu Hocker und Föhn; ein robuster Tonka-Spielzeug-Kipp-
laster; sechs Essteller; ein Liegestuhl und fünfzehn Pflanzen;
eine Lithographie von einer afrikanischen Flussszene; zehn Din-
A4-Schreibhefte; zwanzig Magic-Marker-Stifte und 100 Brief-
umschläge; fünf alte verzinkte Eimer; ein Schweinsfuß (geräu-
chert); eine Plastikgießkanne.

Also, das ist Kapitalismus nach meinem Geschmack.

Beerdigung

Wir waren auf einer Verkaufsausstellung im Islington Design Center. Es gab drei Etagen voll begehrenswerter Dinge, von Möbeln bis Kerzenhaltern. Für einen Ex-Shopping-Junkie wie mich war es ein echter Härtetest. Meine Tochter Lizzie, die Innenarchitektin ist, suchte nach Bodenbelägen. Ihre Firma heißt Cactus Design, was der gegenwärtigen Feng-Shui-Mode völlig zuwider läuft. Feng-Shui-Anhänger finden Kakteen abscheulich und verbannen sie aus ihren stachellosen Innenräumen. Ich bin stolz darauf, dass sie gegen den Strom schwimmt.

»Mein Gott«, sagte ich zu ihr, als wir uns einem Stand näherten, »der grüne Couchtisch da sieht ja aus wie ein Sarg.« Diese Bemerkung war mir wahrscheinlich nur so aus einem Mundwinkel gerutscht, doch sie war laut genug, um von jemandem gehört zu werden. Der modisch-lässig gekleidete Verkäufer kam zu mir her.

»Es ist tatsächlich ein Sarg«, erklärte er mir. »Das Modell heißt ›Earthsleeper‹.« Meine Tochter und ich lachten nervös, während er anfing, die Vorzüge dieses biologisch abbaubaren Produkts zu rühmen. Besser als im Werbeprospekt könnte ich es auch nicht formulieren: »Der Earthsleeper-Sarg aus Zeitungspapiermaché wurde für Kunden kreiert, die sich ein einfaches, elegantes, erschwingliches und umweltfreundliches Bestattungsbehältnis wünschen. Dieser in handlichen Einzelteilen verpackte Sarg lässt sich problemlos selbst aufbauen und wird mit natürlichem Musselin-Leichentuch geliefert.«

Das Ganze stammte nicht etwa von einem spaßigen Hippie-Unternehmer, sondern zählte unter anderem das Beerdigungsinstitut Co-operative Funeral Service sowie den riesigen Büroausstatter Office World zu seinen Firmenkunden.

Die Unterstützung durch Co-op, eine kooperativ geführte Unternehmensgruppe, die hohen ethischen Prinzipien folgt, gab für mich den Ausschlag. Unsere Verwandten waren von ihnen immer effizient und respektvoll von dannen befördert worden, und wenn Co-op befand, dass ein Papiersarg in rot, blau, grün oder taubengrau ein geeignetes Behältnis für die Leiche eines geliebten Angehörigen war, dann ging das für mich in Ordnung. Ich fragte meine Tochter, ob wir einen bestellen sollten, doch sie redete es mir mit dem Argument aus, dass man solche Entscheidungen wie die Wahl der Farbe und Größe am besten in aller Ruhe von zu Hause aus traf.

Im Leben jeder Eltern kommt es irgendwann einmal zu einem Stabwechsel. Da sagt man den Kindern eben noch, sie sollen sich eine Jacke überziehen, und im nächsten Augenblick, so scheint es jedenfalls, mahnen sie einen, bei der Wahl des Sarges doch lieber mit Bedacht vorzugehen.

Ein anderes Produkt an diesem Stand war der ›Petpeace‹ – eine kleinere, für Haustiere konzipierte Version des Earthsleeper. Ich überlege mir schon, für Bill, unseren Hund, einen zu kaufen. Das ist haarsträubend morbide. Der Hund erfreut sich bester Gesundheit, rast nicht über irgendwelche Hauptstraßen und ist erst zwei Jahre alt, aber trotzdem, es kann ja nicht schaden, vorbereitet zu sein, und mir ist es allemal lieber, wenn Bill in einem Petpeace in unserem Garten vergraben wird, als dass er in eine alte Decke verpackt und in einem Loch verbuddelt wird.

Die letzte Beerdigung, zu der ich ging, war die meiner Ex-Schwägerin Wendy. Sie war eine bemerkenswerte Frau, die mit Down-Syndrom zur Welt kam. Sie lebte ein bewundernswert unabhängiges Leben, reiste viel und weit, sprang einmal mit einem Fallschirm ab und hatte eine Teilzeitarbeit als Regal-einräumerin (schon wieder Co-op).

Wendys Beerdigung fand in einer wunderschönen alten Kirche, St. Andrews, statt und wurde von einer Geistlichen gehalten, Jayne. Der Gottesdienst war sehr schön. Es gab nichts von diesem konservativen »in Sünde geboren, in Sünde gestorben«, das ja wirklich das Letzte ist, was man auf einer Beerdigung hören will, wenn man gerade um einen lieben Menschen trauert.

Nach einigen traditionellen Kirchenliedern gingen wir ins Krematorium. Unsere zwei neunjährigen Enkeltochter waren von Jayne auf das vorbereitet worden, was nun passierte. Sie benahmen sich sehr würdevoll, als der Sarg mit ihrer Großtante hinter dem Vorhang verschwand, während dazu Elvis, »You Were Always on My Mind«, gespielt wurde.

Nach dem Zeremoniell wurde unter den Trauergästen viel darüber geredet, was für eine Art Feier jeder gerne für sich selbst hätte. Die meisten schienen sich eine Mischung aus traditioneller und moderner Musik zu wünschen. Jemand sagte zu mir, ein wenig naiv: »Die richtigen Worte sind in diesen Momenten so entscheidend, nicht wahr?« Und natürlich sind sie das. In einer Kirche oder einem Ort mit ähnlich intensiver Atmosphäre klingt jedes Wort nach und wird mit besonderer Aufmerksamkeit aufgenommen. Ein falsches Wort kann zu Enttäuschung und manchmal auch zu einem Desaster führen.

Vor ein paar Jahren war ich auf einer Beerdigung, bei der der Pfarrer die ganze Zeit den Verstorbenen bei einem falschen Namen nannte. Keiner in der Kirche traute sich, den Dummkopf zu korrigieren. Nervöses Gekicher war in den Bankreihen zu vernehmen, und sogar die Witwe schüttelte lächelnd den Kopf; obwohl sie beim Tee nach der Beerdigung dann jede Menge zu sagen hatte.

Die Worte auf dem Grabstein sind besonders wichtig. Ich habe mir meinen Spruch bereits ausgedacht: »Hier ruht Susan Townsend – halb Frau, halb Schreibtisch.«

Sprechende Bücher

Vor einem Jahr erhielt ich per Post vom Königlichen Blindeninstitut ein Tonbandgerät zum Abspielen von Hörbüchern für Blinde. Als es ankam, regte ich mich fürchterlich auf und schickte es wieder zurück. »Ich bin nicht blind, ich bin sehbehindert«, tobte ich vor meinem Ehemann. »Warum schicken sie die verdammte Maschine nicht jemandem, der sie wirklich brauchen kann?«

Vor meinem inneren Auge war dieser bedürftige, abstrakte Jemand vollkommen blind; er lebt in einer dunklen Welt, in der die einzige Farbe Schwarz ist. Damit vertrat ich die absolutistische, stalinistische Linie in punkto Blindsein – die, die auch die Mehrheit der Bevölkerung teilt. Es war eine reflexhafte Reaktion, die auf Unwissenheit und wahrscheinlich auch auf Furcht beruhte.

Meine Sehkraft hat sich ganz allmählich verschlechtert, fast unmerklich. Zeitungen blieben ungelesen, neue Bücher wurden gekauft, aber nie geöffnet. Farben blichen aus, und mein Stuhl rutschte immer näher an den Fernseher heran. Mein Mann ging dazu über, mir die Untertitel ausländischer Filme vorzulesen.

Die Sehbehindertenwelt wurde mir zum Normalzustand. Wie ich schon öfters beschrieb, kam es hin und wieder zu kleinen Peinlichkeiten: Ich erkannte Freunde nicht, stieß mit dem Kopf gegen Schaufensterscheiben, stolperte über Bordsteine.

Doch dies waren nur kleine Unannehmlichkeiten, die man leicht mit einem lachenden »Ich bin halb blind« abtun konnte.

Kürzlich aber wurde ich im Verlauf eines Wochenendes dreiviertel blind. Die winzigen Blutgefäße in meinem linken Auge bluteten und verdunkelten die Netzhaut komplett. Stellen Sie sich ein dichtes, rot-und-schwarzes Spinnennetz vor, das eine Kameralinse überzieht – so sah es für mich aus.

In der Notaufnahme wurde mir gesagt, dass der Blutpfropfen sich wahrscheinlich binnen zwei bis vier Wochen auflösen würde. Man konnte es nicht behandeln, und so blieb mir als einzige Handlungsmöglichkeit nur, mir eine sehr dunkle Sonnenbrille zu kaufen. Ich ging, mich am Arm meines Mannes festhaltend, aus dem Krankenhaus und in den hellen Sonnenschein hinaus. Ohne meinen Mann wäre ich nicht einmal bis zum Parkplatz gekommen. Auf dem Nachhauseweg suchte ich mir bei einem Optiker eine Sonnenbrille von Dolce & Gabbana aus, wobei allerdings »aussuchen« nicht genau das richtige Wort ist, da ich sie nämlich nicht sehen konnte.

»Wie groß ist das Logo drauf?«, fragte ich meinen Mann nervös, während ich ohne etwas zu sehen in den Spiegel im Laden starrte.

»Man kann es kaum sehen«, versicherte er mir und sparte sich den Hinweis, dass links und rechts auf den Bügeln des dunkelbraunen Rahmens der Dolce & Gabbana-Schriftzug in goldenen Lettern prangte. Ein Mensch mit voller Sehkraft könnte dieses subtile Logo über ein hektargroßes Feld hinweg lesen.

So war ich also, mit stark eingeschränkter Sehkraft in meinem rechten und gar keiner in meinem linken Auge, nicht mehr in der Lage zu fokussieren, zu lesen oder zu schreiben. Dank einer grausamen Ironie sollte ich am Montag nach meiner »Blutung« (wie sie es in der Augenfachsprache nennen) ausgerechnet für das Königliche Blindeninstitut in London die Einführung zu einer Lesung von *Adrian Mole: Die Cappuccino-Jahre* aufnehmen, das in der Hörbuch-Reihe erscheinen sollte. So wurde also am Sonntag noch ein Fax geschickt, das mich für den Termin um zehn Uhr entschuldigte.

Um 10.20 Uhr am Montag rief das Blindeninstitut an. »Sollten Sie nicht eigentlich hier sein?«, fragte ein höflicher junger Mann. Er hatte das Fax nicht gesehen. Ich erklärte die veränderten Umstände. Er war voller Mitgefühl und sprach mich auf das Tonband für die Blindenhörbücher an, das ich vor einem Jahr wütend zurückgeschickt hatte. Ob ich es vielleicht doch noch wollte?

Zwei Tage später traf es ein, ein klobiger Metallkasten mit großen Druckknöpfen und einem einzigen Hebel für On/Off und Play. Die Bedienung war denkbar einfach. Hörbuchkassetten trafen nun fast täglich ein. Gerade lese ich (das heißt, höre ich) meine Lieblingsbücher, die vier Rabbit-Romane von John Updike: einundzwanzigeinhalb Stunden ungekürzter Erzählung, gelesen von einem amerikanischen Schauspieler in lockerem Ton. Das Ganze war die reine Freude und eine echte Entdeckung, und obendrein konnte ich mir das ermüdende Umblättern sparen.

Fast einen Monat lang stolperte ich durch die Gegend. Während dieser Zeit machte ich nur einen längeren Ausflug alleine (von Leicester zur Paddington Station); hinterher war ich erschöpft, jedoch auch angetan, dass ich es geschafft hatte. Bevor ich an diesem Tag das Haus verließ, hatte ich noch überlegt, ob ich den weißen Blindenstock mitnehmen sollte; ich befürchtete, dass die Leute mich beim Anblick des Stocks automatisch für blind halten würden. Doch das Schicksal griff ein. Meine Enkeltöchter hatten mit dem Stock »blinde Mädchen« gespielt, und dabei war er verloren gegangen.

Inzwischen ist mein Auge fast wieder klar, und ich sehe genug, um dies hier in meinen üblichen dicken schwarzen Großbuchstaben zu schreiben. Doch die Episode hat mich gelehrt, dass ich, falls ich je das Augenlicht vollständig verliere, mit Hilfe der Freundlichkeit von Freunden und Fremden das Leben dennoch genießen könnte – wenn auch nicht voll und ganz, dann doch zumindest dreiviertelvoll.

Der November ist ein grausamer Monat

Der November ist ein äußerst unpopulärer Monat. Auch der Februar ruft ja keine allzu große Begeisterung hervor, doch zumindest bedeutet seine Ankunft, dass das Frühjahr nun gleich hinter der nächsten Ecke wartet, dass bald die ersten Knospen ausschlagen und junge Lämmer sich für kurze Zeit auf den Feldern tummeln, solange bis die Pfefferminzsoße (zum Lammbraten) auf den Tisch kommt.

Der November hingegen kann nur wenig zu seiner Verteidigung vorbringen. Der goldene Oktober mit seinen vollen Farben und erdigen Gerüchen hat sich davongeschlichen und den düsteren Winter zurückgelassen. Die Tage sind kurz und die Sonne macht sich kaum die Mühe, morgens aufzustehen und an die Arbeit zu gehen. Das Wetter ist zwar kalt, aber in diesen Zeiten des Treibhauseffekts auch wieder nicht kalt genug für den spektakulären Frost aus meiner Kindheit, der den tristen Gang zur Schule in eine magische Reise durch eine glitzernd-weiße Landschaft verwandelte, in der jeder Busch, jedes Tor und jeder Laternenpfosten eine neue Gestalt annahm. Es war als ob man die schlichte Jane Eyre in einem weißen spitzenbesetzten Abendkleid sähe.

Da ich üblicherweise auf der Seite der Außenseiter und Verlierer stehe, möchte ich gerne für den November in die Bresche springen. Ich sehe besser aus in Winterkleidung. Mehrere Lagen Wolle sind für den Körper reiferen Alters weitaus schmeichelnder als die dürftig-durchsichtigen Fetzen, nach denen der Sommer verlangt. Ich mag große Mäntel, in die man sich einwickeln kann und schwere Stiefel und Schals und Wollstrumpfhosen. Ich würde auch gerne gestrickte Hüte tragen, doch seit eine Gruppe junger Männer mich einmal eines solchen Hutes wegen höhnisch ausgelacht hat (um halb sechs abends am Heilig Abend 1996), traue ich mich nicht mehr. Ich habe damals mehrere Nächte lang wach gelegen und über den obigen Vorfall gegrübelt, mich gefragt, warum sie sich ausgerechnet über meinen Hut lustig machten. Inzwischen glaube ich, dass ich in dem ganzen Weihnachtseinkaufswahn den Hut vielleicht versehentlich verkehrt herum oder von innen nach außen gedreht getragen hatte oder beides zusammen.

Im November mag ich es, nach Hause zu kommen. Die Küche ist immer warm wegen des Aga-Herds. Dieser Herd ist inzwischen wahrlich keine Schönheit mehr: er ist verkratzt und verbeult, und der Fettfilm könnte als Namensspender für einen John-Travolta-Film herhalten. Mein Aga-Herd würde nie in einem Artikel im Aga-Magazin für Aga-Besitzer auftauchen – oder höchstens wenn er vorher von Männern in Gasmasken und Overalls per Dampfstrahler gereinigt würde. Doch er produziert noch immer Wärme und ist weitaus einladender als ein Heizlüfter.

Im November kann man Feuer anzünden. Feueranzünden zählt zu meinen wenigen Hobbies. In einem anderen Leben hätte ich mit ein paar Haken und Wendungen des Schicksals gut und gerne zum Brandstifter werden können. In den fünfziger Jahren wusste noch jedes Kind, wie man ein Feuer anzündet. Ich habe fröhliche Erinnerungen daran, wie ich in unserem Fertighaus aus Schlackenziegeln vor dem offenen Kamin kniete, die *News of the World* las, sie dann zusammenknüllte und Brennholz auf die schockierenden Geschichten menschlichen Fehlverhaltens legte. Sünden und Flammen, eine berauschende Mischung.

Ich mag die Nahrungsmittel im November – dunkle, reichhaltige Eintöpfe, Klöße, Kartoffelbrei und Kohl. Dann kommt die Bonfire Night, wenn sich ganze Familien den Empfehlungen unserer Regierung widersetzen und Freudenfeuer anzünden. Auch Fernsehen macht im November mehr Spaß. Das liegt nicht an den Programmen (obwohl uns der Lametta-Schund von Weihnachts-Sendungen, die sowieso im Juli gefilmt werden, noch erspart bleibt). Aus irgendeinem Grund ist Fernsehen schöner an langen Abenden, wenn die Welt draußen fremd und abweisend aussieht. Der November lädt außerdem dazu ein, sich aufs Sofa zu lümmeln und ein Buch zu lesen oder einfach nur in die Luft zu starren. Es ist ein Monat zum Abschalten, in dem das Wort »faul« aus dem Lexikon verbannt werden soll.

Wenn ich einmal der Große Diktator von Großbritannien bin, dann werde ich in der vierten Novemberwoche zwei Feiertage einführen. Diese beiden Tage werden immer auf Montag und Dienstag fallen. Am Montag müssen alle im ganzen Land im Bett bleiben und Schlaf nachholen, oder Sex, je nachdem. (Kleinen Kindern wird ein mildes Schlafmittel verabreicht, damit sie im Bett bleiben.) Am Dienstag müssen die Frauen im Bett bleiben, während die Männer aufstehen und ein bisschen leichte Hausarbeit erledigen und kochen müssen. Zufälligerweise werden an diesem Dienstag heterosexuelle Männer auch daran erinnert, was eine Klobürste ist. Ein Rundschreiben der Regierung wird zu diesem Zweck an jeden Haushalt ergehen. Eine Skizze wird erläutern, an welchem Ende die Bürste zu fassen ist und welches in die Toilettenschüssel zu stecken ist.

Wenn ich an die Macht komme, dann wird der November zu einer weihnachtsfreien Zone erklärt. Weihnachtsschmuck – Nikoläuse, Rentierschlitten, Christbaumkugeln und so weiter – sind dann im ganzen Land verboten. Sogar Rotkehlchen müssen bis 30. November um Mitternacht Tarnfarben auf ihrer roten Brust tragen. Irgendjemand muss schließlich dafür sor-

gen, dass Weihnachten nicht in die angrenzenden Monate aus-
ufert. Es ist so deprimierend, in einem Laden nach einer Guy-
Fawkes-Maske für die Bonfire Night zu suchen und dabei ständig über Nikoläuse zu stolpern.

Also: Anstatt uns immer nach dem Sommer zu sehnen
(der uns dann so oft hängen lässt), genießen wir doch lieber
den November. Er mag ja düster, kalt und abweisend sein, der
Mr. Rochester des Kalenderjahrs. Aber zumindest ist er nicht
der Dezember. Und der ist ja nun wirklich ein aufgeblasener
Truthahn von einem Monat.

Dennis' Geschenke

Um diese Jahreszeit muss ich immer an die Geschichte denken, die mir Dennis, ein befreundeter Kellner, einmal erzählte. Er arbeitete damals in einem Restaurant und Nachtclub in Soho. Vom 1. Dezember bis zum Heiligen Abend waren Restaurant und Bar pausenlos mit privaten Gesellschaften und Weihnachtsfeiern ausgebucht und es ging immer hoch her. Das Personal rackerte sich bis zur Erschöpfung ab, um für die anspruchsvollen und betrunkenen Gäste zu sorgen.

Man arbeitete doppelte Schichten, manchmal bis drei Uhr nachts. Dennis beschrieb, wie er immer ins Bett fiel und fünf Minuten später, so kam es ihm vor, wieder aufwachte, um die nächste Schicht anzutreten. In einem Jahr schrieb ihm seine Mutter, dass es zu Weihnachten ein Familientreffen in Sligo geben würde – siebenundvierzig Verwandte wurden erwartet. In Dennis' Familie wurde Weihnachten ganz groß geschrieben: Man beschenkte sich mit schönen, sorgfältig ausgewählten Geschenken.

Nun haben wir alle eine bestimmte Rolle in unserer Familie, und Dennis' Rolle war die des schwarzen Schafs. Seine Mutter missbilligte seinen Beruf, in dem sie eine Vergeudung seiner akademischen Talente sah. Seine neun Geschwister hatten allesamt respektable berufliche Laufbahnen eingeschlagen, bezogen ansehnliche Gehälter und wurden mit elterlicher Anerkennung überschüttet. Auch hatten sie die Eltern mit zahlreichen innig geliebten Enkelkindern versorgt, wohingegen Dennis schwul war und ihnen aller Voraussicht nach nicht ein einziges schenken würde.

Dennis beschloss, sein Gehalt samt Trinkgeld darauf zu verwenden, siebenundvierzig tolle Weihnachtsgeschenke zu kaufen. Er war eigentlich ein eher verschwenderischer Typ, doch diesmal sparte er sein Geld und schrieb eine Liste mit Geschenkideen, in der Absicht, jeden Tag ein paar Geschenke zu kaufen. Diese Geschenke mussten leicht zu transportieren sein, da er auf der Heimreise die U-Bahn, einen Zug nach Holyhead, eine Fähre, einen Zug nach Dublin und einen Zug nach Sligo nehmen musste.

Doch als die Dezembertage verstrichen und der Heilige Abend, sein Abreisetag, vor der Tür stand, hatte Dennis noch nicht ein einziges Geschenk gekauft. Erst am 23. Dezember gegen Mitternacht ging ihm voller Entsetzen auf, dass er am nächsten Morgen nur zwei Stunden Zeit hatte, bevor er auf seinen Zug musste. Anstatt nach Hause zu gehen und sich auszuruhen, zu packen und sich auf seinen Einkaufsmarathon vorzubereiten, trank er die Nacht durch und bejammerte sein Schicksal. Er schlief spät ein, erwachte in heilloser Panik und verließ am Morgen des 24. das Haus ohne Tasche oder Zahnbürste.

»Ich kaufe mir unterwegs Kleidung zum Wechseln«, sagte er sich, doch die Geschenke hatten Vorrang. Törichterweise ging er ausgerechnet ins West End. Idiotischerweise ging er zu Hamleys, dem gigantischen Spielzeugladen in der Regent Street. Er hatte seine Liste zu Hause vergessen, kämpfte sich durch die wogenden Mengen hektischer Eltern und überdrehter Kinder und griff nach allem, was ihm gerade in die Quere kam. Er wählte ganz unklug: schwere Sachen, große Sachen, sperrige Sachen. Nun zu den Geschenken für die Erwachsenen. Er stolperte die Regent Street entlang und suchte mit gehetztem Blick die Schaufenster ab (zumindest die, bei denen er auf Sichtweite herankam). Seine Taschen waren eine Last. Er stürzte sich in jedes Geschäft, in das er mit seinen Tüten hineinkam. Wiederum kaufte er, was eben gerade in Reichweite und erschwinglich war.

Inzwischen tickte die Uhr mit rasender Geschwindigkeit seiner Abfahrtszeit entgegen. Seine Tüten wurden immer mehr und immer schwerer. Er selbst war in Angstschweiß gebadet. Er wusste, wenn er einen bestimmten Zug verpasste, dann würde er Weihnachten allein (abgesehen von seinen Tüten) im Fähr-Terminal von Holyhead verbringen.

Schließlich wurde ihm klar, dass er das Maximum dessen erreicht hatte, was er überhaupt irgendwie tragen konnte. Die nächste U-Bahn-Station war einfach zu weit weg. Nach endlosen, qualvollen Minuten, in denen er vergeblich versuchte, ein Taxi herbeizuwinken, fing er an zu weinen. Da er seine Tüten nicht abstellen konnte, liefen ihm die Tränen ungehemmt über die Wangen. Sein Schweiß trocknete. Es war keine Zeit geblieben, Kleidung zum Wechseln zu kaufen.

Dann geschah ein Wunder: Ein schwarzes Taxi hielt vor ihm an, und der Fahrer stieg aus und half ihm mit seinen Dutzenden von Tüten. Er schaffte es gerade noch auf den Zug nach Holyhead. Der Bericht, wie er seine Tüten quer durch die Bahnhofshalle schleppte, während sein Zug jeden Moment abfahren konnte, klang fürchterlich. Seine gesamte Heimreise war ein einziger Alptraum. Grimms Märchen kommen einem dabei in den Sinn.

Ein junger Mann will einen Fehler wiedergutmachen und bekommt zu diesem Zweck eine Aufgabe gestellt: Er muss sich mit unsäglichen Bürden (den Tüten) durch ein feindliches Terrain (London bis Sligo) kämpfen und dabei gegen eine unerbittliche Frist (Heilig Abend) anrennen.

Als er schließlich im Haus seiner Eltern ankam, wurde er von den siebenundvierzig mit baffem Staunen begrüßt. Nicht nur waren sie über seine aufgelöste Erscheinung erschrocken, das zerzauste Haar, den wilden Blick, sondern auch darüber, dass er für alle Geschenke gekauft hatte. »Habe ich dir das gar nicht gesagt?«, fragte seine Mutter. »Wir haben beschlossen, dieses Jahr keine Geschenke zu kaufen, sondern lieber 25 £ für einen guten Zweck zu spenden.« Dennis aber war von seiner Tortur so erschöpft, dass er den Großteil der Feiertage verschlief.

Wodka

In London gibt es eine extrem gute Bar namens Tsars. Sie befindet sich im Langham Hotel in Portland Place und fällt durch das laute Gelächter auf, das einem schon im Näherkommen entgegenschallt. Mr Broadway und ich hatten kürzlich die Gelegenheit, im Langham Hotel abzusteigen. Ich musste mich in einer nahegelegenen Klinik einer Behandlung an den Augen unterziehen, und Mr Broadway hatte mir ritterlich seine Begleitung angeboten.

Zu seinen Pflichten gehörte es auch, mich ins Tsars auszuführen. Wie Sie wahrscheinlich schon erraten haben, gibt es hier ein russisches Leitmotiv. Über siebzig Wodkas stehen zur Auswahl. Nun ist Mr Broadway ein Liebhaber von Wodkas, nicht auf eine grölend-durch-die-Straßen-wankende Art, versteht sich, sondern auf eine stille, genießerische Art und Weise. Ich habe ihn zu diesen gelegentlichen Unternehmungen immer ermutigt. Ich finde, jeder sollte irgendein Hobby haben, ganz besonders Ehemänner und Partner. Es lenkt sie von der Tatsache ab, dass man als Frau nicht mehr den ganzen Tag in der Küche steht.

An unserem ersten Abend im Tsars waren wir noch vergleichsweise unschuldige Wodkakoster, und angesichts einer Karte mit siebzig verschiedenen Sorten bedurften wir der Hilfe unseres rot-beschärpten Obers. Leider nur war unser Ober, obschon charmant und eifrig um uns bemüht, nicht in der Lage, uns zu beraten. Er war Brasilianer und es war sein erster Tag auf dieser Stelle. Also krempelten wir die Ärmel hoch und stürzten uns selbst und ohne fachkundige Führung in die Wodka-Karte. Wir kamen ein wenig ins Schwimmen, da wir nicht genau wussten, wie wir mit dem konischen Glas oder der kleinen Karaffe mit Eiswürfeln, in der es kam, umgehen sollten. Ganz offensichtlich gab es diesbezüglich eine Etikette zu beachten, die mir entgangen war, weshalb mir am Ende Eis und kaltes Wasser übers Kinn lief.

Ich habe früher häufig die Sowjetunion besucht. Ich fuhr so oft dort hin, dass einer meiner Söhne fest davon überzeugt war, ich müsse eine Spionin sein. Hörte nicht auch eine meiner berühmtesten Romanfiguren auf den Namen Mole, »Maulwurf«? Unsere ersten Eindrücke von einem Land sind meist sehr treffend, und mein erster Eindruck von der Sowjetunion war, dass dieses Land auf der Schwelle zum Chaos schwebt und nur durch Wodka zusammengehalten wird. Als Gorbatschow die Gesetze bezüglich Herstellung und Verkauf von Wodka änderte, stürzte seine Regierung, und Jelzin, ein notorischer Trinker, übernahm den Laden.

In Moskau konnte man immer auf spektakuläre Auswüchse von Trunkenheit stoßen. In einem Hotel, in dem ich wohnte, musste man nach Mitternacht immer über den Nachtportier steigen, um sich Zutritt zum Hotel zu verschaffen. Es war ein gewohnter Anblick, wie der uniformierte Körper auf dem Boden ausgestreckt lag und den Eingang blockierte. Als ich das erste Mal auf diese menschliche Barriere stieß, nahm ich an, dass er zusammengebrochen war, und hielt nach einem herannahenden Arzt oder Krankenwagen Ausschau. Doch nach einigen Augenblicken, während ich zusah, wie andere Gäste sich einfach an dem Körper vorbeizwängten, dämmerte mir der wahre Sachverhalt.

Wodka steht in Russland für Wohlwollen und Brüderlichkeit, und meistens gibt es bei Versammlungen lange Reden und zahlreiche Trinksprüche, mit denen sich die Russen zu ihrer russischen Seele beglückwünschen. Einmal hatte ich in einem kleinen, provinziellen Städtchen einer Reihe von Funktionären den ganzen Tag lang zugehört, wie sie endlos über die russische Seele schwadronierten, als der ebenfalls anwesende Alan Bennett laut, »Oh, Arschlöcher!« brummte. Unzählige kleine Gläser Wodka hatten wohl Mr Bennett die Zunge gelöst und geölt, sonst hätte er sich bestimmt nicht, da bin ich mir ganz sicher, aus seiner sonst stets enigmatisch-freundlichen Zurückhaltung reißen lassen. Übrigens ist Alan Bennett einer der wenigen Menschen, die ich kenne, die tatsächlich an Langeweile sterben könnten. Einmal brachten ihn provinzielle Würdenträger mit ihrem endlosen, vor Plattitüden strotzenden Gewäsch über die sowjetisch-britische Freundschaft dazu, in einem qualvollen Anfall von Ennui auf seinem blauen Taschentuch herumzubeißen.

Ich möchte behaupten, dass es in einem Land mit so schwierigen Existenzbedingungen wie Russland entscheidend ist, immer billigen Wodka vorrätig zu haben. Für den Großteil der Bevölkerung ist der Alltag ein täglicher Kampf, und obwohl man gerne glauben möchte, dass Kunst und Kultur allein schon das Elend ein wenig lindern können, weiß man doch im Grunde (seiner Seele), dass hochprozentiger Alkohol dasselbe in der halben Zeit schaffen kann und ohne, dass man dafür Karten vorbestellen muss.

Russische Winter sind so kalt, dass Diesel gefriert und Busfahrer unter dem Tank Zeitungspapierfackeln anzünden, um das Benzin aufzutauen. Eine meiner lebhaftesten Erinnerungen an Russland ist, wie ich bei 35 Grad minus vor einem Bus stand, während der Fahrer im Schnee lag und die Diesel-Auftau-Prozedur durchführte. Als der Motor endlich lief und die Passagiere alle wieder eingestiegen waren, setzte er sich hinters Lenkrad, schraubte trotz seiner gefrorenen Finger irgendwie einen silbernen Flachmann auf, warf den Kopf nach hinten und ließ sich gluckernd den Wodka in die Kehle rinnen. In Großbritannien wären mit Sicherheit das Gesundheits- und Gewerbeaufsichtsamt und die Polizei verständigt worden, doch dieser arme Kerl hier in Russland hatte einfach nur etwas Überlebensnotwendiges getan.

Spitze Schuhe

Ich glaube, es ist an der Zeit, dass ich mir einen persönlichen Einkaufsberater engagiere. Bei einem kürzlichen Einkaufsbummel in London verbrachte ich eine nervöse halbe Stunde in Richmond damit, mir ein Sortiment von Kleidungsstücken zu kaufen, das jeder existierenden Regel des Kleiderkaufens zuwider lief. Die Sachen hatten die falsche Größe, die falschen Muster, den falschen Stil, und von den sechs gekauften Stücken passten nur zwei zusammen. Sogar meine eigenen Regeln brach ich: Werde ich die Rüschenbluse mit dem Blumenmuster wirklich tragen, oder den Woll-Zweiteiler mit den schwarzen und braunen Ringelstreifen?

Schon an der Kasse war mir klar, dass mein neuer Größe-44-Hintern das Kleid bis zum Zerreißen dehnen und ich darin aussehen würde wie ein Fass auf zwei Beinen. Doch die schlanke Französin in dem Laden war so voll der Bewunderung, als ich in meinem Fass aus der Umkleidekabine trat, dass sie sogar die Hand an den Mund hob. Zu diesem Zeitpunkt interpretierte ich die Geste noch als Ausdruck ihres Entzückens über das Bild, das sich ihr bot. Doch wenn ich nun mit einigen Tagen Abstand darüber nachdenke, glaube ich doch eher, dass sie wahrscheinlich ein Grinsen zu verbergen suchte.

Der braune Anzug aus Wolle mit der langen Jacke war eigentlich mit der Absicht gekauft worden, den Größe-44-Hintern zu verbergen, und im hellen Schein der Ladenbeleuchtung sah er auch ganz schick aus. Während ich in der Umkleidekabine herummarschierte und zu den Klängen von Charles Aznavours »She« posierte, sah ich mich im Geiste schon in meinem neuen Kostüm am linken Seine-Ufer entlang flanieren, wobei ich das Outfit zu diesem Zweck mit cleveren Accessoires im Stil der Pariser Mode komplettieren würde.

Inzwischen ist mir klar, dass der braune Anzug ein hoffnungsloser Fall ist. Jeglicher Versuch, ihn aufzupeppen, ist von Vornherein zum Scheitern verurteilt. Es leidet unter klinischer Depression. Nur eine längere Behandlung mit Antidepressiva und zehn Sitzungen Gestalttherapie könnten dem Ding helfen. Der bunte Schal mit der Perlenstickerei und den Pailletten hatte es mir sofort angetan – wie bestimmt auch jedem Kleinkind. Wer weiß, womöglich hat ihn ja sogar ein Kleinkind im Kindergarten gebastelt. Dieser Schal passt zu keinem einzigen meiner neuen Kleidungsstücke. Und ich habe den Verdacht, dass meine alten schwarzen Sachen nicht mal tot mit dem Ding gesehen werden möchten.

Ich wage gar nicht an die Cowboystiefel zu denken, angesichts derer die Französin in so ekstatische Begeisterung geriet, als ich sie anprobierte. »Sie machen ja so einen vorteilhaften Fuß«, schwärmte sie. Vielleicht sollte ich diese Stiefel genauer beschreiben. In einer Hinsicht waren sie stocknormale Cowboystiefel: schwarzes Leder, ein bequemer, breiter Absatz und ein wadenhoher Schaft. Was sie für mich so attraktiv machte, waren die spitz zulaufenden Zehen in Schlangenledermuster. Ich darf mich nämlich zu den Glücklichen zählen, deren Jugendjahre in die Ära der spitzen Schuhe fielen, als das soziale Prestige von der Länge und Spitze des Lederwerks am vorderen Ende der Füße abhing. Diese Schuhe sichern den Fußpflegern heute noch ihren Job.

Was also konnte mich, eine vermeintlich weise fünfundfünfzigjährige Frau, dazu bringen, auch nur einen Moment

lang diese Schuhe in Erwägung zu ziehen? Die Französin hat
mich eigentlich erst dazu gebracht, sie anzuprobieren. »Ich
'abe selbst ein Paar zu 'ause«, versicherte sie mir (ohne Zweifel gelogen). Bisher habe ich diese Stiefel nur im Pope's Grotto
Hotel in Twickenham getragen und mir dabei fast den Hals
gebrochen. Die spitzen Zehen zwingen einen dazu, mit flachen Schritten herumzuschlurfen, als ob man gerade eine
Schneefläche in Schneeschuhen überquert. Ich werde diese
Schuhe zurückgeben, gegen bares Geld, genauso wie die blu-
mige Rüschenbluse. Mit dem düsteren braunen Anzug und
dem gestreiften Woll-Zweiteiler ist allerdings nichts mehr zu
machen, da ich beides einmal getragen habe (und schon jetzt
sieht es uralt aus).

Wird mich ein persönlicher Einkaufsberater vor mir selbst
bewahren? Oder wird er oder sie in mein müdes Gesicht
blicken, daraus diverse Schlüsse ziehen und im Kaufhaus eine
Kollektion freundlicher Kleider für die junge Pensionärin aus-
wählen? Vielleicht sollte ich mir einfach eingestehen und mich
großzügig damit abfinden, dass Schwarz, Weiß und Grau die
einzigen Farben sind, die ich tragen sollte.

Was den paillettenbesetzten Schal angeht: Die verdammten Pailletten fliegen überall herum. Was mich an eine
Geschichte erinnert, die eine Frau aus meinem Bekanntenkreis erzählte. Als sie ihren Mann mit einer einzigen Paillette
auf dem Hintern in der Dusche sah, regte sich bei ihr der Verdacht, er könnte eine Affäre haben. Er konnte die Gegenwart
der Paillette dort nicht befriedigend erklären. Da sie selbst
keine Kleider mit Pailletten besaß, wurde ihr Verhältnis zu-
einander immer angespannter, bis es schließlich kurz vor dem
Bruch stand.

PS.: Sie haben sich vielleicht schon gefragt, woher wohl der
Name Pope's Grotto Hotel kommt. Ich mich auch. Ich fragte
einen Taxifahrer aus der Gegend. »Das ist nach dem Papst

benannt, der sich hier versteckt hat, als es verboten war, Katholik zu sein«, informierte er mich. Falsch, wie sich herausstellte. Das Pope's Grotto Hotel ist nach dem Dichter Alexander Pope benannt, der in der Nähe lebte. Wie wir uns doch immer wieder täuschen.

Dritte Version

Ob Sie es glauben oder nicht, dies ist jetzt schon mein dritter Anlauf für diesen Artikel. Die ersten zwei Versionen (eine wurde auf einem Feld geschrieben, die andere in einem Wimpy-Schnellrestaurant) sprangen aus meiner Tasche und rannten davon. Vielleicht haben sie sich ja irgendwo getroffen und genießen gerade ihre gegenseitige Gesellschaft; ziehen über meine Rechtschreibung, Interpunktion und Grammatik her.

Ich schreibe diesen Artikel um 6.15 Uhr morgens in meinem Hotelzimmer. Ich habe die Absicht, das Zimmer nicht zu verlassen, bevor er nicht fertig ist. Die Tür ist abgesperrt und das Fenster fest verschlossen. Dem Artikel bleibt kein Fluchtweg. Wenn er fertig ist, werde ich ihn in einen DinA4-Schreibblock klemmen und zur Faxmaschine tragen. Oder vielleicht sollte ich keinerlei Risiken eingehen und gleich einen Securicor-Kurier damit beauftragen, ihn ins Büro meines Redakteurs im Sea Containers House an der Themse zu eskortieren.

Sogar während ich hier schreibe, kann ich spüren, wie sich der Artikel freikämpfen will. Er will, dass ich über etwas anderes schreibe. Er will, dass ich meinen Charakter in ein besseres Licht stelle. Er will nicht, dass ich ständig darauf herumreite, wie töricht ich bin, oder wie schlampig. Er will, dass ich erlesene Prosa über das Leben und den Tod schreibe. Und wenn das schon nicht klappt, dann wenigstens eine lustige Geschichte über meinen Hund oder eine Ach-warum-nur-Geschichte über einen Servicetechniker für Haushaltsgeräte, der nicht erschienen ist.

Der erste der zwei Artikel handelte von der Verfilmung der *Cappuccino-Jahre* fürs Fernsehen. Soweit ich mich erinnern kann, versuchte ich etwas Unterhaltsames zu schreiben über die Schwierigkeiten, die einem begegnen, wenn man im November filmt (Überflutungen, Laub, Sumpf, strömender Regen) und dabei vorgibt, es sei Mai 1997 (warm und sonnig, Kirschblüte, New Labour, neuer Optimismus). In diesem ersten Artikel verbreitete ich mich darüber, wie es ist, mit einem Team aus sechzig Leuten zusammenzuarbeiten, und stellte diese Erfahrung meinem üblichen Arbeitsalltag gegenüber, der darin besteht, den Großteil des Tages und oft auch noch der Nacht allein in einem Zimmer zu sitzen. Es war ein ziemlich dröger Artikel. Die Klischee-Zählung ergab einen Spitzenwert. Ich war nicht im Mindesten überrascht, dass der Artikel sich auf und davon machte, bevor ich ihn fertigstellen konnte.

Der zweite Artikel hatte das gute alte Allerweltsthema »Essen im Hotel/Restaurant«. Es war genaugenommen eine Ach-warum-nur-Geschichte. Ich meine mich zu erinnern, dass der Artikel sich, düster dahinplätschernd, über schlechtes Essen, kaltes Essen, schreckliches Essen, fettiges Essen, trockenes Essen und matschiges Essen ausließ.

Ich schrieb ihn in einem Wimpy-Schnellrestaurant, weil die da zumindest wissen, wie man ein Spiegelei auf Toast zubereitet. Außerdem schaffen sie es dort, die Tische sauber zu halten, und das Personal findet nebenbei immer noch die Zeit, zu kleinen Kindern und alten Menschen freundlich zu sein, sowie zu einer wirr aussehenden Frau, die mit einem Stift, auf dem deutlich sichtbar »Pflanzen-Marker« steht, in einem Notizbuch herumkritzelt.

Das Wimpy in Teddington lernte ich kennen, als ich mit meinem Mann an einem dieser kostbaren freien Tage im Regen daran vorbeikam. Mein Mann blieb stehen, schaute durchs

Schaufenster hinein und bemerkte anerkennend, dass es bei
Wimpy immer noch genau so aussah wie vor dreißig Jahren.
Ehe wir es uns versahen, hatten wir auch schon die Tür aufge-
schoben und uns drinnen hingesetzt. Im Gegensatz zu den meisten Fast-Food-Ketten schlug uns kein unangenehmer Geruch
entgegen. Die Speisekarte ist sehr kundenfreundlich. Sie erlaubt Variationen, und alles ist frisch zubereitet, so dass das
Wimpy-Sandwich nicht schon komplett durchgeweicht ist vor
Kondensation. Die Süßspeisen bieten traditionelle Lieblings-
gerichte wie Bananasplit und Kuchen mit Vanillesoße, das Be-
steck ist aus Metall, und der Tee kommt in einer richtigen Tasse.

Im Wimpy in Teddington wird nicht viel Essen weggeworfen. Ich war überrascht, wie viele blitzblanke Teller in die
Küche zurückgingen. Anscheinend hat sich da jemand wirklich
überlegt, wie viel eine normale Person mit durchschnittlichem
Appetit essen kann, ganz im Gegensatz zu so manchen Res-
taurantketten, die mit ihren »Riesenportionen« prahlen. Es ist
unglaublich deprimierend mit anzusehen, wie Leute grimmig
entschlossen mit überquellenden Tellern kämpfen, dann doch
bei der Hälfte ins Stocken geraten und schließlich von Unwohlsein erfasst aufgeben, während vor ihnen immer noch ein
Haufen Essen auf dem Teller liegt. Aber wie dem auch sei, der
zweite Artikel plätscherte so in diesem Stil vor sich hin. Kein
Wunder, dass auch er das Weite suchte.

Hier nun, mit 702 geschriebenen Wörtern, bin ich fast versucht aufzuhören und frühstücken zu gehen. Wenn ich jetzt hastig in meine Kleider steigen würde, könnte ich es gerade noch
vor dem offiziellen Frühstücksende um 9.30 Uhr in den Speisesaal schaffen, doch ich werde der Versuchung wohl widerstehen müssen. Ich muss an diesem Artikel dran bleiben. Stellen Sie sich nur mal vor, ich sitze beim Frühstück, und in der
Zwischenzeit kommt ein des Englischen nicht mächtiges Zimmermädchen vorbei, ignoriert das »Bitte nicht stören«-Schild
am Türknauf und betritt mein Zimmer. Nachdem sie erst meine

Kleider anprobiert und meinen Lippenstift benutzt hat (ja, verehrte Zimmermädchen, ich weiß, dass ihr das tut; ich habe schließlich genügend Spionagethriller gesehen und weiß, wie die Falle mit dem eingeklemmten Haar funktioniert) – was, wenn sie diesen Artikel auf der Frisierkommode liegen sieht und, da sie ja nicht Englisch lesen kann, ihn für Müll hält und einfach wegwirft? Was das für eine Katastrophe wäre! Was für ein Verlust für die englische Literatur! Nein, das muss ich jetzt bis zum Ende durchziehen.

Wayne Webb

Es regnete in Strömen in Soho, und ich war müde. Es war mir schon zu viel, auch nur einen Fuß vor den anderen zu setzen. Als ich eine Reihe leerer Stühle unter der Markise eines Straßencafés sah, setzte ich mich und zündete mir eine Zigarette an.

Soho ist für Bettler ein ergiebiges Pflaster. Überall wimmelt es von wohlhabenden Angestellten mit gut dotierten Jobs und liberaler Gesinnung. So dauerte es auch nicht lange, bis mich eine Stimme aus meinem Stumpfsinn riss.

»Haben Sie vielleicht eine Zigarette übrig?« Ich blickte auf und sah einen etwas vergammelten jungen Mann mit langem, ungewaschenen Haar. Irgendetwas stimmte nicht mit seinem Gesicht: Es sah aus, als ob irgendein Scherzkeks mit rotem Filzstift Kreise darauf gemalt hätte. Als er sich bewegte und Licht darauf fiel, erkannte ich, dass sein Gesicht von roten entzündeten Stellen entstellt war.

Ich gab ihm zwei Zigaretten und fügte noch entschuldigend hinzu, dass es leider Menthol-Zigaretten waren. »Schon okay«, meinte er großzügig. »Ich kann die Filter rausmachen … Sie sehen müde aus.« Ich musste dringend jemandem erzählen, was ich für einen schlimmen Tag hinter mir hatte. Jemandem, der mich nicht kannte und sich nicht groß Sorgen machen würde. Er setzte sich neben mich, und während er mit geübten Fingern die Filter aus den Zigaretten löste, gab ich ihm eine Kurzfassung meines bisherigen Tages. Mitten in meiner Erzählung sagte er plötzlich: »Sie sind Sue Townsend.« Er schien sehr mit sich zufrieden. Ich bestätigte, dass ich Sue Townsend sei, fügte aber noch hinzu, dass mir diese Tatsache am heutigen Tag keine besondere Freude bereitete.

Er erzählte mir, dass er meine Bücher gelesen hatte, als er jünger war. »Ich und Adrian sind gleich alt«, sagte er. Er fing an von Adrian Mole zu erzählen, von Adrians Familie, Adrians chaotischem Leben. »Ich spare gerade für *Die Cappuccino Jahre*«, sagte er, »aber sobald ich das Geld zusammen habe, geht's los.« Er machte eine hilflose Geste, als ob das Geld Beine hätte und aus seiner Tasche gesprungen und um die nächste Ecke verschwunden wäre. Ich konnte mir schon vorstellen, wohin das Geld floss – jedenfalls nicht in Alkohol. Es gab keine der üblichen Anzeichen für chronischen Alkoholmissbrauch, doch andere Substanzen waren ihm ganz gewiss nicht fremd.

Er heißt Wayne Webb und ist achtundzwanzigeinhalb – ich war sehr gerührt von dem halben. Er lebt seit zehn Jahren auf der Straße. Seine Mutter starb, als er noch klein war, und mit seiner Stiefmutter kam er nicht aus. Er sprach mit großer Zuneigung von seinem Vater. Er sieht ihn dreimal im Jahr. »Mein Vater macht sich Sorgen um mich«, sagte er traurig. »Er will, dass ich mich zusammenreiße, verstehen Sie?«

Ich konnte mir vorstellen, wie sich Wayne Webbs Vater fühlte, wenn er nachts wach lag und sich fragte, wie es wohl seinem Jungen ging, ob er überhaupt noch am Leben war. »Ich wär nicht hier gelandet, wenn ich auf die Kunsthochschule gegangen wäre«, sagte er. »In der Schule haben sie mir gesagt, ich soll das machen, aber ich hab nicht gewusst, wie man da reinkommt.« Jahrelang hatte er Zeichnungen von Londoner Gebäuden in einer Mappe gesammelt. Architektur ist seine Leidenschaft. »Ich kenne jedes Gebäude im West End«, sagte er stolz.

Eines Nachts stieg er in einer Jugendherberge ab. Am Morgen war der Rucksack mit seiner Mappe gestohlen. Er hat seither nichts mehr gezeichnet. Seit die wunden Stellen auf seinem Gesicht erschienen sind, ist das Leben besonders hart für ihn. Die Leute bleiben auf Distanz, seine Einnahmen sind zurückgegangen. Er befürchtet, dass der Ladenbesitzer, vor dessen Eingangstür er nachts schläft, die Schnauze von ihm voll haben und ihn wegscheuchen könnte. »Gute Schlafplätze sind schwer zu finden«, erklärte er. »Überall hat irgendjemand sein Territorium, und es gibt schon harte Kerle auf der Straße.« Ich konnte mir unschwer vorstellen, dass Wayne Webb in einer Prügelei ein hoffnungsloser Fall wäre. Ich hütete mich, ihm gute Ratschläge zu erteilen. Wer bin ich denn, dass ich jemand anderem raten könnte, wie er sein Leben leben soll?

Dann ging ein gut gekleideter Amerikaner an uns vorbei, der wirre Obszönitäten vor sich hin schrie und wie ein Hund kläffte. Wayne beobachtete ihn mitleidig und sagte: »Armer Kerl, sein Gekläff bringt ihm immer Ärger ein.« Zwei Tage später, ich saß gerade im Pizza Express, sah ich den kläffenden Amerikaner, wie er von Polizisten gebändigt und in ein Polizeiauto verfrachtet wurde. Die ganze Zeit über sträubte er sich und kläffte laut vor sich hin.

Es wurde natürlich nicht ausgesprochen, doch wir wussten beide, dass ich Wayne Geld geben würde, bevor er ging. Er sprach davon, sich eine Arbeit zu suchen, eine Wohnung und eine Freundin, aber irgendwie merkte ich, dass er diese Ziele im Grunde längst aufgegeben hatte. Wir redeten eine Weile über Bücher. Er verbrachte viel Zeit damit, in die Schaufenster von Buchhandlungen zu starren, und manchmal kreuzte er auch bei Signierstunden auf, um einen Blick auf die Autoren zu werfen.

Eine Bedienung kam aus dem Café und fing an, die Stühle und Tische nach drinnen zu schaffen. Während ich in meiner Tasche nach Geld kramte, schaute Wayne höflich weg. Ich gab ihm zwanzig Pfund. Er beugte sich herunter und gab mir einen Kuss. Für mich ist dieses Geld gut verwendet.

Zugreisen

Ich führe kein Tagebuch. Ich könnte niemals riskieren, dass meine privaten Gedanken und Gefühle eines Tages gelesen werden. Doch ich bin ernsthaft versucht, ein Logbuch meiner Reisen von Leicester zur St. Pancras Station in London zu führen.

Ein Zugabteil zu betreten ist, wie wenn man ein Theater betritt und gleich ein Stück zu sehen bekommt, von dem man nichts weiß. Mobiltelefone haben dem Ganzen noch eine neue Dimension verliehen. Ich gehe also ins Abteil »A« ganz am Ende des Zuges, in dem inzwischen die verhassten Raucher zusammengepfercht werden. Ein kleines Mädchen weint vor Schmerzen und hält sich das Ohr. Ihre Mutter versucht, sie zu trösten. Sie wirken verängstigt. Beide sind dünn und blass und dürftig bekleidet, wenn man bedenkt, dass es draußen unter Null Grad kalt und die Landschaft mit klirrendem Frost überzogen ist.

Der Zugschaffner kommt vorbei, und die Mutter des Mädchens fragt, ob er Schmerztabletten hat. Ihre Tochter hat Ohrenschmerzen, sagt sie. Er ist mitfühlend, erklärt aber, dass er nicht befugt ist, Medikamente an Passagiere auszugeben. Als er wieder weg ist, zieht die Mutter ihr Handy heraus und ruft jemanden namens Rose an. Über das Weinen des Mädchens hinweg erklärt sie Rose, dass sie in einem Zug nach London sitzt, und bittet Rose, zu ihrer Wohnung zu gehen und ihre Kleider

und Möbel zu holen, »solang er bei der Arbeit ist«. Sie erzählt
Rose, dass sie seit vier Monaten die Miete für ihre Sozialwoh-
nung nicht bezahlt hat, und dass Dave sie umbringen wird, wenn
er es herausfindet. Dann bricht sie in Tränen aus.

Aus dem Fortgang der Unterhaltung entnehme ich, dass
Dave der Bruder von Rose ist und dass beide Frauen Angst
vor ihm haben. Ich kann dieses Elend kaum ertragen und will
schon aufstehen und mich zu den beiden setzen, doch eine andere Frau schlüpft auf den freien Platz ihnen gegenüber und
reicht dem Mädchen ein Päckchen Minzbonbons und der Mutter ein Taschentuch.

Als wir am Bahnhof St. Pancras ankommen, stelle
ich besorgt fest, dass das Mädchen ohne Handschuhe und
Schal ist und nackte Beine hat. Die Mutter kämpft sich mit
einem schweren Koffer und einem Stapel Taschen den Bahnsteig entlang. Ich biete an, ihr ein paar Taschen abzunehmen,
doch sie lehnt ab. Ich mache mir um beide Sorgen, als sie aus
dem Bahnhof hinaus in die Stadt gehen. Den ganzen Tag muss
ich an sie denken, während ich versuche, Witze zu Papier
zu bringen.

Abends fahre ich mit dem 8.25-Uhr-Zug nach Leicester
zurück. Ich habe es mir mit einem Cappuccino im Pappbecher
auf meinem Sitzplatz gemütlich gemacht. Schräg gegenüber
von mir, auf der anderen Seite des Gangs, sitzt ein Mann mittleren Alters mit schlechtem Haarschnitt und unvorteilhafter
Brille. Er liest den *Evening Standard*. Als der Zug gerade aus
dem Bahnhof fährt, klingelt sein Handy. Er hört der Person am
anderen Ende der Leitung einige Sekunden zu und sagte dann:
»Oh mein Gott!«

Ich blicke zu ihm hinüber, doch infolge meiner lausigen
Sehkraft kann ich den Ausdruck auf seinem Gesicht nicht erkennen. Dann sagt er: »Ich habe gesagt: ›Hallo, Liebling, ich
bin's. Ich liebe dich, und du fehlst mir.‹« Anscheinend war das
die Nachricht, die er im Lauf des Tages auf dem Handy seiner

Geliebten hinterlassen hatte. Ihr Mann war darauf gestoßen und wollte nun wissen, wer dieser »ich« ist.

Der Zug fährt beim Verlassen von London durch drei Tunnel, und so wurde die Kommunikation zwischen den Liebenden unterbrochen. Ich wartete ungeduldig, bis die Leitung wieder stand. Die Geliebte befand sich, wie ich vage entnehmen konnte, mit einem Haufen Ein-Pfund-Münzen in einer Telefonzelle, während ihr Mann mit den gemeinsamen Kindern, dem Handy und der belastenden Nachricht zu Hause war.

Die beiden brüteten eine Erklärung aus. Der Mann mit dem schlechten Haarschnitt ermahnte seine Geliebte, ruhig zu bleiben. »Sag ihm, da muss jemand die falsche Nummer erwischt haben«, riet er. »Und bleib bei der Version … Sag ihm um Gottes willen bloß nichts von mir.«

Während der Zug durch Luton fuhr, verließ die Geliebte die Telefonzelle, um sich noch Münzen zu besorgen. In Bedford klingelte sein Handy erneut. Er fragte seine Geliebte: »Kann man zurückverfolgen, wer eine Nachricht hinterlässt?« Sie besprachen dies. Keiner von beiden wusste, wie die Technik genau funktioniert. Ihre Paranoia wurde immer schlimmer.

Der Mann hatte komplett vergessen, dass er in einem Großraumabteil mit mindestens dreißig Leuten saß, von denen bestimmt alle genauso gebannt lauschten wie ich. Er war völlig versunken in das Psychodrama seines Lebens.

Einmal unterbrach er das Gespräch mit seiner Geliebten und rief bei seiner Frau an. Es war belegt. Wurde seine Frau womöglich gerade über die Untreue ihres Mannes in Kenntnis gesetzt? In Kettering sagte der Mann in sein Handy: »Jetzt sei nicht blöd. Du weißt doch, dass ich dich liebe.«

Was mich rasend machte, war, dass man nicht wußte, ob er es zu seiner Frau oder zu seiner Geliebten sagte.

DIANA

Das anspruchsvolle Programm

David Lodge

62/107

DIANA-TASCHENBÜCHER

HEYNE

Literatur
für Freunde
des britischen
Humors –
amüsant, ironisch,
witzig!

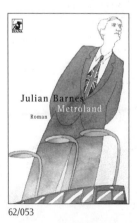

62/053

HEYNE-TASCHENBÜCHER